o castelo

Franz Kafka
O CASTELO

tradução
Deborah Stafussi

‹ns

SÃO PAULO, 2017

O castelo
The castle
Copyright © 2017 by Novo Século Editora Ltda.

PRODUÇÃO EDITORIAL
SSegóvia Editorial

TRADUÇÃO
Deborah Stafussi

PREPARAÇÃO
Sirlaine Cabrine

DIAGRAMAÇÃO
João Paulo Putini

REVISÃO
Alline Salles
Márcio Barbosa

CAPA
Vitor Donofrio

Texto de acordo com as normas do Novo Acordo Ortográfico da Língua Portuguesa (1990), em vigor desde 1º de janeiro de 2009.

Dados Internacionais de Catalogação na Publicação (CIP)

Kafka, Franz, 1883-1924
O castelo
Franz Kafka ; tradução de Deborah Stafussi.
Barueri, SP: Novo Século Editora, 2017.

Título original: The castle.

1. Literatura alemã - Ficção I. Título II. Deborah Stafussi

17-0539   CDD-833.912

Índice para catálogo sistemático:
1. Literatura alemã - Ficção 833.912

‹ns
uma marca do
Grupo Novo Século

Alameda Araguaia, 2190 – Bloco A – 11º andar – Conjunto 1111
CEP 06455-000 – Alphaville Industrial, Barueri – SP – Brasil
Tel.: (11) 3699-7107
www.gruponovoseculo.com.br | atendimento@gruponovoseculo.com.br

*Acreditando apaixonadamente
em alguma coisa que ainda
não existe, nós a criamos.*

FRANZ KAFKA

I
Chegada

Era tarde da noite quando K. chegou. O vilarejo estava coberto por neve. Não havia nada para ser visto no Monte do Castelo, pois a névoa e a escuridão o cercavam, e nem mesmo o mais fraco raio de luz mostrava onde o grande castelo estava. K. permaneceu na ponte de madeira que ia da estrada para o vilarejo por um bom tempo, olhando para o que parecia ser um vazio.

Então, ele foi em busca de um lugar para passar a noite. As pessoas ainda estavam acordadas na pousada. O senhorio não tinha nenhum quarto disponível, mas, apesar de estar muito surpreso e confuso pela chegada de um hóspede tão tarde, ele estava disposto a deixar K. dormir em um colchão de palha no salão. K. concordou com a sugestão. Diversos camponeses locais ainda bebiam suas cervejas, mas ele não sentiu vontade de conversar com ninguém. Ele mesmo retirou seu colchão de palha do sótão e deitou-se perto do fogão. Estava quente ali, os nativos estavam em silêncio, seus olhos cansados passaram por eles inspecionando-o e, então, ele adormeceu.

Mas, logo depois disso, foi acordado. Um jovem vestido em trajes típicos, com o rosto como o de um ator – olhos estreitos, sobrancelhas bem marcadas –, estava em pé ao lado dele com o senhorio. Os camponeses também estavam ali, e alguns deles haviam virado suas cadeiras para poder ver e ouvir melhor. O jovem se desculpou muito gentilmente por ter acordado K., apresentou-se como o filho do guarda do castelo e disse:

– Este vilarejo pertence ao castelo, então qualquer um que se hospeda ou passa a noite aqui está, por assim dizer, hospedando-se ou passando a noite no castelo. E ninguém pode fazer isso sem autorização do conde. E você não tem tal permissão, ou pelo menos não apresentou uma.

K. já havia sentado, ajeitado seu cabelo e agora olhava para os dois homens.

– Para qual vilarejo eu vim, então? – ele perguntou. – Há um castelo nesta região?

– Com certeza – disse calmamente o jovem, enquanto alguns dos camponeses balançavam suas cabeças por causa da ignorância de K. – O castelo do Conde Westwest.

– E eu preciso dessa autorização para passar a noite aqui? – perguntou K., querendo convencer a si mesmo de que ele não havia, de forma alguma, sonhado com a informação anterior.

– Sim, você precisa de uma permissão – foi a resposta. E havia um desdém, uma zombaria evidente contra K. na voz do jovem, visto que, com seu braço esticado, ele perguntou ao senhorio e aos hóspedes: – Ou será que estou errado? Ele não precisa de uma autorização?

– Bem, então preciso sair e conseguir essa autorização – disse K., bocejando, afastando sua coberta como se fosse ficar em pé.

– Ah, sim. E com quem? – perguntou o jovem.

– Bem, com o conde – disse K. – Suponho que não haja outro jeito.

– Mas como? Vai sair e conseguir a autorização do próprio conde à meia-noite? – gritou o jovem, com um passo para trás.

– Isso é impossível? – perguntou K., tranquilamente. – Se é, então por que me acordou?

Mas dessa vez o jovem ficou fora de si.

– Tem os modos de um vadio! – gritou ele. – Exijo respeito pela autoridade do conde! Eu o acordei para dizer que você deve deixar o território do conde imediatamente.

– Já basta dessa farsa – disse K., em uma voz notavelmente leve. Então se deitou e puxou seu cobertor sobre si. – Jovem, você está indo longe demais, e terei algo a dizer sobre seu comportamento amanhã. O senhorio e esses cavalheiros são minhas testemunhas, se eu precisar de alguma. Quanto ao restante, permita-me dizer-lhe que sou o agrimensor do castelo, e o conde me convidou. Meus assistentes chegarão amanhã de carruagem com nossos instrumentos de agrimensura. Eu não queria me privar de uma boa caminhada pela neve, mas infelizmente perdi meu caminho diversas vezes, e é por isso que cheguei tão tarde. Eu mesmo estava bem ciente, antes mesmo de você apresentar o seu sermão, de que já era tarde demais para eu me apresentar no castelo. E foi por isso que me contentei em passar a noite aqui, e você foi, para falar de maneira branda, descortês o bastante a ponto de perturbar meu descanso. E essa é toda a explicação que irei lhe dar. Boa noite, senhores. – E K. virou-se em direção ao fogo.

– Agrimensor? – ele ouviu alguém atrás dele perguntar de forma hesitante e, então, todos ficaram em silêncio.

Mas o jovem logo se recompôs e disse para o senhorio, em um tom baixo o bastante para soar como se ele estivesse apenas demonstrando consideração pelo adormecido K., mas alto o bastante para que ele ouvisse o que se dizia:

– Irei telefonar e perguntar.

Ah, então havia um telefone naquela pousada, não é? Eles eram bem equipados ali. Esse detalhe surpreendeu K., mas no geral ele esperava aquilo. Aconteceu que o telefone estava instalado quase logo acima de sua cabeça, mas, sonolento como estava, não percebeu. Se o jovem realmente precisasse fazer uma ligação, mesmo com a melhor boa vontade do mundo, ele não conseguiria deixar de incomodar o sono de K. O único ponto em questão era se K. iria deixá-lo usar o telefone; e ele decidiu que sim. Sendo assim, entretanto, não havia razão para fingir que estava dormindo, então deitou de costas novamente. Ele viu os camponeses aglomerando-se nervosamente e deliberando; bem, a chegada de um agrimensor não era uma questão insignificante. A porta da cozinha havia sido aberta e ali, preenchendo todo o espaço, estava a figura monumental da senhoria. O senhorio se aproximou na ponta dos pés para avisá-la sobre o que estava acontecendo. Então, a conversa pelo telefone começou. O administrador estava dormindo, mas seu substituto, ou um dos diversos encarregados, um certo Sr. Fritz, estava na linha. O jovem, que se identificou como Schwarzer, contou ao Sr. Fritz como havia encontrado K., um homem de aparência muito esfarrapada, em seus trinta anos, dormindo tranquilamente em um colchão de palha, com uma pequena mochila como travesseiro e uma bengala de galho torcido ao alcance de sua mão. Ele naturalmente havia ficado desconfiado, disse o jovem, pois o senhorio havia claramente negligenciado o cumprimento de seu dever e ele mesmo precisou investigar a questão. K., acrescentou ele, agiu de maneira muito indelicada ao ser acordado, questionado e ameaçado com a apropriada expulsão do condado, embora, como depois se descobriu, talvez com certa razão, pois ele alegou ser um agrimensor, e disse que o conde foi quem o chamou. E é claro que era dever deles verificar essa alegação, então ele, Schwarzer, quis que Fritz questionasse o Gabinete Central, para descobrir se algum agrimensor era realmente aguardado, e telefonasse de volta com a resposta.

Então tudo ficou em silêncio. Fritz saiu para fazer seu inquérito, e ali na pousada todos aguardavam a resposta. K. ficou parado onde estava, sem sequer virar seu corpo, não parecendo nada curioso, olhando diretamente para a frente. A forma como Schwarzer contou essa história, com uma mistura de malícia e cautela, lhe deu uma ideia do que poderia ser chamado de treinamento diplomático, em que até mesmo as mais insignificantes figuras do castelo como Schwarzer tinham domínio. Não faltava empenho ali também; o Gabinete Central estava trabalhando até mesmo à noite, e claramente respondia às questões rapidamente, pois Fritz logo retornou a ligação. Seu relatório, no entanto, parecia ser muito curto, pois Schwarzer imediatamente desligou o telefone, furioso.

– Bem que eu disse! – ele gritou. – Não há nenhum registro de agrimensor; esse homem é um vagabundo comum e mentiroso, e provavelmente coisa pior.

Por um momento, K. pensou que todos eles – Schwarzer, os camponeses, o senhorio e a senhoria – iriam atacá-lo e, para evitar pelo menos o primeiro golpe, ele se cobriu por completo. Então, lentamente colocou sua cabeça para fora do cobertor, o telefone tocou novamente e, como pareceu para K., com uma certa força. Embora fosse improvável que essa ligação também fosse sobre K., todos pararam por um instante e Schwarzer voltou para atender o telefone.

Ele ouviu uma explicação um pouco demorada e depois disse, silenciosamente:

– Um erro, então? Isso é muito estranho para mim. Você disse que o próprio chefe do departamento telefonou? Muito estranho. Mas como vou explicar isso para o agrimensor?

K. ergueu suas orelhas. Então o castelo o havia descrito como "o agrimensor". Por um lado, isso era ruim, pois mostrava que eles sabiam tudo o que precisavam saber sobre ele no castelo, haviam pesado a balança de poder e aceitado alegremente seu desafio. Por outro lado, no entanto, era bom, pois confirmava sua opinião de que ele estava sendo subestimado, e teria mais liberdade do que esperava de início. E se eles pensavam que poderiam mantê-lo em um estado de admiração constante ao reconhecer suas qualificações como um agrimensor dessa forma arrogante, como era de fato, estavam errados. Ele sentia uma pequena satisfação, sim, mas era só isso.

K. afastou Schwarzer, que se aproximava timidamente; ele se recusou a mudar-se para o quarto do senhorio, como foi incentivado a fazer, aceitando apenas uma touca de dormir e um lavatório, com um sabão e uma toalha, da senhoria, e nem mesmo precisou pedir que o salão fosse esvaziado, já que todos os presentes estavam indo embora apressadamente, desviando o rosto, talvez para impedir que ele os identificasse na manhã seguinte. A luz foi desligada, e ele enfim ficou sozinho. Dormiu profundamente até de manhã, perturbado uma ou duas vezes por ratos passando apressadamente.

Depois do café manhã que, assim como todas as refeições e hospedagem de K., de acordo com o que o senhorio lhe disse, seria pago pelo castelo, ele pensou em caminhar pelo vilarejo. Mas como o senhorio, a quem ele havia dito apenas o necessário ao lembrar de seu comportamento do dia anterior, continuava a rodeá-lo com um apelo silencioso nos olhos, ele ficou com pena do homem e o convidou para sentar-se para fazer-lhe companhia por um tempo.

– Eu ainda não conheci o conde – disse K. – Mas eles disseram que ele paga bem por um bom trabalho. É isso mesmo? Quando alguém viaja para tão longe da mulher e filho, como eu, quer voltar para casa com algo que valha a pena.

— Não se preocupe com isso, senhor. Nunca houve nenhuma reclamação de mau pagamento.

— Bem — disse K. — Não sou do tipo tímido, e falo o que penso até mesmo para um conde, mas é claro que é muito melhor ser amigável com tal cavalheiro.

O senhorio estava sentado do lado oposto a K., no parapeito da janela, sem ousar sentar-se em um lugar mais confortável, e continuava a olhar para K. com seus olhos grandes, castanhos e ansiosos. No início, ele havia se movido para perto de seu hóspede, mas agora parecia querer sair correndo. Será que estava com medo de ser interrogado a respeito do conde? Será que temia que, embora ele agora chamasse seu hóspede de "senhor", K. não fosse alguém confiável? K. achou melhor distrair a mente do homem. Ao olhar para o seu relógio, disse:

— Bem, meus assistentes logo irão chegar. Você poderá hospedá-los aqui?

— Mas é claro, senhor — disse o senhorio. — Mas eles não se hospedarão com o senhor no castelo?

Será que o senhorio estaria rejeitando tão facilmente os possíveis hóspedes, e K. em particular, a quem ele parecia ansioso para mandar embora para o castelo?

— Isso ainda não está decidido — disse K. — Primeiro, preciso descobrir que tipo de trabalho eles querem que eu realize. Por exemplo, se eu for trabalhar aqui embaixo, é melhor que me hospede aqui também. Além disso, temo que morar no castelo não combine comigo. Sempre prefiro agir livremente.

— O senhor não sabe como é o castelo — disse baixinho o senhorio.

— Verdade — disse K. — Não devemos julgar cedo demais. No momento, tudo o que conheço sobre o castelo é que lá eles sabem escolher um bom agrimensor. E talvez haja outras vantagens lá também.

Assim, ele se levantou para permitir que o senhorio, que estava inquieto, mordendo seus lábios, tivesse a chance de livrar-se de sua companhia. Não era fácil ganhar a confiança daquele homem.

Enquanto K. se afastava, ele percebeu um retrato escuro em uma moldura sombria na parede. Já o havia visto de onde estava deitado na noite anterior, mas de longe ele não conseguiu distinguir os detalhes, e pensou que o retrato havia sido removido da moldura, deixando apenas o fundo escuro. Mas havia, de fato, um retrato, como ele agora via: a cabeça e os ombros de um homem por volta de seus 50 anos. A cabeça do homem estava tão curvada sobre o peito que quase não era possível ver seus olhos, e o motivo por que ele estava assim parecia ser o peso de sua testa alta e larga e também pelo nariz grande e curvado. A barba do homem, que estava esmagada em sua garganta por causa do ângulo de sua cabeça, se destacava sob seu queixo. Sua mão esquerda estava aberta e ele a passava por seu cabelo grosso, mas não conseguia erguer mais a cabeça.

– Quem é esse? – perguntou K. – O conde?

Ele estava em pé diante do retrato, e nem olhou para o senhorio.

– Ah, não – disse o senhorio. – Esse é o administrador do castelo.

– Bem, eles têm um elegante administrador no castelo, com certeza – disse K. – É uma pena que seu filho tenha saído tão ruim.

– Não, não – disse o senhorio, trazendo K. para perto de si e sussurrando em seu ouvido. – Schwarzer estava apenas bancando o valente ontem; seu pai é só um oficial, e um dos menores deles.

Nesse momento, o senhorio pareceu uma criança para K.

– Mas que malandro! – ele disse, rindo. No entanto, o senhorio não o acompanhou, e disse: – O pai *dele* é poderoso também.

– Ah, por favor! – disse K. – Você pensa que todos são poderosos, incluindo eu, imagino?

– Não – disse o homem, timidamente, mas com seriedade. – Não acho que você seja poderoso.

– Então é um ótimo observador – disse K. – O fato é que, só entre nós, realmente não sou poderoso. Como consequência, provavelmente não sinto menos respeito pelos poderosos do que você, mas não sou tão honesto quanto você e nem sempre admitirei isso.

E, para animar o senhorio e mostrar sua boa vontade, ele deu um leve toque em seu rosto. Com isso, o homem sorriu um pouco. Ele, na verdade, não passava de um rapaz, com rosto macio e quase sem pelos. Como ele havia se casado com aquela senhora robusta, de idade avançada, que podia ser vista por uma porta balançando pela cozinha, com as mãos no quadril e cotovelos arqueados? Mas K. não queria investigar mais o homem, ou retirar o sorriso que ele finalmente havia provocado em seu rosto; apenas fez sinal para abrir a porta e saiu pela manhã de inverno.

Agora ele podia ver o castelo no alto, distintamente desenhado na paisagem limpa, e destacando-se ainda mais por causa da fina camada de neve que repousava sobre todo lugar e alterava a forma de tudo. De fato, parecia ter caído menos neve sobre o Monte Castelo do que sobre o vilarejo, onde K. descobriu que era tão difícil caminhar como havia sido na noite anterior. Ali, a neve chegava à altura da janela dos chalés, e pesava sobre os telhados baixos, enquanto na montanha tudo estava no ar, leve e solto, ou pelo menos era o que parecia de onde ele estava.

O castelo, visto de longe, atendia completamente às expectativas de K. Não era nem um castelo medieval antigo, dos tempos da cavalaria, nem uma estrutura nova, suntuosa, e sim um grande complexo de prédios, alguns com dois andares, mas muitos deles mais baixos e mais próximos uns dos outros. Se alguém não soubesse que se tratava de um castelo, poderia pensar que era uma pequena cidade. K. via apenas uma única torre e não conseguia decidir se era uma habitação ou se pertencia a uma igreja. Uma revoada de corvos a rodeava.

Com seus olhos fixos no castelo, K. prosseguiu, sem prestar atenção a mais nada. Mas, ao se aproximar, achou o castelo decepcionante; afinal, era apenas um pobre agrupamento de chalés reunidos em uma pequena cidade, e distinguidos somente pelo fato de que, sendo todos construídos com pedras, a tinta já havia saído há muito tempo, e a própria pedra parecia estar se desgastando. K. pensou rapidamente em sua cidade natal, que não era tão inferior àquele castelo. Se ele tivesse ido até lá apenas para ver o lugar, teria seguido uma longa jornada por quase nada, e teria sido melhor visitar a antiga casa que não via há tanto tempo.

Em sua mente, ele comparava a torre da igreja de sua infância com aquela. A primeira, afunilando em um pináculo, e descendo para um telhado amplo, com telhas vermelhas, com certeza era uma construção terrena – o que mais poderíamos construir? –, mas havia sido erguida para um propósito mais nobre do que aquelas casas amontoadas, baixas, e passava uma mensagem muito mais clara do que o mundo monótono e comum daquele lugar. A torre ali – a única visível – acabou se revelando uma habitação, talvez a principal parte do castelo. Era um edifício simples, arredondado, parcialmente coberto com heras, e possuía pequenas janelas, que agora brilhavam com o sol – havia algo de insano nesta visão –, e a construção em forma de um balcão no topo, com um parapeito inseguro, irregular, esmigalhando-se como se arrastado por uma criança ansiosa ou descuidada, em zigue-zague, contra o céu azul. Era como se um morador melancólico do lugar, que deveria permanecer trancado no cômodo mais remoto da casa, houvesse quebrado o telhado e estava erguido para se mostrar ao mundo.

Novamente, K. parou, como se estivesse em pé por causa de seus poderes de julgamento. Mas sua atenção foi desviada. Além da igreja do vilarejo onde havia parado – na verdade era apenas uma capela, aumentada como um celeiro para que pudesse conter toda a congregação –, estava a escola. Era uma construção comprida, baixa, curiosamente combinando o caráter de algo temporário e algo muito antigo, e ficava em um jardim cercado coberto de neve. Naquele momento, as crianças estavam saindo com seu professor. Elas se amontoavam ao redor dele, todas com os olhos fixos nele, e conversavam o tempo todo, tão depressa que K. não conseguia entender o que elas diziam. O professor, um jovem pequeno, de ombros estreitos, que se mantinha aprumado, mas sem parecer ridículo, já havia visto K. Afinal, além de seu pequeno rebanho, K. era a única alma viva que podia ser vista ao longe. Como era o desconhecido ali, K. o cumprimentou primeiro, percebendo que, apesar de sua baixa estatura, o homem estava acostumado a estar no comando.

– Bom dia, senhor! – ele disse.

Todas as crianças ficaram em silêncio ao mesmo tempo, e o professor provavelmente apreciava esse silêncio repentino aguardando suas palavras.

– Está olhando para o castelo? – ele perguntou, mais gentilmente do que K. esperava, mas em um tom que sugeria que não apreciava o que K. estava fazendo.
– Sim – disse K. – Sou estrangeiro; cheguei ao vilarejo ontem à noite.
– Não gostou do castelo? – o professor perguntou rapidamente.
– O quê? – disse K. em resposta, um pouco surpreso. Ele repetiu a pergunta em um tom mais suave: – Se gostei do castelo? O que faz você pensar que não?
– Os estrangeiros nunca gostam – disse o professor.
Nesse momento, K. mudou de assunto, para evitar falar algo que o professor não iria gostar, e perguntou:
– Suponho que conheça o conde.
– Não – disse o professor; e estava prestes a ir embora.
Mas K. não iria desistir, e perguntou novamente:
– O quê? Você não conhece o conde?
– O que faz você pensar que eu conheceria? – perguntou o professor, discretamente. Depois acrescentou em uma voz mais alta, falando em francês: – Por favor, considere que estamos na companhia de crianças inocentes.
Isso fez K. pensar que ele poderia perguntar:
– Posso visitá-lo um dia desses, senhor? Devo ficar aqui por algum tempo, e me sinto muito sozinho; não me dou bem com os camponeses locais, e acredito que não me adaptarei ao castelo também.
– Não há diferença entre o povo local e o castelo – disse o professor.
– Talvez não – disse K. – Mas não faz diferença em minha situação. Posso visitá-lo?
Eu moro em Swan Alley, na casa do açougueiro. – Isso foi mais uma afirmação do que um convite.
Mesmo assim K. respondeu:
– Bem, então irei.
O professor concordou, e seguiu com a multidão de crianças, que começaram a gritar novamente. Logo desapareceram por uma rua que descia íngreme pela colina.

Mas K. estava distraído, inquieto com essa conversa. Pela primeira vez desde sua chegada, sentiu um cansaço real. No início, a longa jornada até ali não parecia tê-lo afetado nem um pouco – e ele havia andado por dias, passo a passo, sempre em frente! No entanto, agora, toda aquela tensão física estava cobrando seu preço, e bem no momento errado. Ele estava convicto em buscar conhecidos, mas cada encontro o deixava mais cansado do que antes. Se ele se forçasse a andar, ainda que só até a entrada do castelo, já seria mais do que suficiente em seu estado.

Então continuou, mas era um longo caminho. Pois ele estava na rua principal do vilarejo, e ela não levava ao Monte do Castelo, apenas passava perto antes de ir para o lado oposto, como se fosse de propósito e, apesar de não se afastar muito do castelo, essa rua também não ficava próxima dele. K. continuava pensando que ela, enfim, o levaria até o castelo e, apenas por causa dessa expectativa, ele continuou. Devido a seu cansaço, naturalmente retrocedeu diante da estrada, e ficou surpreso pelo tamanho do vilarejo, que parecia nunca terminar, com mais e mais casas pequenas, com as janelas cobertas por flores congeladas, e com a neve e a ausência de seres humanos – enfim, ele relutantemente saiu da estrada em que havia persistido, e desceu por um beco estreito onde a neve estava ainda mais profunda. Tirar seus pés da neve enquanto eles continuavam a afundar era difícil. Ele começou a suar, e logo parou, pois não conseguia prosseguir.

Porém, na verdade, ele não estava completamente sozinho, pois havia chalés à sua direita e à sua esquerda. Então, fez uma bola de neve e jogou-a em uma janela. A porta da frente logo se abriu – a primeira porta que havia visto aberta durante toda a sua caminhada pelo vilarejo –, e ele viu um senhor com um casaco marrom de pelos, a cabeça inclinada para um lado, parecendo frágil e amigável.

– Posso entrar em sua casa um pouco? – perguntou K. – Estou muito cansado.

Ele não escutou o que o senhor dizia, mas com gratidão percebeu que uma tábua estava sendo empurrada em sua direção. Isso logo o retirou da neve, e mais alguns passos o levaram até a sala da cabana.

O cômodo era grande e pouco iluminado. Ao entrar, ele não conseguiu ver nada de início. K. cambaleou e quase caiu sobre uma pilha de roupas, mas a mão de uma mulher o segurou. Ele ouviu crianças gritando em um dos cantos. O vapor subia de outro canto, transformando o crepúsculo em escuridão. K. ficou cercado por nuvens.

– Ele está bêbado – alguém disse. – Quem é você? – perguntou uma voz autoritária, e acrescentou, provavelmente dirigindo-se ao ancião: – Por que o deixou entrar? Devemos receber todos que vêm caminhando pelas ruas?

– Eu sou o agrimensor do conde – disse K., como uma forma de justificar-se para seu interlocutor ainda invisível.

– Ah, é o agrimensor da terra – disse a voz da mulher, e tudo ficou em completo silêncio.

– Você me conhece? – perguntou K.

– Sim, de fato – foi tudo o que a primeira voz disse, brevemente. Saber quem K. era não pareceu alterar o conceito dessas pessoas em relação a ele.

Por fim, um pouco da fumaça se dissipou e, aos poucos, K. conseguiu enxergar onde estava. Parecia ser o dia de lavar roupas para todos. Roupas eram lavadas perto da porta. Mas o vapor subia do canto esquerdo, onde dois homens tomavam banho em água fervente dentro de uma banheira de madeira, maior do que todas que K. já havia visto antes; era mais ou menos do tamanho de duas camas. Mas o que era mais surpreendente, embora fosse difícil dizer o motivo, era o canto direito do cômodo. Através de uma grande portinhola, a única abertura na parede de trás do cômodo, entrava uma luz pálida pela neve, com certeza vinda do jardim, e provocava um brilho como seda sobre o vestido de uma mulher quase deitada, pois ela parecia cansada, em uma poltrona alta, bem longe naquele canto. Ela tinha um bebê em seu peito. Outras crianças brincavam ao seu redor, obviamente crianças do vilarejo, apesar de ela mesma não parecer ser de lá; embora até mesmo uma doença ou cansaço deem a qualquer camponês um ar refinado.

– Sente-se – disse um dos homens, um camarada com barba e bigode, que manteve sua boca aberta o tempo todo sob seu bigode, respirando ruidosamente.

Ao levantar sua mão sobre a lateral da banheira, uma visão cômica, ele apontou para um baú e, ao fazê-lo, espirrou água quente por todo o rosto de K. O homem que havia deixado K. entrar também estava sentado sobre o baú, perdido em pensamentos. K. ficou feliz pela chance de enfim sentar-se. Ninguém se importava mais com ele. A mulher que lavava a roupa era loira, jovem e forte, cantava enquanto trabalhava, os homens na banheira batiam seus pés, indo de um lado para outro, as crianças tentavam se aproximar deles, mas eram sempre afastadas por fortes jatos de água que também não poupavam K., a mulher na poltrona permanecia deitada como morta, sem nem mesmo olhar para a criança em seu peito, e com o olhar vago para o teto.

K. provavelmente passou algum tempo observando essa cena imutável, triste e bela, mas logo adormeceu, pois, quando uma voz alta o saudou, ele despertou de repente e viu que sua cabeça estava descansando sobre o ombro do senhor ao seu lado. Os homens já haviam terminado seu banho – as crianças agora estavam brincando com a água, e a mulher loira as observava – e estavam diante de K., vestidos. O homem barbado com a voz alta era o menos importante dos dois. O outro homem, da mesma altura que seu amigo, e com uma barba muito mais rala, era um companheiro quieto, que falava vagarosamente, robusto por natureza e de rosto largo, e mantinha sua cabeça baixa.

– Senhor agrimensor – disse ele –, perdoe a falta de civilidade, mas não pode ficar aqui.

– Eu não quero ficar – disse K. –, somente para descansar um pouco. Eu me sinto descansado agora, já vou embora.

– Provavelmente está surpreso por sermos tão inóspitos – disse o homem. – Mas hospitalidade não é um costume aqui, e não precisamos de visitantes.

Um pouco renovado pelo sono e escutando mais atentamente do que antes, K. estava feliz por ouvi-lo falar tão francamente. Ele estava se movendo com mais facilidade nesse momento e, colocando sua bengala aqui e ali, aproximou-se da mulher na poltrona. Ele mesmo era, fisicamente, a maior pessoa na sala.

— É claro — disse K. — Por que precisariam de visitantes? Mas um visitante ou outro é necessário de vez em quando, por exemplo eu, como um agrimensor.

— Não tenho certeza disso — disse o homem devagar. — Se eles o chamaram, então provavelmente precisam de você, mas isso é uma exceção. Quanto a nós, pessoas comuns, seguimos as regras, e o senhor não pode usar isso contra nós.

— Não, não — disse K. — Sou grato a você e a todos aqui.

E, quando nenhum deles esperava, ele repentinamente virou-se para ficar diante da mulher. Ela olhou para K. com seus olhos azuis cansados; um lenço de seda translúcido caiu um pouco sobre sua testa, e o bebê dormia em seu peito.

— Quem é você? — perguntou a K. com desdém, e não ficou claro se esse desdém era por K. ou por sua própria resposta. Ela disse: — Eu sou do castelo.

Tudo isso demorou apenas um momento, mas dois homens já estavam um de cada lado de K., arrastando-o à força até a porta, como se não houvesse outra forma de comunicação. O ancião, observando, pareceu satisfeito por alguma coisa e bateu palmas. A lavadeira também riu enquanto estava entre as crianças, que faziam barulho.

Quanto a K., logo ele estava fora, na rua, com os dois homens a observá-lo da entrada. A neve caía novamente, mas parecia um pouco mais brilhante do que antes. O homem barbado chamou, impaciente:

— Para onde você quer ir? Esse é o caminho para o castelo, e aquele é o caminho para o vilarejo.

K. não respondeu, mas disse para o outro homem que, apesar de seu *status* superior, parecia mais acessível:

— Quem são vocês? A quem devo agradecer por meu descanso aqui?

— Sou Lasemann, o curtidor-mestre. — Foi a resposta. — E não precisa agradecer.

— Muito bem — disse K. — Talvez nos encontremos novamente.

— Eu não pensaria assim — disse o homem.

Nesse momento, o homem barbado, levantando uma mão, gritou:

— Bom dia, Artur; bom dia, Jeremias!

K. virou-se. Então havia pessoas pelas ruas do vilarejo, afinal! Dois jovens vinham pela estrada do castelo. Eles tinham altura mediana, muito magros, com roupas bem ajustadas, e seus rostos também eram muito parecidos, com pele marrom-escura, carregando seus próprios cavanhaques. Andavam rápido, considerando a condição das ruas, alinhando suas longas pernas ao mesmo tempo.

– O que está acontecendo? – perguntou o homem barbado. Ele teve de erguer sua voz para falar com eles, pois andavam muito rápido e não pararam.

– Temos negócios aqui – responderam, rindo.

– Onde?

– Na estalagem.

– Também estou indo para lá – gritou K., sua voz repentinamente erguendo-se sobre todas as outras. Ele queria muito que os dois homens o levassem com ele. Aparentemente, fazer amizade com eles não daria em lugar nenhum, mas eles com certeza seriam companhias boas e animadas para a caminhada. No entanto, embora tivessem ouvido o que K. disse, eles simplesmente acenaram, prosseguiram e sumiram em um instante.

K. ficou na neve, sentindo-se sem vontade de levantar seu pé para depois ter que afundá-lo na neve um pouco mais adiante. O curtidor-mestre e seu amigo, felizes por enfim se livrarem de K., tomaram seu caminho vagarosamente de volta pela porta da casa, que estava entreaberta, ainda de olho nele. K. foi deixado sozinho na neve envolvente. "Se eu tivesse vindo até aqui por acaso, e não com um propósito, já teria entrado em desespero a esse ponto", pensou ele.

Então uma pequena janela se abriu em uma cabana à sua esquerda. Fechada, parecia azul-escura, talvez refletindo a neve, e era tão pequena que, agora que estava aberta, não era possível ver todo o rosto da pessoa atrás dela, apenas os olhos: eram olhos velhos, castanhos.

– Ali está ele. – K. ouviu uma voz trêmula feminina dizer.

– É o agrimensor – disse uma voz masculina. O homem foi até a janela e perguntou, em um tom amigável, mas como se estivesse

ansioso para ter certeza de que tudo estava bem na rua ao lado de sua casa: – O que está esperando?
– Estou esperando por um trenó que possa me levar – disse K.
– Nenhum trenó passará por aí – disse o homem. – Não temos movimento aqui.
– Mas esse é o caminho para o castelo – K. protestou.
– Mesmo assim – disse o homem, com um tom implacável na voz. – Não temos movimento aqui.
Então os dois ficaram em silêncio. Mas o homem estava claramente pensando em algo, pois a janela ainda estava aberta, e fumaça saía por ela.
– É uma estrada ruim – disse K., para ajudar a continuar a conversa.
No entanto, tudo que o homem disse foi:
– Sim, com certeza.
Após algum tempo, ele acrescentou:
– Posso levá-lo em meu próprio trenó, se quiser.
– Sim, por favor, faça isso – disse K. feliz. – Quanto você quer?
– Nada – disse o homem, para a grande surpresa de K. – Bem, você é o agrimensor – explicou – e pertence ao castelo. Para onde quer ir?
– Bem, para o castelo – K. respondeu prontamente.
– Oh, então não irei – disse o homem.
– Mas eu pertenço ao castelo – K. disse, repetindo as próprias palavras do homem.
– Talvez – disse o homem friamente.
– Leve-me para a estalagem, então – disse K.
– Muito bem – disse o homem. – Trarei o trenó em um minuto.
Nada nessa conversa soou amigável; era mais como uma tentativa egoísta, ansiosa e meticulosamente mesquinha de afastar K. de onde estava, na frente da casa do homem.
O portão do jardim se abriu, e um trenó pequeno e reto apareceu. Ele era feito para carregar coisas leves, não tinha assentos de nenhum tipo, e era levado por um pequeno e frágil cavalo, atrás do qual vinha o homem. Embora não fosse velho, ele mesmo parecia frágil; andava curvado e mancava, sua face era vermelha, como se

estivesse resfriado. Parecia particularmente pequeno por causa de um cachecol de lã enrolado, apertado, em volta de seu pescoço. Era óbvio que o homem estava doente, e havia saído de sua casa somente para tirar K. de lá. K. disse algo sobre isso, mas o homem o ignorou. Tudo o que K. ouviu foi que ele era Gerstäcker, o carregador, e que havia levado aquele trenó desconfortável porque ele estava ali, pronto, e procurar outro levaria muito tempo.

– Sente-se – disse ele, apontando para a parte de trás do trenó com seu chicote.

– Irei sentar-me ao seu lado – disse K.

– Eu irei andando – disse Gerstäcker.

– Mas por quê? – perguntou K.

– Eu irei andando – repetiu Gerstäcker, e sucumbiu a uma crise de tosse que o chacoalhou tanto que ele precisou firmar suas pernas na neve e segurar na lateral do trenó.

K. não disse mais nada e sentou-se na parte de trás do trenó, a tosse do homem foi diminuindo gradualmente, e começaram a mover-se.

O castelo lá em cima, agora curiosamente escuro, o lugar que K. esperava alcançar nesse dia, estava novamente ganhando distância. Entretanto, como se estivesse sugerindo que esse era apenas um adeus temporário, um sino tocou com uma nota vívida, alegre, embora o som fosse também doloroso, e fez seu coração estremecer momentaneamente, como se ameaçado por conseguir o que vagamente desejava. Mas logo o bater desse grande sino desapareceu, para ser sucedido pelo som fraco e monótono de um sino menor, talvez também no castelo ou talvez no vilarejo. Suas notas com certeza eram um acompanhamento mais adequado para seu caminho, com o frágil, mas implacável, condutor.

– Sabe – disse K., repentinamente (eles já estavam perto da igreja, a estrada para a estalagem não estava muito distante, e K. pensou que poderia aventurar-se a partir desse ponto). – Estou surpreso por sua disposição em levar-me sob sua própria responsabilidade. Isso é permitido?

Gerstäcker não deu atenção, e continuou a caminhar ao lado do cavalo.

– Ei! – gritou K., formando uma bola com a neve do trenó e lançando-a. Ela atingiu Gerstäcker bem na orelha. Com isso, ele parou e virou-se, mas, quando K. o viu tão perto – o trenó havia se movido um pouco para a frente –, quando viu a forma prostrada do homem, como se houvesse sido fisicamente maltratado, a face vermelha, estreita, com bochechas que, de alguma forma, pareciam desiguais, uma macia e outra caída, a boca quase sem dentes constantemente aberta, como se para ajudá-lo a ouvir melhor, ele percebeu que teria de repetir o que havia acabado de dizer com malícia, mas dessa vez com compaixão, perguntando se Gerstäcker poderia ser punido por levar K. em seu trenó.

– O que está tentando fazer? – perguntou Gerstäcker vagamente, mas, sem esperar por mais explicações, ele chamou o pequeno cavalo e seguiu em frente.

Quando já haviam quase chegado à estalagem, que K. havia reconhecido por uma curva na estrada, ele viu, para sua surpresa, que o lugar já estava totalmente escuro. Ele estava fora há tanto tempo assim? Por seus cálculos, apenas uma ou duas horas. E havia saído pela manhã, e não sentira fome desde então. Novamente, era dia até pouco tempo, e agora já estava escuro. "Dias curtos, dias curtos", ele disse consigo mesmo, escorregando do trenó e caminhando até a estalagem.

No pequeno lance de escadas até a casa, ele viu algo convidativo: o senhorio, levantando uma lanterna ao ar e iluminando em sua direção. Lembrando-se rapidamente do carregador, K. parou. Havia um som de tosse em algum lugar na escuridão; era ele. Bem, provavelmente o veria em breve. Somente quando ele alcançou o topo dos degraus, e foi respeitosamente cumprimentado pelo senhorio, viu dois homens, um de cada lado da porta. Ao pegar a lanterna da mão do senhorio, ele os iluminou; eram os homens que ele já havia encontrado antes e que tinham sido chamados de Artur e Jeremias. Eles o cumprimentaram. Lembrando-se dos dias felizes de seu serviço militar, ele riu.

– Bem, então quem são vocês? – ele perguntou, olhando para um e para o outro.

– Seus assistentes – eles responderam.
– Isso mesmo, eles são os assistentes – confirmou o senhorio.
– O quê? – perguntou K. – Vocês estão dizendo que são meus antigos assistentes, que estavam vindo depois de mim, e a quem eu esperava?

Eles lhe garantiram que sim.

– Muito bem, então – disse K. após um tempo. – Foi bom que tenham vindo. Fora isso, vocês estão extremamente atrasados – acrescentou após pensar um pouco.

– O caminho foi longo – disse um deles.
– Um longo caminho? – K. repetiu. – Mas eu os vi descendo do castelo.

– Sim – eles concordaram, sem dar mais explicações.
– O que vocês fizeram com os instrumentos? – perguntou K.
– Não temos nenhum – responderam.
– Estou falando sobre os instrumentos que confiei a vocês – disse K.

– Não estamos com nenhum deles – eles repetiram.
– Que dupla vocês são! – disse K. – Sabem alguma coisa sobre agrimensura?

– Não – eles responderam.
– Mas, se alegam ser meus antigos assistentes, então devem saber algo sobre o assunto – disse K.

Eles continuaram em silêncio.

– Vamos, então – disse K. empurrando-os para dentro da casa à sua frente.

2
Barnabé

Os três homens estavam sentados silenciosamente ao redor de uma pequena mesa no bar da estalagem com suas cervejas: K. no meio, seus assistentes à sua direita e à sua esquerda. Além dessa, só havia uma mesa onde alguns dos camponeses locais estavam, exatamente como na noite anterior.

– Terei muito trabalho com vocês – disse K., comparando seus rostos novamente. – Como saberei quem é quem? A única diferença entre vocês é seus nomes e, fora isso – ele hesitou –, fora isso, vocês são como duas cobras.

Eles sorriram.

– Outras pessoas acham fácil nos distinguir – eles disseram.

– Acredito em vocês – disse K. – Eu mesmo já vi isso, mas só tenho meus próprios olhos, e não consigo distinguir vocês como essas pessoas. Então, posso tratá-los como um único homem, e chamá-los, os dois, de Artur, que é o nome de um de vocês? Você, talvez? – K. perguntou para um dos assistentes.

– Não – ele disse. – Meu nome é Jeremias.

– Bem, não importa – disse K. – Vou chamar vocês dois de Artur. Se eu mandar Artur ir a algum lugar, vocês dois irão, se eu entregar alguma tarefa a Artur, vocês dois farão, o que, para mim, é uma desvantagem, já que não poderei enviá-los em dois trabalhos separados, mas também uma vantagem porque posso responsabilizar os dois por tudo o que lhes pedir para fazer. Como dividirão o trabalho, não importa para mim, mas não adianta apresentar desculpas diferentes. Para mim, vocês são como um homem só.

Eles pensaram um pouco e disseram:

– Isso não nos agrada nem um pouco.

– É claro que não – disse K. – Naturalmente, vocês com certeza não gostariam disso, mas é assim que vai ser.

Por algum tempo, ele ficou observando um dos camponeses rodeando a mesa; por fim, o homem decidiu, foi até um dos assistentes e estava prestes a sussurrar algo em sua orelha.

– Com licença! – disse K., batendo a mão sobre a mesa e levantando-se. – Esses são meus assistentes e estamos no meio de uma reunião. Ninguém tem o direito de nos perturbar.

– Ah, entendo, entendo – disse o camponês um pouco assustado, andando para trás para voltar para seus companheiros.

– Quero que vocês dois prestem atenção nisso – disse K., sentando-se novamente. – Não podem falar com ninguém sem a minha permissão. Sou um estranho aqui e, se vocês são meus antigos assistentes, então também são desconhecidos aqui. Assim, nós três desconhecidos devemos ficar juntos. Vamos apertar as mãos.

Eles estenderam suas mãos para K., extremamente dispostos.

– Bem, não se preocupem com essas suas patas enormes – ele disse –, mas minhas ordens continuam. Agora vou dormir um pouco, e os aconselho a fazer o mesmo. Nós já perdemos um dia de trabalho, e precisamos começar cedo amanhã. É melhor encontrarem um trenó para subir até o castelo e estarem do lado de fora da estalagem com ele amanhã às seis da manhã, prontos para partir.

– Muito bem – disse um dos assistentes.

Mas o outro protestou:

– Por que você diz "muito bem" quando sabe que não é possível fazer isso?

– Fique quieto – disse K. – Acho que estão tentando se distinguir um do outro.

No entanto, agora o assistente que falou primeiro disse:

– Ele está certo, é impossível. Nenhum desconhecido pode subir até o castelo sem permissão.

– E onde precisamos solicitar a permissão?

– Não sei. Talvez com o oficial do castelo.

– Então farei a solicitação pelo telefone. Liguem para o oficial do castelo logo, vocês dois.

Eles foram até o telefone, fizeram a ligação, reunindo-se ansiosamente e demonstrando que estavam ridiculamente prontos para obedecer, e perguntaram se K. poderia ir até o castelo com eles no dia seguinte. A resposta foi um "Não" que K. pôde ouvir de sua mesa, mas a explicação continuou. E era a seguinte: "Nem no dia seguinte, nem em nenhum outro dia".

– Eu mesmo farei a ligação – disse K., ficando em pé.

Até esse momento, com exceção do incidente com aquele camponês, ninguém havia prestado muita atenção em K. e seus assistentes, mas esse seu último comentário atraiu a atenção geral. Todos ficaram em pé com K. e, embora o senhorio tentasse afastá-los, eles se reuniram ao redor dele em um semicírculo próximo ao telefone. A maioria deles parecia ser da opinião de que K. não conseguiria uma resposta. K. precisou pedir que eles ficassem quietos, dizendo que não queria a opinião deles.

Um zumbido, como K. nunca havia ouvido antes ao telefone, surgiu do receptor. Era como o murmúrio de muitas vozes infantis – não era bem um murmúrio, e sim mais um canto muito, muito distante –, como se o som estivesse formando, por mais que pareça improvável, uma única voz forte e alta, alcançando o ouvido como se tentasse penetrar além do mero senso de audição humano. K. o escutou e não disse nada; ele havia apoiado seu braço esquerdo na cabine, e continuava assim.

Não soube quanto tempo ficou ali, mas, depois de um tempo, o senhorio puxou seu casaco e lhe disse que alguém havia levado uma mensagem para ele.

– Vá embora! – gritou K. nervoso, talvez para o telefone.

Pois agora alguém estava respondendo do outro lado, e deu-se a seguinte conversa:

– Oswald falando. Quem está aí? – perguntou o interlocutor, em uma voz áspera e arrogante com um problema na fala, o qual, como parecia para K., ele tentava compensar acrescentando mais severidade.

K. hesitou em dar seu nome; estava indefeso diante do telefone, deixando o outro homem livre para gritar com ele e desligar. Se isso acontecesse, K. teria se excluído do que poderia ser uma maneira bem importante de conseguir alguma coisa. A hesitação de K. deixou o homem impaciente.

– Quem é? – ele repetiu. E acrescentou: – Eu realmente preferiria que vocês aí embaixo não fizessem tantos telefonemas. Nós recebemos uma ligação há poucos minutos.

Sem dar atenção a esse comentário, K. tomou uma decisão repentina e anunciou:

– Aqui é o assistente do agrimensor falando.

– Que assistente? Que agrimensor?

K. se lembrou da conversa do dia anterior.

– Pergunte ao Fritz – ele disse brevemente. Para sua surpresa, funcionou. Mas, além disso, ele ficou maravilhado com a coerência das pessoas do castelo, pois a resposta foi:

– Sim, sim, eu sei. O eterno agrimensor! Sim, sim, e o que mais? Qual assistente?

– Josef – disse K. Ele ficou um pouco espantado pela forma com que os camponeses estavam murmurando atrás dele; obviamente, não gostaram de ouvi-lo falando um nome falso. Mas K. não tinha tempo de se preocupar com eles, pois a conversa exigia toda a sua atenção.

– Josef? – veio a resposta. – Não, os assistentes são... – Houve uma pausa, enquanto outra pessoa era consultada. – São Artur e Jeremias.

– Esses são os novos assistentes – disse K.

– Não, eles são os antigos.

– Eles são os novos assistentes, mas eu sou o antigo, e saí depois do agrimensor e cheguei aqui hoje.

– Não! – o outro homem respondeu, gritando.

– Então, quem sou eu? – perguntou K., ainda calmo.

Após uma pausa, a mesma voz, com o mesmo problema na fala, ainda soando como outra voz, mais profunda, exigindo mais respeito, concordou:

– Você é o antigo assistente.

K. estava escutando o som daquela voz, e quase perdeu a próxima pergunta:

– O que você quer?

Ele sentiu vontade de desligar o telefone, pensando que mais nada sairia daquela conversa. Mas foi forçado a responder:
– Quando meu chefe poderá subir até o castelo?
– Nunca – foi a resposta.
– Entendo – disse K., e desligou.
Os homens atrás dele haviam se aproximado muito, e os assistentes, lançando olhares secretos para ele, estavam ocupados tentando afastá-los. No entanto, parecia ser apenas de aparência, e os locais, satisfeitos com o resultado da conversa, foram embora aos poucos. Então, um homem saiu de trás do grupo e o atravessou, dividindo-o, cumprimentou K. e lhe entregou uma carta. Com a carta na mão, K. olhou para o mensageiro, que agora parecia mais importante do que a mensagem em si. Ele se parecia muito com os assistentes; era tão esbelto quanto eles, suas roupas também eram ajustadas, era ágil e esperto, e ainda assim era bem diferente. K. preferiria tê-lo como assistente! O homem o lembrava um pouco da mulher com o bebê que ele havia visto na casa do curtidor-mestre. Suas roupas eram quase brancas e, provavelmente, não eram de seda, apenas um tecido comum para o inverno, mas, mesmo assim, tinham a aparência de um terno de seda usado para ocasiões especiais. Seu rosto era claro e franco, seus olhos eram bem grandes. Seu sorriso era extraordinariamente vivo e, embora ele passasse a mão sobre o próprio rosto, como se fosse retirar o sorriso, ele não conseguia.
– Quem é você? – perguntou K.
– Meu nome é Barnabé – ele disse –, e sou um mensageiro. – Seus lábios se moviam de forma masculina, mas gentil, conforme ele falava.
– O que acha deste lugar? – K. perguntou, apontando os camponeses, que ainda estavam interessados nele. Eles o observavam com seus rostos perturbados – parecia que o topo do crânio deles havia sido achatado, e seus traços, contorcidos em uma expressão de dor no processo. Eles o observavam com a boca de lábios grossos aberta e, ao mesmo tempo, não observavam nada, pois algumas vezes seus olhos passeavam, parando por algum tempo em um objeto qualquer

O CASTELO

antes voltar a olhar para K. Então K. também apontou os assistentes, que estavam um ao lado do outro, rostos colados, sorrindo, com humildade ou com desdém, difícil dizer. Ele mostrou todas essas pessoas como se apresentasse uma comitiva entregue a ele à força, por circunstâncias especiais, esperando – o que implica familiaridade, e isso importava para K. naquele momento – que Barnabé visse a diferença entre eles.

Mas Barnabé não respondeu à pergunta – embora, como podia ser percebido, inocentemente – e deixou passar, como um servo bem treinado ouvindo seu mestre dizer algo que é apenas aparentemente direcionado a ele. Ele mal olhou ao redor como a pergunta pedia, cumprimentando seus conhecidos entre os locais com um aceno, e trocou algumas palavras com os assistentes, tudo de forma tranquila e automática, sem realmente relacionar-se com eles. K., ignorado, mas irredutível, voltou-se para a carta em sua mão e a abriu. Nela, lia-se o seguinte:

"Caro senhor, você foi, como já sabe, convocado para o serviço ao conde. Seu superior imediato é o prefeito do vilarejo, como presidente do conselho paroquial, que irá comunicar-lhe todos os detalhes a respeito de seu trabalho e sua remuneração, e para quem você deverá responder. Além disso, eu mesmo ficarei de olho em você. Barnabé, o mensageiro que lhe trouxe esta carta, irá questioná-lo de vez em quando, para descobrir quais são suas exigências e trazê-las até mim. Estarei sempre pronto para ajudá-lo o quanto puder. Anseio por ter colaboradores satisfeitos". A assinatura estava ilegível, mas impressas ao lado dela estavam as seguintes palavras: "Chefe-Executivo, Gabinete X".

– Espere um minuto! – disse K. para Barnabé, que estava fazendo uma reverência a ele, e pediu que o senhorio lhe mostrasse seu quarto, dizendo que ele queria passar um tempo sozinho estudando a carta.

Ao fazê-lo, ele se lembrou de que, embora tivesse considerado Barnabé importante, ele era apenas um mensageiro, então lhe pediu uma cerveja. K. ficou esperando para saber como ele aceitaria isso; no entanto, ficou claramente satisfeito e bebeu de

31

uma vez. Então K. acompanhou o senhorio. Eles conseguiram lhe arrumar somente um pequeno cômodo no sótão da estalagem, que era um lugar insignificante, e mesmo isso foi difícil, pois duas empregadas que estavam dormindo ali antes precisaram ser acomodadas em outro lugar. Na verdade, tudo o que foi feito foi retirar as empregadas do quarto, que no mais parecia intocado, sem tecido na única cama e apenas dois travesseiros e um cobertor gasto, deixados no estado em que estavam na noite anterior, com algumas imagens de santos e fotografias de soldados nas paredes. O cômodo não havia sido arejado; obviamente, esperavam que o novo hóspede não ficasse muito tempo, e não faziam nada para que isso acontecesse. Mas K. não se importava; ele se enrolou no cobertor e começou a ler novamente a carta à luz de uma vela.

Não era tudo igual; havia passagens em que ele era referido como alguém independente, cuja autonomia era reconhecida, como acontecia na saudação inicial e no trecho sobre suas exigências. Mas, novamente, havia passagens na carta em que ele, aberta ou implicitamente, era tratado como um trabalhador comum, indigno até mesmo de ser notado pelo chefe-executivo do Gabinete X, que evidentemente sentiu que deveria se esforçar para "ficar de olho nele", enquanto seu superior, a quem ele deveria "responder", era apenas o prefeito do vilarejo, e talvez seu único colega seria o policial do vilarejo. Essas contradições eram tão ostensivas que deveriam ser intencionais. Considerando que a carta veio de tal autoridade, K. mal pensou na ideia maluca de que alguma indecisão pudesse tê-la invadido. Em vez disso, viu-se diante de uma escolha: cabia a ele fazer o que quisesse com os acordos naquela carta, e decidir se ele queria ser um trabalhador do vilarejo que parecia, mas apenas parecia, ter a distinção de uma ligação com o castelo, ou um trabalhador do vilarejo cujas condições de trabalho eram totalmente determinadas pela mensagem que Barnabé havia levado. K. não hesitou em escolher, assim como não teria feito nem mesmo se não tivesse suas experiências até aquele momento. Apenas como um operário do vilarejo, o mais distante possível dos cavalheiros no castelo, ele poderia chegar

O CASTELO

a algum lugar com o castelo em si. Esses aldeões, que ainda desconfiavam tanto dele, começariam a falar com ele assim que fosse, se não seu amigo, pelo menos um deles, indissociável de, digamos, Gerstäcker e Lasemann – que deveriam ser persuadidos logo, tudo dependia disso – e, então, ele estava seguro, todos os caminhos iriam se abrir para ele, caminhos que lhe ficariam fechados para sempre, e não apenas fechados, mas invisíveis, se dependesse apenas da boa vontade dos cavalheiros lá do alto.

É claro que havia um risco, e estava bem enfatizado na carta, e até mesmo apresentado com uma certa satisfação, como se fosse inevitável. Ele tinha o *status* de um operário: "serviço", "superior", "trabalho", "condições de remuneração", "responder a", "trabalhadores"; a carta estava repleta desses termos e, até mesmo quando se tratava de outro assunto, ou algo mais pessoal era dito, era escrito do mesmo ponto de vista. Se K. quisesse trabalhar ali, ele poderia, mas deveria ser de forma extremamente séria, sem sequer olhar para outro lugar. K. sabia que nenhuma obrigação realmente o ameaçava, ele não temia isso, nem nada ali, mas temia a força desse ambiente desencorajador, temia acostumar-se ao desapontamento, temia a influência imperceptível de cada momento que passava, mas precisava combater esse perigo. Afinal, a carta não mencionava o fato de que, se houvesse algum desentendimento, seria culpa da negligência de K. Isso foi falado com delicadeza, e somente uma consciência inquieta (inquieta, não culpada) teria notado isso nas três palavras, "como você sabe", referindo-se à entrada de K. como empregado do castelo. K. havia se candidatado ao posto, e agora ele sabia que, como a carta dizia, havia sido aceito a serviço do conde.

K. retirou um quadro da parede e pendurou a carta no prego, em seu lugar. Ele iria morar naquele quarto, então era ali que a carta iria ficar.

Então ele desceu para o bar da estalagem. Barnabé e os assistentes estavam sentados a uma pequena mesa.

– Oh, aí está você – disse K. sem um motivo especial, apenas porque estava feliz em ver Barnabé, que logo ficou em pé.

33

Assim que K. entrou no salão, os camponeses se levantaram e se aproximaram dele; segui-lo já havia se tornado um hábito.

– O que vocês querem de mim? – gritou K.

Eles não se ofenderam, e lentamente voltaram aos seus lugares. Um deles disse, com uma explicação enquanto se virava, mas com um sorriso inescrutável copiado pelos outros no salão:

– Estamos sempre escutando algo novo. – E assim lambeu os lábios como se esse "novo" fosse algo delicioso para comer.

K. não disse nenhuma palavra para suavizar as coisas; teria sido bom para ele sentir um pouco de respeito, mas, logo que se sentou ao lado de Barnabé, sentiu um dos camponeses respirando em seu pescoço; o homem disse que foi até lá para buscar o saleiro, mas K. bateu o pé com raiva, e o homem foi embora sem ele. Era muito fácil irritar K.; era só colocar os camponeses contra ele, por exemplo, pois a constante atenção de alguns deles o incomodava mais do que a reserva de outros. Porém, a atitude do primeiro grupo também demonstrava alguma reserva, pois, se K. tivesse sentado à mesa deles, eles teriam se levantado, com certeza. Apenas a presença de Barnabé o impedia de fazer um escândalo. Mas ele ainda os olhava de forma ameaçadora, e eles também o faziam. No entanto, quando os via sentados assim, cada um em seu lugar, sem falar, sem nenhuma ligação aparente uns com os outros, sendo o olhar para ele a única coisa que tinham em comum, começava a pensar que talvez não fosse malícia o que os fazia perturbá-lo; talvez realmente quisessem algo dele, mas simplesmente não podiam dizer, ou, novamente, poderia ser apenas uma tolice. Parecia ser um lugar ótimo para criancices. O próprio senhorio era como uma criança quando segurava um copo de cerveja com as duas mãos, para levá-lo a um dos hóspedes. Ele ficou parado, olhou para K. e não ouviu algo que a senhoria havia falado para ele de dentro da cozinha.

Sentindo-se mais calmo, K. virou-se para Barnabé; ele gostaria de tirar os assistentes do caminho, mas não conseguia encontrar um pretexto para se livrar deles e, de qualquer forma, eles estavam olhando para suas cervejas em silêncio.

— Eu li a carta – disse K. – Você sabe o que ela diz?

— Não – respondeu Barnabé. Seu olhar parecia comunicar mais do que suas palavras. Talvez K. estivesse errado em enxergar boa vontade nele assim como estava em enxergar malícia nos camponeses, mas a presença do mensageiro ainda o fazia sentir-se melhor.

— A carta também fala sobre você. Diz que você deverá levar as mensagens entre mim e o chefe-executivo, então é por isso que pensei que saberia o que está escrito.

— Minhas ordens – disse Barnabé – eram simplesmente para trazer a carta, esperar até que a tivesse lido e, se você achasse necessário, enviar uma resposta oral ou escrita.

— Bom – disse K –, não há necessidade de escrever; só diga para o chefe-executivo... A propósito, qual é o nome dele? Não consegui ler a assinatura.

— Klamm – disse Barnabé.

— Então agradeça ao Sr. Klamm por mim, por aceitar-me e por sua gentileza em particular, que sei valorizar como deveria, por não ter provado ainda meus méritos. Agirei totalmente de acordo com seus planos, e não tenho nenhum pedido específico hoje.

Barnabé, que estava ouvindo atentamente, perguntou se poderia repetir a mensagem em voz alta. K. disse que sim, e Barnabé repetiu tudo, palavra por palavra. Então, ele se levantou para sair.

Enquanto isso, K. havia examinado o rosto dele, e agora o fazia pela última vez. Apesar de Barnabé ser da mesma altura de K., ele parecia olhá-lo do alto, mas quase humildemente, embora fosse impossível imaginá-lo causando desconforto em alguém. Afinal, ele era apenas um mensageiro e não conhecia o conteúdo da carta que havia entregado, mas seus olhos, seu sorriso, sua carruagem, pareciam ser uma mensagem em si, mesmo se ele não soubesse disso. E K. lhe ofereceu sua mão, e isso claramente surpreendeu Barnabé, que pretendia apenas fazer uma reverência.

Assim que ele foi embora – antes de abrir a porta, ele havia se debruçado contra ela por um minuto e olhado ao redor da sala, com um olhar que não era direcionado a ninguém em especial –, assim que ele foi embora, K. disse aos assistentes:

– Irei buscar meus desenhos no quarto, e então discutiremos nosso primeiro trabalho.

Eles se moveram para acompanhá-lo.

– Não. Fiquem aqui – disse K. Eles ainda queriam ir com ele, e K. precisou repetir sua ordem de forma mais severa. Barnabé não estava mais na porta, havia acabado de sair, pois K. não o viu do lado de fora da casa, onde a neve caía.

– Barnabé? – ele chamou. Nenhuma resposta. Será que ele ainda estava na estalagem? Parecia não haver outra possibilidade. De qualquer forma, K. gritou o nome dele com toda a força, e esse som ecoou pela noite. Por fim, uma resposta fraca surgiu ao longe – Barnabé já estava muito distante. K. o chamou de volta enquanto ia em sua direção. Eles se encontraram em um local fora da visão da estalagem.

– Barnabé – disse K. incapaz de impedir o tremor de sua voz.
– Há mais uma coisa que quero dizer a você. Quero citar que é um acordo ruim ter que esperar sua volta ao acaso quando eu precisar de algo do castelo. Não foi à toa que o encontrei agora... E como você corre! Pensei que ainda estaria na casa! Mas quem sabe quanto tempo terei que esperar até sua próxima vinda.

– Você pode solicitar ao chefe-executivo que eu venha sempre que quiser – disse Barnabé.

– Isso também não serviria – disse K. – Talvez eu passe um ano sem querer mandar uma mensagem, e então acontecer algo urgente apenas quinze minutos depois de você sair.

– Bem, neste caso – disse Barnabé –, devo dizer ao chefe-executivo que deve haver algum tipo de conexão entre você e ele, sem que eu me envolva?

– Não, não – disse K. – Definitivamente, não. Apenas mencionei o assunto. Dessa vez, felizmente, consegui alcançá-lo.

– Devemos voltar à estalagem para que você me entregue a nova mensagem lá? – disse Barnabé. Ele já havia dado mais um passo em direção à casa.

— Não é necessário, Barnabé — disse K. — Andarei parte do caminho com você.
— Por que não quer voltar para a estalagem? — perguntou Barnabé.
— As pessoas, lá, me incomodam — disse K. — Você viu com seus próprios olhos como aqueles camponeses são inoportunos.
— Podemos ir até o seu quarto — disse Barnabé.
— É o quarto das empregadas — disse K. — Sujo e escuro; eu queria caminhar um pouco com você para não ter que ficar aqui. Vamos dar os braços — acrescentou K., para dominar sua hesitação —, assim, você andará com mais segurança.

E K. segurou o braço dele. Estava bem escuro, K. não conseguia enxergar o rosto dele, sua imagem estava confusa, e ele já havia tentado tocar o braço de Barnabé um pouco antes.

Barnabé fez como K. desejava, e eles se afastaram da estalagem. Por mais que tentasse, K. achava difícil acompanhar Barnabé, e ele estava limitando a liberdade de movimento do homem e, em circunstâncias comuns, esse pequeno detalhe com certeza acabaria em fracasso, principalmente nas ruelas como aquela em que K. havia afundado na neve naquela manhã, e que ele só conseguia vencer naquele momento com a ajuda de Barnabé. Mas afastou sua ansiedade e ficou alegre por Barnabé não dizer nada; se caminhassem em silêncio, talvez Barnabé também sentisse que o mero ato de caminhar seria o motivo para ficarem juntos na companhia um do outro.

E realmente estavam caminhando, mas K. não sabia para onde estavam indo; ele não conseguia reconhecer nada, e não sabia nem se já haviam passado da igreja. A dificuldade que ele tinha em simplesmente andar significava que não conseguia dominar seus pensamentos e, ao invés de continuarem focados em seu objetivo, eles ficaram confusos. Imagens de sua casa continuavam voltando, e memórias enchiam sua mente.

Lá também havia uma igreja na praça principal, parcialmente cercada por um cemitério antigo que, por sua vez, era cercado por um muro alto. Apenas alguns meninos escalaram aquele muro, e K. nunca havia conseguido. Não era a curiosidade que os fazia querer escalá-lo; o cemitério não continha nenhum segredo para eles, e já haviam passado diversas vezes por aquele pequeno portão de ferro enferrujado; apenas queriam subir aquele muro liso e alto. Então, certa manhã – a praça quieta, vazia, estava repleta de luz; quando K. havia visto a praça daquela forma antes? –, ele fez isso tranquilamente. Escalou o muro na primeira tentativa, por um lugar em que normalmente falhava, com uma pequena bandeira presa entre seus dentes. Pequenas pedras soltavam-se e rolavam abaixo dele enquanto ele alcançava o topo. Fincou a bandeira no muro, ela começou a agitar-se com o vento, ele olhou para baixo e ao redor, vendo por cima dos ombros as cruzes fixadas no solo. Naquele lugar, e naquele momento, ele era maior que qualquer um. Então, por acaso, o professor aproximou-se e, com um olhar enfurecido, fez K. descer do muro. Ao pular, ele machucou seu joelho e chegou em sua casa com alguma dificuldade, mas, mesmo assim, havia estado no topo do muro, e a sensação de vitória parecia, para ele, naquele momento, algo em que se agarrar pelo resto da vida. Não era uma má ideia, agora, naquela noite de neve muitos anos depois, que vinha em seu auxílio enquanto ele caminhava, segurando o braço de Barnabé.

Ele segurou aquele braço com mais firmeza; Barnabé estava quase o arrastando, e eles preservavam um silêncio contínuo. Tudo o que K. sabia sobre o caminho por onde eles andavam era que, a julgar pela situação da superfície da estrada, haviam virado em outra ruela. Ele decidiu que não seria dissuadido de continuar por nenhuma dificuldade da estrada, ou mesmo pela ansiedade de encontrar seu próprio caminho de volta; suas forças com certeza suportariam. Será que aquela caminhada duraria para sempre? Durante o dia, o castelo parecia um local fácil de chegar, e um mensageiro de lá com certeza conheceria o caminho mais curto.

Então Barnabé parou. Onde eles estavam? Seu caminho não continuaria? Barnabé iria se despedir dele agora? Ele não conseguiria sozinho. K. apertou tanto o braço de Barnabé que quase machucou seus dedos. Ou será que o inacreditável havia acontecido, e eles já estavam no castelo, ou em seus portões? Mas, até onde K. conseguia perceber, eles não haviam subido nenhuma colina. Ou Barnabé o havia levado por uma subida imperceptível?

– Onde estamos? – K. perguntou silenciosamente, mais para si mesmo do que para seu companheiro.

– Em casa – disse Barnabé, também silenciosamente.

– Em casa?

– Cuidado, senhor, cuidado para não escorregar. Esse caminho é uma descida.

– Descida?

– Apenas alguns passos – acrescentou Barnabé, e logo já estava batendo em uma porta.

Uma menina a abriu. Eles estavam na entrada de um cômodo amplo, quase escuro, pois havia apenas uma lamparina pendurada sobre uma mesa à esquerda do fundo do cômodo.

– Quem é esse que está com você, Barnabé? – perguntou a menina.

– O agrimensor – ele disse.

– O agrimensor? – repetiu a menina, em uma voz mais alta, olhando para a mesa.

Dois idosos sentados ali se levantaram, um homem e uma mulher, e outra menina também o fez. Eles cumprimentaram K., e Barnabé os apresentou para ele: eram seus pais e suas irmãs, Olga e Amália. K. mal olhou para elas. Elas retiraram o casaco molhado dele para secá-lo perto do fogão, e K. as deixou fazer o que quisessem.

Então eles não estavam em casa, ou melhor, somente Barnabé estava. Mas por que eles estavam ali? K. chamou Barnabé e perguntou:

– Por que você veio para sua casa? Ou você mora nos arredores do castelo?

– Nos arredores do castelo? – repetiu Barnabé, como se não entendesse K.

– Barnabé – disse K. –, você estava saindo da estalagem para ir para o castelo.

– Ah, não, senhor – disse Barnabé. – Eu estava indo para casa, vou para o castelo apenas pela manhã. Nunca durmo lá.

— Entendi — disse K. — Você não estava indo para o castelo, somente até aqui. — Ele sentiu que seu sorriso estava mais fraco, e ele mesmo, mais insignificante. — Por que não me disse?

— Você não perguntou, senhor — disse Barnabé. — Apenas queria me entregar outra mensagem, mas não no salão, ou em seu quarto na estalagem, então pensei que pudesse entregar-me a mensagem aqui, quando quiser, em casa, com meus pais... Eles sairão assim que você disser. E se preferir ficar conosco, pode passar a noite. Agi errado?

K. não conseguia responder. Era um mal-entendido, um mal-entendido estúpido, primário, e K. engoliu tudo. Havia se deixado cativar pelo brilho sedoso do casaco ajustado de Barnabé, que agora estava desabotoado, revelando uma camisa cinza áspera muito remendada, sobre um peito largo, como de um operário. E tudo ao redor dele estava em harmonia com essa visão, e mais: o velho pai, reumático, caminhava, mais com a ajuda de suas mãos do que de suas pernas lentas, duras; a mãe, com seus braços cruzados à frente do peito, tão robusta que também só conseguia dar passos bem pequenos. Os dois, pai e mãe, saíram de seu canto quando K. entrou no cômodo, movendo-se em direção a ele, e ainda não estavam nem perto dele. As irmãs, duas loiras, parecidas entre si e com Barnabé, mas com traços mais fortes do que seu irmão, eram altas e fortes. Elas estavam ao lado dos dois recém-chegados, esperando algum tipo de saudação de K., mas ele não conseguia dizer uma palavra. Ele estava pensando que todos ali no vilarejo seriam importantes para ele, e não havia dúvidas sobre isso, mas não estava interessado nessas pessoas em particular. Se conseguisse voltar para a estalagem sozinho, partiria de vez. Até mesmo a possibilidade de entrar no castelo com Barnabé na manhã seguinte não o animava. Ele queria ir para o castelo naquele momento, à noite, despercebido, guiado por Barnabé, mas pelo Barnabé que havia sido apresentado a K. até agora, um homem mais agradável para ele do que qualquer outro que havia visto, e que, como ele havia pensado, era intimamente ligado ao castelo, muito mais do que sua aparência poderia sugerir. Mas era impossível, um plano ridiculamente inútil, tentar subir ao castelo à luz do dia, de braços dados com o filho dessa família, uma família da qual ele, Barnabé, era totalmente parte, sentado com eles agora à sua mesa, um homem que, importante que fosse, não iria nem dormir no castelo.

K. sentou-se em um banco na janela, determinado a passar a noite ali e a não aceitar mais nenhum favor da família. Os aldeões que o expulsaram ou que pareciam ter medo dele soavam como menos perigosos, pois eles basicamente estavam rejeitando quem ele era, enquanto o ajudavam a reunir suas forças. No entanto, pessoas aparentemente prestativas como essas, que colocavam um pequeno disfarce para levá-lo ao centro de sua família em vez de ao castelo, o distraíam, querendo ou não, trabalhando para destruir seus poderes. Ele ignorou um chamado convidando-o para a mesa da família e continuou onde estava, com sua cabeça curvada. Então Olga, a mais gentil das duas irmãs e a que demonstrava um toque de esquisitice feminina, foi até K. e novamente o convidou para juntar-se a eles; havia pão e bacon, ela disse, e iria buscar cerveja.

– De onde? – perguntou K.

– Bem, da estalagem – ela disse.

Essas foram boas notícias para K. Ele pediu que ela o acompanhasse até a estalagem, onde ele disse que havia deixado um trabalho importante, em vez de ir buscar cerveja. No entanto, ela não pretendia ir para tão longe quanto a pousada onde ele estava hospedado, mas até outra, muito mais próxima, a Pousada do Castelo. Mesmo assim, K. perguntou se poderia fazer companhia a ela; "talvez", pensou ele, "tenham uma cama para mim lá". Não importava como fosse, ele preferiria lá à melhor cama naquela casa. Olga não respondeu logo, e olhou para a mesa.

Seu irmão, que estava ali, respondeu prontamente:

– Claro, se é isso que o cavalheiro deseja.

Essa resposta quase fez K. retirar sua proposta; se o homem concordou com aquilo, a ideia deveria ser inútil. Mas, quando começaram a discutir se permitiriam que K. entrasse na pousada, e todos os presentes duvidaram disso, ele insistiu em ir com Olga, mesmo tendo o trabalho de inventar algum pretexto razoável para seu pedido. Essa família deveria aceitá-lo como ele era, e era um fato que ele não tinha nenhum senso de vergonha diante deles. Ele foi ligeiramente desencorajado apenas por Amália, com seu olhar direto e sério. Sua expressão era indiferente, mas talvez também um pouco estúpida.

Na curta caminhada até a pousada – K. havia segurado o braço de Olga e, apesar de si mesmo, percebeu que ela o estava arrastando da mesma forma que seu irmão havia feito antes –, ele descobriu que essa pousada era apenas para os cavalheiros do castelo, que comiam e, às vezes, até passavam a noite ali quando tinham negócios no vilarejo. Olga falava com K. silenciosamente, como se o conhecesse bem. Era agradável caminhar com ela, como havia sido agradável caminhar com seu irmão. K. lutava contra aquela sensação de bem-estar, mas ela estava lá.

Externamente, a pousada lembrava onde K. estava hospedado. Provavelmente, não havia grandes diferenças entre todo o vilarejo, mas ele percebeu alguns detalhes logo de início: os degraus na entrada tinham um corrimão, havia uma linda lanterna sobre a porta e, quando eles entraram, algo balançou acima de suas cabeças: um estandarte com as cores do conde. Logo foram saudados no hall de entrada pelo senhorio, que certamente estava em suas rondas, vigiando o lugar. Seus olhos pequenos, inquisidores ou sonolentos, examinaram K. de passagem, e ele disse:

– Não é permitido que o agrimensor entre aqui, a não ser no bar.

– É claro – disse Olga, respondendo por K. – Ele só está me fazendo companhia.

No entanto, o ingrato K. soltou o braço de Olga e chamou o senhorio para conversar enquanto Olga esperava pacientemente no fim do corredor.

Eu gostaria de passar a noite aqui – disse K.

– Temo que seja impossível – respondeu o senhorio. – Você parece não saber que esta pousada é exclusivamente para o uso dos cavalheiros do castelo.

– Essas podem ser as regras – disse K. –, mas com certeza você pode encontrar um canto para que eu durma em algum lugar.

— Eu ficaria muito feliz em ajudá-lo – disse o senhorio –, mas, além da natureza estrita das regras, e você fala sobre elas como um estrangeiro, a outra razão porque é impossível é que os cavalheiros são extremamente sensíveis, e tenho certeza de que não tolerariam a visão de um desconhecido, ou pelo menos sem serem avisados antecipadamente. Então, se o deixasse passar a noite aqui e, por acaso, e o acaso sempre está do lado dos cavalheiros, você fosse descoberto, não apenas eu estaria acabado, mas você também. Pode parecer ridículo, mas é a verdade.

Esse homem alto, com seu casaco com botões muito apertados, uma mão na parede e outra em seu quadril, suas pernas cruzadas, ligeiramente abaixado na direção de K. e falando com ele em tom familiar, mal parecia ser um dos aldeões, mesmo com suas roupas escuras parecendo não ser melhores do que a roupa de domingo de um fazendeiro.

— Eu acredito em cada palavra que você disse – afirmou K. –, e não subestimo a importância das regras, mesmo que não tenha me expressado bem. Deixe-me apenas citar uma coisa: tenho ligações valiosas no castelo, e terei outras que são ainda mais valiosas, e elas protegerão você contra qualquer risco que possa correr com minha hospedagem aqui, e garanto que estou em posição de retribuir toda a gratidão devida por um pequeno favor.

— Eu sei disso – disse o senhorio. E repetiu: – Sim, eu sei disso.

Nesse momento, K. poderia ter forçado mais o seu pedido, mas a resposta do senhorio retirou seu pensamento dali, então ele apenas perguntou:

— Há muitos cavalheiros do castelo passando a noite aqui hoje?

— Quanto a isso, hoje é nosso dia de sorte – disse o senhorio, como se estivesse tentando K. – Temos apenas um único cavalheiro hospedado.

K. ainda sentiu que não podia pressionar o senhorio, mas achava que estava quase sendo aceito, então perguntou apenas o nome do cavalheiro.

— Klamm – disse o senhorio casualmente, enquanto saía para procurar por sua esposa, que veio correndo em roupas gastas, antigas, mas finas, carregadas de pregas e babados.

Ela foi buscar o senhorio, dizendo que o chefe-executivo queria algo. Mas, antes de sair, ele voltou-se para K., como se não ele, mas K. precisasse decidir se iria passar a noite ali. Entretanto, K. não conseguia dizer nada; particularmente, estava surpreso por descobrir que seu próprio superior estava hospedado ali e, sem saber explicar isso totalmente para si mesmo, não sentiu que poderia ser tão livre com Klamm quanto com o restante do castelo. Ser visto por Klamm ali não teria intimidado K. da maneira que o senhorio pretendia, mas teria sido uma inconveniência vergonhosa, como se ele estivesse planejando incomodar alguém a quem devia gratidão. No entanto, lamentou ver que tais pensamentos obviamente demonstravam como ele temia as consequências de ser visto como alguém inferior, um operário comum, e como não conseguia afastar esses temores nem mesmo ali, onde eles se mostravam tanto. Assim, ficou onde estava, mordendo seus lábios e sem dizer nada. Então, antes de desaparecer por uma porta, o senhorio olhou para K., e K. olhou para ele, e não saiu do lugar até que Olga veio e lhe apontou o caminho.

– O que você queria perguntar ao senhorio? – questionou Olga.

– Eu queria passar a noite aqui – disse K.

– Mas você vai passar a noite conosco – disse Olga surpresa.

– Sim, é claro – disse K., deixando-a entender o que quisesse.

3
Frieda

No bar, um cômodo amplo totalmente vazio no centro, diversos homens estavam sentados próximos à parede, perto ou em cima de barris, mas pareciam diferentes dos camponeses locais na estalagem de K. Eles estavam melhor vestidos, e todos usavam roupas do mesmo tecido grosso, meio cinza, meio amarelado, seus casacos soltos, suas calças ajustadas. Eram homens pequenos, muito parecidos à primeira vista, com rostos magros, ossudos, mas com bochechas arredondadas. Estavam todos quietos e mal se moviam, somente seus olhos acompanhavam os recém-chegados, mas lentamente, e com uma expressão de indiferença. Mesmo assim, causaram certa impressão em K., talvez porque fossem muitos e estava tudo muito quieto. Ele segurou novamente o braço de Olga, para explicar sua presença ali para aquelas pessoas. Um homem, evidentemente conhecido de Olga, levantou-se e caminhou em direção a eles, mas K., que estava de braços dados com ela, levou-a em uma direção diferente. Ninguém, a não ser a própria Olga, teria notado, e ela permitiu isso, com um olhar de lado, sorridente, para ele.

A cerveja foi servida por uma jovem mulher chamada Frieda. Ela era loira, baixa, bem insignificante, com um rosto triste e bochechas magras, mas com uma expressão surpreendente de superioridade consciente em seus olhos. Quando eles viram K., pareceu-lhe que eles já haviam descoberto coisas sobre as quais ele nada sabia, embora esse olhar o convencesse de que elas de fato existiam. K. continuou olhando de lado para Frieda, e manteve-se assim enquanto ela falava com Olga. Olga e Frieda não pareciam ser grandes amigas; trocaram apenas algumas palavras frias. K. decidiu ajudar a conversa, então perguntou, repentinamente:

– Você conhece o Sr. Klamm?

Olga riu muito.

– Por que está rindo? – perguntou K. incomodado.
– Não estou rindo. – Mas continuava a rir da mesma forma.
– Olga é muito infantil – disse K., debruçando-se no balcão do bar para fazer Frieda olhar para ele novamente.
Mas ela continuou com os olhos abaixados e disse, silenciosamente:
– Você gostaria de ver o Sr. Klamm?
K. disse que sim, e ela apontou para uma porta à sua esquerda.
– Há um pequeno buraco ali; você pode olhar através dele.
– E essas pessoas? – perguntou K.
Ela deu de ombros, franzindo o lábio inferior, e levou K. até a porta, com uma mão muito macia. Pelo pequeno buraco na porta, que certamente havia sido feito para servir como um observatório, ele podia ver quase todo o cômodo vizinho. O Sr. Klamm estava sentado a uma mesa no meio do cômodo, em uma confortável poltrona redonda, bem iluminada por uma lâmpada pendurada diante dele. Ele era um homem robusto, pesado, de altura mediana. Sua face ainda era macia, mas suas bochechas estavam levemente pendentes com o peso da idade avançada. Tinha um bigode longo e preto, e um par de pincenês, colocado sobre seu nariz em um ângulo torto, refletindo a luz, cobria seus olhos. Se o Sr. Klamm estivesse sentado corretamente à mesa, K. teria visto apenas seu perfil, mas como ele estava de lado, K. viu todo o seu rosto. Klamm estava com seu cotovelo esquerdo apoiado sobre a mesa, e sua mão direita, apoiada em seu joelho, segurava um cigarro da Virgínia. Um copo de cerveja estava sobre a mesa; como a mesa tinha uma borda erguida, K. não conseguia ver se havia papéis sobre ela, mas achou que estivesse vazia. Para ter certeza, pediu para Frieda olhar pelo buraco e contar o que viu. No entanto, ela já havia estado naquela sala há pouco tempo, então poderia garantir para K. sem alarme que não havia papéis ali. K. perguntou para Frieda se ele precisava sair daquele lugar, mas ela disse que ele poderia espiar o quanto quisesse. Agora K. estava sozinho com Frieda, pois Olga, como ele logo viu, havia seguido em direção ao seu conhecido, e estava sentada em um barril, balançando os pés no ar.

O CASTELO

– Frieda – sussurrou K. –, você conhece bem o Sr. Klamm?
– Ah, sim – ela disse. – Muito bem.

Ela se inclinou para perto de K. E, divertidamente, ajustou sua blusa clara, que, como só agora K. conseguia ver, tinha um decote muito profundo; um decote que não servia para seu corpo magro. Então ela disse:

– Você não se lembra de como Olga riu?
– Sim, ela não tem bons modos – disse K.
– Bem – ela disse, tranquilamente. – Realmente há motivo para rir. Você perguntou se eu conhecia Klamm, e bem, eu sou... – Instintivamente, ajeitou sua postura, e K. novamente sentiu a força de sua expressão triunfante, o que, de maneira nenhuma, parecia combinar com o que ela estava dizendo. – Bem, eu sou sua amante.
– A amante de Klamm – disse K.

Ela concordou.

– Então – disse K., sorrindo, como para impedir que sua conversa ficasse muito séria –, na minha opinião, você é alguém digna de respeito.

– E não só em sua opinião – disse Frieda, em tom amigável, mas sem responder ao seu sorriso.

Entretanto, K. possuía uma arma para usar contra o orgulho dela, e ele a mostrou, dizendo:

– E você já esteve no castelo?

Mas não teve o efeito desejado, pois ela respondeu:

– Não, mas não é o bastante que eu já esteja aqui no bar? – Ela, obviamente, tinha uma sede enorme por elogios, e parecia querer saciá-la por meio de K.

– Com certeza – disse K. – Aqui no bar você está fazendo o trabalho do senhorio para ele.

– Sim, estou – ela disse. – E comecei como leiteira na Pousada da Ponte.

– Com essas mãos macias – disse K., questionando, e sem saber por certo se a estava agradando, ou se ela realmente havia feito dele sua conquista.

47

– Ninguém reparou nela naquela época – ela disse –, e até mesmo agora...

K. olhou para ela, interessado, mas ela balançou a cabeça e não diria mais nada.

– É claro que você tem seus segredos – disse K. – e não falará sobre eles com alguém que conhece há apenas meia hora, e que ainda não teve a oportunidade de dizer nada sobre si mesmo.

Mas isso, como ele percebeu, foi algo errado para se dizer; era como se ele despertasse Frieda de um sono em que ela gostava dele, pois ela retirou um pequeno pedaço de madeira de uma sacola de couro que estava pendurada em seu cinto, tampou o orifício com ele, e disse para K., visivelmente forçando-se a não deixar que ele visse como seu humor havia mudado:

– Quanto a isso, eu sei tudo sobre você. Você é o agrimensor. – E acrescentou: – Mas agora preciso voltar ao meu trabalho. – E voltou para o balcão, onde vez ou outra um dos homens ia para encher novamente seus copos.

K. queria trocar mais algumas palavras com ela, então pegou um copo vazio da estante e foi até ela.

– Mais uma coisa, senhorita Frieda – ele disse. – É extraordinário, e requer muita força, trabalhar para ir de leiteira a garçonete, mas esse é o limite da ambição para uma pessoa como você? Não, que pergunta tola. Seus olhos, não ria de mim, senhorita Frieda, não dizem muito sobre batalhas antigas, e sim de lutas que ainda virão. Mas há grandes obstáculos no mundo, eles se tornam maiores quanto maiores forem seus objetivos, e não há por que se envergonhar por assegurar que tenha a ajuda de um homem que pode ser insignificante e sem influência, mas não por isso está menos preparado para lutar. Talvez possamos conversar mais tranquilamente algum dia, sem tantos olhos nos observando.

– Não sei o que você quer – ela disse e, dessa vez, contra sua vontade, seu tom não falava sobre os triunfos de sua vida, e sim de suas intermináveis decepções. – Você está, por acaso, tentando me tirar de Klamm? Céus! – E juntou suas mãos.

– Você me conhece bem – disse K., como se houvesse desanimado por tal descrédito. – Sim, secretamente pretendo fazer exatamente isso. Eu gostaria que abandonasse Klamm e se tornasse minha amante. Bem, agora posso ir. Olga! – gritou K. – Vamos para casa.

Olga obedeceu e desceu do barril, mas não conseguiu se afastar rapidamente de seus amigos, pois eles estavam em volta dela. Frieda disse silenciosamente, com um olhar sério para K.:

– Quando posso falar com você?

– Posso passar a noite aqui? – perguntou K.

– Sim – disse Frieda.

– Posso ficar aqui agora?

– É melhor sair com Olga, para que eu possa fazer os homens irem embora. Então você pode voltar daqui a pouco.

– Certo – disse K., e esperou impaciente por Olga.

Mas os homens não a deixavam sair; eles inventaram uma dança com Olga no centro. Dançavam em um círculo e, sempre que gritavam em uníssono, um deles ia até ela, colocava uma das mãos firmemente em sua cintura, e a girava diversas vezes. Essa dança ficou cada vez mais rápida, os gritos roucos, ávidos, gradualmente misturavam-se em quase um único grito. Olga, que já havia tentado romper o círculo antes, sorrindo, agora estava cambaleando de um homem a outro, com o cabelo desmanchando.

– Cada tipo de pessoa que eles mandam até aqui! – disse Frieda, mordendo seus lábios finos com irritação.

– Quem são eles? – perguntou K.

– Empregados de Klamm – disse Frieda. – Ele sempre os traz consigo, e a presença deles me incomoda. Mal sei o que estava discutindo com você agora mesmo, Sr. Agrimensor, e se havia algo errado, me perdoe. Culpo a companhia aqui, eles são as pessoas mais desprezíveis e repulsivas que conheço, e aqui estou eu, obrigada a encher seus copos de cerveja. Quantas vezes já pedi para Klamm deixá-los para trás! Eu preciso suportar os empregados dos outros cavalheiros também... Ele deve pensar em mim pelo menos uma vez, mas não adianta falar nada, uma hora antes eles chegam, como gado no estábulo. E agora realmente precisam ir para os estábulos, aos quais pertencem. Se você não estivesse aqui, eu abriria aquela porta e o próprio Klamm teria que expulsá-los.

– E ele não os ouve? – perguntou K.

– Não – disse Frieda. – Ele está dormindo.

– O quê? – exclamou K. – Dormindo? Quando olhei para a sala, ele estava acordado e sentado à mesa.

– Ele ainda está sentado da mesma forma – disse Frieda. – Já estava dormindo quando você o viu. Acha que eu o deixaria olhar se fosse de outra maneira? Essa é a posição em que ele dorme, os cavalheiros dormem muito, é difícil de entender. Mas, novamente, se não dormisse tanto, como ele suportaria aqueles homens? Bem, eu mesma terei que mandá-los embora.

Pegando um chicote no canto do salão, ela deu um único pulo estranho no ar, mais como o salto de uma ovelha, e alcançou os dançarinos. No início, eles olharam para ela como se fosse uma nova dançarina para juntar-se a eles e, de fato, por um momento, parecia que Frieda iria largar o chicote, mas ela o levantou novamente.

– Em nome de Klamm – ela gritou –, para os estábulos, todos vocês, para os estábulos!

Então eles viram que ela falava sério, e em um tipo de terror que K. não conseguia entender, começaram a se juntar no fundo do cômodo. Uma porta foi aberta pelo primeiro que chegou lá, o ar da noite entrou, e todos eles desapareceram com Frieda, que obviamente estava conduzindo-os pelo jardim até os estábulos. No entanto, no repentino silêncio, K. ouviu passos no corredor. Para sua própria proteção, foi para trás do balcão do bar. O único lugar possível para se esconder era sob ele. Na verdade, ele não estava proibido de ficar no bar, mas, como estava planejando passar a noite ali, não queria ser visto naquele momento. Então, quando a porta realmente se abriu, ele foi para baixo do balcão. É claro que havia o risco de ser visto ali também, mas sempre poderia dizer que havia se escondido dos empregados turbulentos, o que não era uma desculpa improvável. O senhorio entrou.

– Frieda! – ele gritou, caminhando pelo cômodo diversas vezes.

Felizmente, Frieda logo voltou e não mencionou K., apenas reclamou das pessoas ali, e voltou para o bar tentando encontrar K., que conseguiu tocar seu pé. Agora ele estava seguro de si. Como Frieda não mencionou K., por fim, o senhorio precisou fazê-lo.
— Onde está o agrimensor? — ele perguntou.
Ele era um homem cortês, cujos modos haviam se beneficiado dos constantes relacionamentos com aqueles em posições mais altas que a dele, mas falava com Frieda com um respeito em particular, o que era ainda mais notável, pois, durante sua conversa, ele continuava sendo o empregador falando com um membro de sua equipe, e um muito impertinente.

— Acabei me esquecendo do agrimensor — disse Frieda, colocando seu pequeno pé sobre o peito de K. — Ele deve ter ido embora há muito tempo.

— Mas eu não o vi — disse o senhorio —, e fiquei no hall de entrada quase o tempo todo.

— Bem, ele não está aqui — disse Frieda, tranquilamente, pisando ainda mais forte em K. Havia algo alegre e despreocupado em seu comportamento e que K. não havia notado antes, mas que agora, de modo improvável, ganhou controle quando ela repentinamente curvou-se para K., sorrindo e dizendo: — Talvez ele esteja aqui. — Ela o beijou repentinamente. Levantou-se de novo, dizendo, com arrependimento: — Não, ele não está aqui.

O senhorio também surpreendeu ao dizer:
— Eu não gosto disso nem um pouco. Queria saber por certo se ele foi embora. Não apenas por causa do Sr. Klamm, mas pelas regras. E as regras se aplicam a você, senhorita Frieda, da mesma forma que a mim. Fique aqui no bar. Eu procurarei pelo resto da casa. Boa noite, e durma bem!

Ele mal havia deixado o local quando Frieda apagou a luz e juntou-se a K. sob o balcão.

— Meu querido! Meu doce querido! — ela sussurrou, mas não tocou K. Deitou-se de costas como se estivesse desfalecida com desejo, e abriu os braços. O tempo deve ter parecido infinito em seu êxtase amoroso, e ela suspirou antes de cantar uma canção de algum tipo.

Então ficou atenta, pois K. continuava quieto, perdido em pensamentos, e ela começou a puxá-lo como uma criança: – Vamos, estou sufocando aqui embaixo.

Eles se abraçaram, seu pequeno corpo queimava nas mãos de K., eles rolaram, em um estado de semiconsciência do qual K. tentava constantemente, mas sem sucesso, fugir, mais adiante trombaram na porta de Klamm com um som monótono, depois deitaram nas poças de cerveja e resíduos que cobriam o chão. As horas passaram enquanto eles estavam ali, horas em que respiravam juntos e seus corações batiam em uníssono, horas em que K. continuava sentindo que havia se perdido, ou que estava muito longe, em um país desconhecido em que ninguém havia estado antes, um país distante, onde até mesmo o ar era diferente do ar de casa, onde você poderia sufocar com sua estranheza e, ainda assim, tais eram suas seduções sem sentido que você só conseguia continuar perdendo ainda mais o seu caminho. Então não foi um choque para ele, pelo menos de início, mas um alegre sinal da manhã quando uma voz do quarto de Klamm chamou por Frieda em um tom profundo, controlador, mas indiferente.

– Frieda – disse K. ao ouvido de Frieda, alertando-a sobre o chamado.

No que parecia ser uma obediência instintiva, Frieda estava prestes a pular, mas, quando lembrou onde estava, ela espreguiçou-se, riu silenciosamente e disse:

– Eu não vou, nunca voltarei para ele.

K. estava prestes a discutir e a persuadi-la a ir até Klamm, e começou a procurar pelo que havia sobrado de sua blusa, mas ele não conseguia falar, estava feliz demais por ter Frieda em suas mãos, feliz, mas também com medo, pois parecia para ele que, se Frieda o deixasse, perderia tudo que possuía. E, como se o consentimento de K. houvesse lhe dado forças, Frieda fechou seu punho, bateu na porta, e falou:

– Eu estou com o agrimensor! Eu estou com o agrimensor!

Com isso, Klamm ficou em silêncio. Mas K. levantou-se, ajoelhou-se ao lado de Frieda e olhou à sua volta com a luz fraca que vem antes do amanhecer. O que havia acontecido? Onde estavam suas esperanças? O que ele poderia esperar de Frieda agora que tudo havia sido revelado? Ao invés de progredir cautelosamente, com a estatura de seu rival e a grandeza de seu próprio objetivo em mente, ele havia passado a noite ali, rolando em poças de cerveja. O cheiro da cerveja o entorpecia.

– O que você fez? – ele perguntou silenciosamente. – Estamos perdidos.

– Não – disse Frieda. – Fui eu que perdi, mas ganhei você. Acalme-se, veja como aqueles dois estão rindo.

– Quem? – perguntou K., e virou-se.

No balcão do bar, estavam seus dois assistentes, parecendo não ter dormido direito, mas ainda alegres. Era a satisfação que surge ao fazer seu trabalho meticulosamente.

– O que vocês querem aqui? – gritou K., como se eles fossem culpados de tudo, e olhou em volta procurando o chicote que Frieda havia usado na noite anterior.

– Nós tivemos que sair à sua procura – disseram os assistentes.

– E, como não voltou para nós na estalagem, tentamos na casa de Barnabé e finalmente encontramos você aqui. Estivemos sentados aqui a noite inteira. Ser seus assistentes não é uma tarefa fácil.

– Eu preciso de vocês durante o dia, não durante a noite – disse K. – Vão embora!

– Agora é dia – eles disseram, e continuaram parados.

Na verdade, realmente era dia, as portas para o jardim foram abertas e os empregados entraram com Olga, de quem K. havia esquecido. Olga estava tão animada quanto na noite anterior, desarrumada como seu cabelo e roupas estavam, e já na entrada seus olhos procuravam por K.

– Por que você não me levou para casa? – ela perguntou quase chorando. – Por causa de uma mulher como essa! – ela mesma respondeu, repetindo isso diversas vezes.

Frieda, que havia desaparecido por um momento, voltou com um pequeno monte de roupas, e Olga afastou-se, triste.

– Nós podemos ir agora – disse Frieda, e era óbvio que ela queria dizer que eles deveriam ir para a Pousada da Ponte. Formaram uma pequena procissão, K. à frente com Frieda e os assistentes o seguindo. Os empregados do cavalheiro mostravam grande antipatia por Frieda, o que era compreensível, já que ela havia sido tão severa e tirânica com eles anteriormente. Um deles até pegou sua vara e fingiu que só iria deixá-la passar se ela pulasse sobre ela, mas um olhar foi o bastante para afastá-lo. Na neve, do lado de fora, K. deu um suspiro de alívio. O prazer de estar ao ar livre foi tão grande que fez a dificuldade do caminho parecer tolerável dessa vez e, se K. estivesse sozinho, teria sido ainda melhor. Ao chegar na pousada, ele foi direto para seu quarto e deitou na cama, Frieda preparou uma cama para si mesma no chão ao lado dele, e os assistentes, que estavam com eles, foram expulsos, mas voltaram pela janela. K. estava cansado demais para mandá-los embora novamente. A senhoria subiu especialmente para receber Frieda, que a chamava de "querida mamãezinha", e seu encontro foi confuso e animado, com muitos beijos e abraços. Havia pouca paz e silêncio no pequeno quarto, e as criadas entravam marchando, usando botas masculinas, para pegar ou tirar alguma coisa. Se elas precisavam de algum de seus itens da cama, que estava coberta por todo tipo de coisa, elas puxavam, sem cerimônia, debaixo de K. Elas falavam com Frieda como se fosse uma delas. Apesar de todo esse alvoroço, K. ficou na cama o dia inteiro e a noite também. Frieda fez diversos pequenos serviços para ele. Quando ele finalmente se levantou na manhã seguinte, sentindo-se renovado, já era o quarto dia desde que ele havia chegado ao vilarejo.

4
Primeira conversa com a senhoria

Ele gostaria de poder falar em particular com Frieda sobre os assistentes. Ela ria e brincava com eles às vezes, mas sua mera presença intrusiva o incomodava. Não que eles fossem exigentes; eles se acomodaram no chão, em um canto do quarto, deitados em duas saias velhas; seu objetivo, como eles garantiram para Frieda, era evitar incomodar seu chefe, o agrimensor, e ocupar o menor espaço possível. Eles fizeram várias tentativas para atingir esse objetivo, embora com muitas risadas e sussurros, ao dobrar seus braços e pernas, sentando encostados de costas um no outro; então, no crepúsculo, tudo que se conseguia enxergar naquele canto era uma massa enrolada, grande e indefinida. Além disso, as experiências diárias de K. lhe mostraram que eles o observavam com muita atenção, e constantemente o encaravam, fosse fazendo um telescópio com as mãos em uma brincadeira aparentemente infantil, e pregando truques similares sem sentido, ou apenas olhando em sua direção enquanto dedicavam grande parte de sua atenção para cuidar de suas barbas, que eles apreciavam muito, cada um comparando a sua com a do outro, diversas vezes, em tamanho e em abundância, fazendo Frieda julgar entre os dois. K. observava os três de sua cama, com total indiferença.

Quando ele se sentiu forte o bastante para sair, todos vieram correndo para servi-lo. Por mais que ele tentasse se defender contra essas atenções, ainda não tinha se recuperado completamente. Notou isso quando percebeu que, até certo ponto, ele dependia deles, então precisava deixá-los fazer o que quisessem. E não era tão desagradável tomar o bom café que Frieda levava para sua mesa, ou se aquecer perto do fogão que Frieda acendia, fazer os assistentes correrem para cima e para baixo nas escadas dez vezes para buscar água para o banho, sabonete, pente e espelho e, finalmente, porque

K. havia expressado um desejo silencioso que poderia indicar que ele queria uma pequena taça de rum.
Em meio a fazer todos esses pedidos e ser servido, K. disse, mais de uma forma natural do que com qualquer esperança de sucesso:
– Vão embora, vocês dois. Eu não preciso de mais nada agora, e gostaria de conversar com a senhorita Frieda em particular. – Ao não ver nenhuma oposição a essa ideia em seus rostos, ele acrescentou, para compensar: – E, então, nós três iremos ver o prefeito da cidade. Esperem por mim lá embaixo no salão.
Curiosamente, eles obedeceram, mas, antes de sair do quarto, eles disseram:
– Nós podemos esperar aqui.
E, a isso, K. respondeu:
– Eu sei, mas não quero.
Era irritante, ainda que de uma forma a qual K. apreciava, que Frieda, que tinha ido sentar em seu colo assim que os assistentes saíram, dissesse:
– O que você tem contra os assistentes, querido? Não precisamos guardar segredos deles. São homens bons e leais.
– Oh, leais! – disse K. – Observando-me o tempo todo. É inútil, é terrível.
– Acho que compreendo você – ela disse, colocando os braços ao redor de seu pescoço, e ela estava prestes a dizer algo mais, mas não conseguiu continuar.
A cadeira onde estavam sentados estava perto da cama, e eles cambalearam e caíram sobre a cama. Lá eles permaneceram, embora não tão absorvidos um pelo outro como em sua primeira noite juntos. Ela estava em busca de alguma coisa e ele também, e eles tentaram alcançá-la quase furiosamente, fazendo caretas, dando cabeçadas um no peito do outro, e seus abraços e corpos retorcidos não traziam esquecimento, mas os lembrava de seu dever de continuar procurando. Como cães desesperadamente cavando o solo, abriam caminho pelo corpo do outro, desapontados enquanto tentavam recuperar sua alegria anterior, às vezes lambendo seus rostos com a

língua. Somente o cansaço os fez deitar, quietos, sentindo gratidão um pelo outro.

Então as criadas subiram até lá:

– Oh, veja só os dois deitados ali – disse uma das criadas e, em sua gentileza, jogou roupas sobre eles.

Quando K. se livrou das roupas e olhou ao redor, viu que os assistentes estavam novamente em seu canto, o que não o surpreendeu, e estavam alertando um ao outro para que mantivessem um comportamento sério, apontando para K. e cumprimentando-o. Além disso, a senhoria estava sentada ao lado da cama, tricotando uma meia. O trabalho enfadonho parecia não combinar com sua enorme figura, que quase apagava a luz.

– Eu estava esperando há muito tempo – ela disse, e levantou seu rosto largo, que continha em si muitas linhas da idade, mas em seu tamanho ainda era macio e talvez tivesse sido belo. Suas palavras soaram como uma acusação, o que era injusto, pois K. não a tinha chamado.

Então ele simplesmente balançou sua cabeça em concordância, e sentou-se. Frieda também se levantou, deixou K., e foi apoiar-se na poltrona da senhoria.

– Madame – disse K. de mau humor. – Não pode adiar o que quer que você queira dizer até que eu volte após ver o prefeito do vilarejo? Tenho uma reunião importante com ele.

– Sr. Agrimensor, isso é mais importante, acredite em mim – disse a senhoria. – Sua reunião é provavelmente apenas mais um trabalho a ser feito, mas eu estou preocupada com um ser humano, minha querida Frieda aqui.

– Oh – disse K. – Então, bem, sim, embora eu não saiba por que você não pode deixar nossos assuntos apenas entre nós dois.

– Por amor, por preocupação; é por isso – disse a senhoria, puxando a cabeça de Frieda em sua direção.

Como a garota estava em pé, ela conseguiu alcançar apenas o ombro da senhoria.

– Já que Frieda confia tanto em você – disse K. –, não há nada que eu possa fazer sobre isso. E, como Frieda há pouco tempo afirmou que meus assistentes são fiéis, então todos nós somos amigos. Assim, posso dizer-lhe, madame, que penso que o melhor seria que Frieda e eu nos casássemos, e logo. É triste, e muito triste, que não poderei compensar Frieda pelo que ela perdeu por minha causa: sua posição na Pousada do Castelo e a amizade de Klamm.

Frieda olhou para cima. Seus olhos estavam repletos de lágrimas, e não havia nenhuma expressão de triunfo em seu olhar.

– Por que eu? Por que eu fui escolhida?

– Por quê? – perguntaram K. e a senhoria ao mesmo tempo.

– Ela está confusa, pobre criança – disse a senhoria. – Desnorteada por tanta felicidade e tristeza ao mesmo tempo.

E, como se confirmasse o que a senhoria havia dito, Frieda correu para K. e o beijou tão freneticamente como se não houvesse mais ninguém no quarto, então ajoelhou-se diante dele chorando, e ainda o abraçando. Enquanto passava suas mãos nos cabelos de Frieda, K. disse para a senhoria:

– Concorda comigo?

– Você é um homem nobre – disse a senhoria, e sua própria voz estava chorosa. Ela parecia um pouco cansada, e respirando com dificuldade, mas encontrou forças para dizer: – Agora, há algumas garantias que você deve dar para Frieda, pois, por mais que eu o respeite, é um forasteiro aqui, não pode pedir a ninguém que fale por você, não conhecemos sua situação em sua casa, então precisamos de garantias, como tenho certeza de que concorda, meu caro senhor. Você mesmo apontou o quanto Frieda teve que perder ao lançar a sorte com o senhor.

– É claro, garantias, naturalmente – disse K. – E elas deverão ser feitas diante de um tabelião, eu espero, mas talvez algumas autoridades do conde também queiram estar envolvidas. Além disso, há mais uma coisa que devo, de fato, fazer antes do casamento. Eu preciso falar com Klamm.

– Isso é impossível – disse Frieda, arrumando sua postura e aproximando-se de K. – Que ideia!

– Mas deve ser feito – disse K. – Se é impossível para mim, então você precisa conseguir isso.

– Eu não posso, K., eu não posso – disse Frieda. – Klamm nunca irá falar com você. Como você pode imaginar que ele falaria com você?
– Bem, ele falaria com você? – perguntou K.
– Ele não falaria comigo também – disse Frieda. – Não falaria com você nem comigo, é simplesmente impossível. – Ela voltou-se para a senhoria com seus braços abertos: – Veja só, madame. É isso que ele deseja.
– Você é um homem estranho – disse a senhoria, e parecia muito alarmada sentada ali, ereta, com as pernas esticadas e os joelhos poderosos aparecendo por sua saia fina. – Você deseja o impossível.
– Por que é impossível? – perguntou K.
– Eu vou explicar – disse a senhoria, em um tom sugerindo que, ao explicar, ela não fazia um último favor para K., e sim infligia seu primeiro castigo contra ele. – Fico feliz em poder explicar tudo a você. Eu não pertenço ao castelo, com certeza, sou apenas uma mulher, e sou apenas a senhoria do tipo mais miserável de hospedaria... Bom, não do pior tipo, mas não muito longe disso. Então, talvez não dê muito crédito à minha explicação, mas mantive meus olhos abertos por toda a vida, já conheci muitas pessoas, e já suportei o fardo de administrar essa pousada por conta própria, pois meu marido pode ser um bom jovem companheiro, mas ele não é um senhorio, e nunca irá entender o significado de responsabilidade. Você, por exemplo, o fato de estar neste vilarejo, sentado nesta cama em paz e conforto se deve apenas à negligência dele... Eu estava muito cansada naquela noite.
– O que você quer dizer? – perguntou K., levantando-se de um tipo de abstração, mais por curiosidade do que por fúria.
– Você está aqui por causa da negligência dele – repetiu a senhoria, apontando seu indicador para K. Frieda tentou tranquilizá-la. – O que você esperava? – a senhoria perguntou para Frieda, virando todo seu corpo. – O agrimensor aqui me fez uma pergunta, e eu preciso respondê-la. De que outra forma ele pode compreender o que nós, aqui, temos por certo, que é que o Sr. Klamm nunca irá falar com ele. E por que digo "irá"? Ele nunca falará com ele. Ouça, se-

nhor, o Sr. Klamm é um cavalheiro do castelo, o que, por si só, independentemente da posição dele ou outro aspecto, já significa que é um homem de primeira classe. Mas e você, cujo acordo de casar com Frieda está solicitando humildemente aqui? Você não é do castelo, não é do vilarejo, você não é nada. Infelizmente, no entanto, você é um desconhecido, uma pessoa insignificante entrando no caminho de todos, um homem que sempre está causando problemas... Ora, as criadas precisaram sair do quarto delas por sua causa. Um homem cujas intenções são desconhecidas, um homem que seduziu a pequena Frieda e com quem, infelizmente, precisamos permitir que se case. Basicamente, não o culpo por tudo isso; você é quem você é. Já vi muitas coisas ao longo da vida para ser incapaz de tolerar isso também, mas pense no que está realmente pedindo. Espera que um homem como Klamm fale com você. Sinto que Frieda tenha permitido que você olhasse pelo buraco na porta; você já a havia seduzido quando ela fez isso. Diga-me, como suportou olhar para Klamm? Não precisa me responder isso, eu sei, suportou bem. Não está em posição de ver Klamm apropriadamente, e isso não é arrogância da minha parte, porque também não estou nessa posição. Você quer que Klamm fale com você, mas ele não fala nem com os aldeões, ele mesmo nunca falou com alguém do vilarejo. Foi a grande distinção de Frieda, uma distinção que será meu orgulho até o dia de minha morte, que ele ao menos costumava chamá-la pelo nome, e ela podia falar com ele como quisesse, e tinha permissão para usar o buraco na porta, embora ele nunca tenha realmente *falado* com ela também. E o fato de que ele, às vezes, chamava por Frieda não tem necessariamente a importância que você gostaria de dar, ele simplesmente chamava Frieda pelo nome... Quem sabe suas intenções? E o fato de que Frieda, é claro, ia correndo, é problema dela. Bem, foi por causa da gentileza de Klamm que ela podia entrar para vê-lo sem problemas, mas não pode afirmar que ele realmente a chamava para si. E o que já foi, certamente, se foi para sempre. Talvez Klamm chame Frieda pelo nome novamente, é possível, mas ela certamente não terá permissão para vê-lo... Não uma mulher que se entregou a você. E há uma coisa, apenas mais uma coisa que não consigo entender, que é como uma garota que disse ser amante de Klamm, embora eu pessoalmente considere isso uma descrição bem exagerada, poderia deixá-lo sequer tocá-la?

– Notável, com certeza – disse K., e puxou Frieda, que consentiu, embora com a cabeça baixa, em sentar no seu colo. – Mas eu penso que isso demonstra que nem tudo é exatamente como você pensa. Por exemplo, sim, tenho certeza de que está certa quando diz que não sou nada comparado a Klamm e, se agora exijo falar com Klamm e até mesmo sua explicação não me dissuadiu disso, não significa que eu esteja em posição de suportar vê-lo sem uma porta entre nós, ou que não vá sair correndo da sala quando ele aparecer. Mas, como eu vejo, tal medo, embora possa ser justificado, não é motivo para nem tentar. Se eu for bem-sucedido em enfrentá-lo, então não é necessário que ele fale comigo; ficarei satisfeito ao ver qual efeito minhas palavras provocam nele e, se não tiverem nenhum, ou ele não quiser escutar, então é minha vantagem ter falado livremente diante de um homem poderoso. Mas você, madame, com todo seu conhecimento da vida e da natureza humana, e Frieda, que até ontem era amante de Klamm, eu mesmo não vejo razões para evitar essa palavra, com certeza podem me garantir a oportunidade de falar com Klamm facilmente. Se não for possível de outra forma, então, na Pousada do Castelo. Talvez ele ainda esteja lá hoje.

– Não é possível – disse a senhoria. – E eu vejo que lhe falta a habilidade de compreender isso. Mas, diga-me, sobre o que você quer falar com Klamm?

– Sobre Frieda, é claro – disse K.

– Frieda? – perguntou a senhoria, frustrada, e olhou para a própria Frieda. – Ouviu isso, Frieda? Ele... esse homem... ele quer falar com Klamm, Klamm, dentre todas as pessoas, sobre você.

– Oh, querida – disse K. – Você é uma mulher tão inteligente, madame, e tão digna de respeito e, mesmo assim, coisas tão pequenas a assustam. Bem, se quero falar com ele sobre Frieda, não é uma ideia monstruosa, é perfeitamente natural. Pois certamente está errada se pensa que, a partir do momento em que apareci, Frieda se tornou sem importância para Klamm. Você o subestima se acredita nisso. Percebi que seria uma presunção minha tentar dizer isso para você, mas preciso fazê-lo. Não posso ter causado qualquer mudança no relacionamento de Klamm com Frieda. Ou não havia realmente um relacionamento, como diriam aqueles que privam Frieda do nobre título de ser sua amante, e, nesse caso, não há nenhum agora, ou realmente havia tal relacionamento, mas, se fosse assim, como poderia ser arruinado por mim, um homem que, como corretamente disse, não é nada aos olhos de Klamm? É possível acreditar nisso no primeiro momento de choque, mas até mesmo a mais rasa reflexão certamente corrigiria isso. Por que não deixamos Frieda dizer o que ela pensa sobre isso?

Com os olhos distantes, seu rosto contra o peito de K., Frieda disse:

— Tenho certeza de que é da forma que minha mãezinha falou: Klamm não irá querer saber nada sobre mim. Mas não porque você apareceu, querido, nada desse tipo poderia perturbá-lo. Na verdade, penso que termos ficado juntos embaixo do balcão foi obra dele... Bênçãos, e não maldições sobre aquela hora.

— Se esse é o caso — disse K., com calma, pois as palavras de Frieda eram doces, e ele fechou os olhos por alguns segundos para poder absorvê-las. — Se esse é o caso, há ainda menos razões para temer uma conversa com Klamm.

— Realmente — disse a senhoria, como se olhasse para K. de cima —, você às vezes me lembra de meu marido, é tão obstinado e infantil quanto ele. Passou alguns dias aqui e já pensa que sabe mais do que aqueles que nasceram no vilarejo, mais do que eu, uma velha mulher como sou, mais do que Frieda, que já viu e ouviu tantas coisas na Pousada do Castelo. Não nego que seja possível fazer algo que transgrida as regras e os bons costumes antigos, eu mesma nunca soube de nada desse tipo, mas há quem diga que existem casos, embora certamente não seja feito da maneira que você gostaria, dizendo não, não, o tempo todo, confiando em sua própria mente e ignorando conselhos, ainda que bem-intencionado. Acha que estou ansiosa por sua causa? Eu me importava com você enquanto estava sozinho? Ainda que, se eu tivesse feito isso, poderia ter sido uma boa ideia, e muito disso poderia ter sido evitado. Tudo o que eu disse para o meu marido sobre você na época foi: "Fique bem longe dele". E ainda me sentiria assim hoje se Frieda não tivesse sido arrastada para seu próprio destino. É a ela, quer você goste ou não, que devo minha preocupação, e até minha consideração por você. E não pode simplesmente me descartar, porque tem muita responsabilidade para mim, a única pessoa que cuida da pequena Frieda com cuidado maternal. É possível que Frieda esteja certa, e que tudo que aconteceu era o que Klamm queria, mas não sei nada sobre Klamm, nunca falarei com ele, ele está totalmente fora do meu alcance. Mas você está sentado aqui, abraçando minha Frieda e, por que negar, será mantido aqui por mim. Sim, por mim, pois, meu jovem, se o expulsar desta casa, apenas tente encontrar acomodações em qualquer lugar deste vilarejo, até mesmo no canil.

– Bem, muito obrigado – disse K. – Essa é uma fala bem sincera, e acredito em cada palavra que disse. Então minha posição é extremamente incerta, e a de Frieda também.

– Não – gritou a senhoria, furiosamente. – Nesse aspecto, a posição de Frieda não tem nada a ver com a sua. Frieda pertence à minha casa, e ninguém tem direito de dizer que a posição dela aqui é incerta.

– Muito bem, muito bem – disse K. – Concordo que também está certa nisso, principalmente, já que, por razões desconhecidas para mim, Frieda parece ter muito medo de você para participar de nossa conversa. Então vamos focar em mim por agora. Minha posição é muito incerta, não negou isso, de fato foi longe para provar. No entanto, como em tudo o que diz, essa afirmação é, em grande parte, mas não totalmente, correta. Por exemplo, eu sei onde poderia ter uma ótima cama para passar a noite.

– Onde? Onde? – perguntaram Frieda e a senhoria ao mesmo tempo, tão animadas quanto se tivessem os mesmos motivos para perguntar.

– Na casa de Barnabé – disse K.

– Com aqueles miseráveis! – exclamou a senhoria. – Aqueles miseráveis infernais! Na casa de Barnabé! Você ouviu isso? – ela per-

guntou, olhando para o canto dos assistentes, mas eles já haviam saído há muito tempo, e estavam em pé, de braços dados atrás da senhoria, que agora procurava a mão de um deles, como se precisasse de apoio. – Ouviram para onde esse homem iria? Para Barnabé e sua família! Sim, tenho certeza de que você teria uma cama para passar a noite ali. Ah, se ele ao menos escolhesse a Pousada do Castelo. Mas onde vocês dois estavam?
    – Madame – disse K. antes de os assistentes responderem. – Esses são meus assistentes. Você os trata como se fossem meus guardas e *seus* assistentes. Eu estou preparado para pelo menos discutir suas opiniões civilizadamente em todos os outros assuntos, mas não no que se refere aos meus assistentes, com quem a situação é muito clara. Então peço que não fale com meus assistentes e, se meu pedido não for o bastante, então proibirei meus assistentes de responder.
    – Então não posso falar com vocês! – disse a senhoria para os assistentes, e os três riram, a senhoria com desdém, mas muito mais tranquilamente do que K. esperava, e os assistentes como normalmente faziam, em um modo significativo sem significar nada, apenas desaprovando qualquer responsabilidade.
    – Ah, não fique nervoso – disse Frieda. – Você precisa entender nosso susto. Devemos a Barnabé eu e você agora estarmos juntos. Quando o vi pela primeira vez no bar, você chegou de braços dados com Olga, eu sabia pouco a seu respeito, mas, no geral, você era totalmente indiferente para mim. Eu estava insatisfeita com uma porção de coisas naquele momento, e outras me incomodavam também, mas que tipo de insatisfação e incômodo era esse? Por exemplo, um dos hóspedes no bar me insultou... Eles sempre estavam atrás de mim, você viu aqueles homens, mas muito mais aconteceu, os empregados de Klamm não eram os piores... Bem, um deles me insultou, mas para que me importar com isso? Senti como se isso tivesse acontecido anos atrás, ou como se nem mesmo tivesse acontecido, ou que eu apenas tivesse ouvido falar sobre isso, ou já houvesse esquecido. Mas, oh, não consigo descrever, não consigo nem imaginar, é assim que tudo mudou desde que Klamm me deixou.

E Frieda encerrou sua história, curvou a cabeça com tristeza, e colocou as mãos no colo.

– Pronto, veja só! – exclamou a senhoria, como se ela não estivesse falando por si só, mas meramente emprestando sua voz para Frieda, de quem ela agora se aproximava até sentar ao lado dela. – Pronto, senhor Agrimensor, você vê as consequências de suas ações, e seus assistentes, com quem não posso falar, podem ver também e aprender com elas. Você afastou Frieda da situação mais feliz em que ela já esteve, e isso aconteceu principalmente porque, indo longe demais em sua piedade infantil por você, Frieda não conseguiu suportar vê-lo de braços dados com Olga, entregue à família de Barnabé. Ela o salvou, sacrificando a si mesma em seu benefício. E, agora que está tudo feito, e Frieda trocou tudo o que tinha pela felicidade de se sentar em seu colo, você vem e joga sua grande cartada, que é o fato de que já teve a oportunidade de passar a noite na casa de Barnabé. Suponho que esteja tentando provar que é independente de mim. Por certo, se realmente *tivesse* passado a noite com Barnabé, realmente estaria independente de mim e teria que deixar minha casa neste instante, e bem apressadamente.

– Eu não sei quais pecados Barnabé e sua família cometeram – disse K., enquanto cuidadosamente levantava Frieda, que parecia quase sem vida, colocou-a devagar na cama, e ficou em pé. – Talvez esteja certa, mas eu também estava certo quando pedi para você deixar nossos assuntos, meus e de Frieda, somente para nós dois. Acabou de falar sobre amor e preocupação, mas não ouvi muito sobre nenhum dos dois; ao invés disso, ouvi palavras de antipatia e desdém e ameaças de me expulsar da casa. Se tinha em mente me separar de Frieda, ou ela de mim, foi feito com muita inteligência, mas mesmo assim não acho que você será bem-sucedida e, se for, perdoe-me por uma ameaça velada de minha parte, para variar; se for, irá se arrepender amargamente. Quanto ao quarto que me entregou, e você só pode estar se referindo a este buraco repelente, não é nem um pouco certo que esteja fazendo isso por sua própria vontade. Estou mais inclinado a pensar que essas instruções vieram das autoridades do conde. Eu os farei saber que recebi um aviso de despejo aqui e, se eles encontrarem outro lugar para eu ficar, espero que possa respirar aliviada e, então, meu próprio alívio será ainda maior. E agora irei encontrar o prefeito do vilarejo para falar sobre esse e outros assuntos, então, por favor, tome conta de Frieda, a quem você já fez muito mal com o que chama de conselho maternal.

Então ele se virou para os assistentes:

— Venham — ele disse, retirando a carta de Klamm do prego e caminhando em direção à porta.

A senhoria o observava em silêncio e, apenas quando ele colocou a mão na maçaneta, ela disse:

— Senhor Agrimensor, vou lhe dar uma informação para que leve com você, pois, apesar de qualquer coisa que possa dizer e quaisquer insultos que possa oferecer contra mim, pobre senhora que sou, você é o futuro marido de Frieda. É apenas por isso que lhe digo como é absurdamente ignorante sobre as circunstâncias aqui, a cabeça gira só de ouvi-lo, comparando o que diz e pensa da situação com o que ela realmente é. Tal ignorância não pode ser colocada de uma vez só, e talvez de maneira nenhuma, mas poderá melhorar muito se você acreditar em parte do que lhe disse, e mantiver sua ignorância em mente o tempo todo. Então, dessa forma, imediatamente será mais justo comigo e começará a ter ideia do tamanho do choque que foi para mim, e as consequências desse choque ainda me afetam, quando percebi que minha querida garotinha havia, por assim dizer, abandonado a águia para aliar-se ao licranço, mas a situação real é muito, muito pior, e eu continuo tentando esquecê-la, ou não conseguiria conversar tranquilamente com você. E agora está nervoso novamente. Não, não vá ainda, apenas ouça meu pedido: aonde quer que você vá, sempre se lembre de que sabe menos do que qualquer um aqui, e cuide de agir com atenção. Aqui, onde a presença de Frieda o protege do mal, você pode falar o que quiser; aqui, se desejar, pode nos contar o que pretende dizer para o Klamm. Mas não o faça, eu imploro, não o faça de verdade.

Ela se levantou, balançando em sua agitação, foi até K. e olhou para ele, implorando.

— Madame — disse K. — Não entendo por que se humilha para implorar qualquer coisa por um motivo tão insignificante. Se, como diz, é impossível que eu fale com Klamm, então não poderei me aproximar dele, seja eu solicitado ou não. Mas, se fosse possível, por que eu não o faria, particularmente porque seus outros temores seriam muito questionados assim que sua principal objeção fosse invalidada? Com certeza sou ignorante, mas fatos são fatos, o que é muito triste para mim, mas também vantajoso, já que um homem ignorante ousará fazer mais, então irei alegremente com minha ignorância e com o que tenho certeza de que são suas infelizes consequências mais um pouco, enquanto minha força permitir. Em essência, entretanto, essas consequências afetam apenas a mim, então realmente não compreendo por que você deveria implorar a mim por qualquer coisa. Tenho certeza de que você sempre se importará com Frieda, e se eu sumir completamente da vista de Frieda, como você disse, seria apenas algo bom. Então, do que tem medo? Suponho que não tenha... Pois, para um ignorante, tudo parece possível. — E K. abriu a porta. — Suponho que não tenha medo por Klamm.

A senhoria observou em silêncio enquanto ele descia as escadas, com seus assistentes o seguindo.

5
O prefeito do vilarejo

Para sua própria surpresa, a conversa entre K. e o prefeito do vilarejo correu tranquilamente. Ele considerou isso ao dizer a si mesmo que, em suas experiências até aquele momento, os encontros oficiais com as autoridades do conde haviam sido muito simples. Um dos motivos foi que uma decisão definitiva sobre seus assuntos certamente havia sido tomada de uma vez por todas, aparentemente a seu favor, e outro motivo era a admirável consistência dos serviços envolvidos, que era possível perceber que era particularmente boa em casos nos quais parecia nem estar presente. Quando K. pensou em tudo isso, ele não estava longe de considerar sua situação como satisfatória, embora, após esses momentos de animação, ele sempre dissesse a si mesmo que era ali que estava o perigo. A comunicação direta com as autoridades não era muito difícil, pois, por mais bem organizadas que elas pudessem ser, essas autoridades precisavam defender apenas algo remoto, em nome de cavalheiros remotos e também invisíveis, enquanto K. estava lutando por algo muito próximo a ele, por si mesmo e, ao fazê-lo, pelo menos de início, por sua própria vontade, pois era ele que estava no ataque. E não estava apenas lutando por si mesmo, mas também, pelo que parecia, havia outros poderes invisíveis desconhecidos para ele, embora as medidas tomadas pelas autoridades o fizessem acreditar nelas. No entanto, o fato de que, desde o início, as autoridades houvessem atendido os desejos de K. em questões menores – e até agora nada mais havia acontecido – significava que o privavam da chance de obter vitórias pequenas, fáceis, e da satisfação que as acompanhava e a confiança justificada que ele iria extrair delas para embarcar em outras batalhas maiores. Em vez disso, as autoridades permitiam que K. fosse aonde quisesse, embora apenas dentro do vilarejo, tolerando-o, mas enfraquecendo sua posição, eliminando qualquer possibilidade de luta, e deixando-o viver uma vida não oficial, imprevisível, turbulenta e estranha. Se ele não estivesse sempre alerta, então, podia ser que, apesar da amabilidade das autoridades e a realização de todos os seus deveres extremamente leves, para a satisfação de todos, ele poderia, enganado pelo favor aparentemente demonstrado a ele, conduzir o resto de sua vida de modo tão incauto a ponto de fracassar naquele lugar; e as autoridades, ainda em seus modos gentis e amáveis, agindo como se fosse contra sua própria vontade, mas em nome de algum decreto oficial desconhecido para ele, iriam livrar-se dele. E como seria realmente o restante de sua vida ali? Em nenhum outro lugar K. havia visto deveres oficiais e a vida comum misturados tão profundamente, tanto que às vezes quase parecia que a vida e os deveres oficiais haviam trocado de lugar. Por exemplo, qual era o significado do poder, até agora apenas formal, que Klamm tinha sobre o trabalho de K. comparado ao poder que Klamm realmente exercia no quarto de K.? Isso só mostrava como qualquer negligência no agir ou na atitude desembaraçada era apropriada apenas em contato direto com as autoridades, enquanto, em todos os outros lugares, era necessário ter muito cuidado, e olhar bem ao redor antes de dar qualquer passo.

No início, K. considerou sua opinião sobre autoridades totalmente confirmada pelo prefeito do vilarejo. Um homem amigável, robusto, com o rosto liso, o prefeito estava doente com um ataque severo de gota, e recebeu K. em sua cama.

– Ah, então esse é o nosso agrimensor! – ele disse, tentando sentar-se para cumprimentar o visitante, mas não conseguiu e, apontando para suas pernas, em forma de justificativa, apoiou-se nos travesseiros novamente.

Uma mulher quieta, parecendo quase uma sombra no quarto mal iluminado, onde as pequenas janelas eram cobertas por cortinas, trouxe uma cadeira para K. e a colocou ao lado da cama.

– Sente-se, Sr. Agrimensor, sente-se – disse o prefeito – E diga-me o que deseja.

K. leu a carta de Klamm em voz alta e fez alguns comentários. Novamente, ele sentiu como era fácil se comunicar com as autoridades. Suportariam qualquer fardo, era possível dar a elas qualquer coisa para resolver e permanecer intacto e livre. Como se o prefeito sentisse isso, ele se virou na cama. Finalmente, disse:

– Como percebeu, Sr. Agrimensor, eu sabia tudo sobre esse assunto. Não fiz nada a respeito, primeiro por causa de minha doença, e também porque você levou muito tempo para chegar, e eu já estava começando a pensar que havia abandonado o trabalho. Mas, agora que foi gentil o bastante para vir me ver, preciso contar-lhe toda a verdade, ainda que seja indesejada. Você foi chamado como um agrimensor, mas, infelizmente, não precisamos de um agrimensor. Não haveria nenhum trabalho para você aqui. Os limites de nossas pequenas fazendas já estão todos estabelecidos, e tudo já está devidamente registrado. As propriedades dificilmente mudam de proprietários, e resolvemos qualquer discussão sobre os terrenos nós mesmos. Então, por que precisamos de um agrimensor?

Sem realmente ter pensado nisso antes, K. estava bem convencido de que esperava tal informação. Por essa mesma razão, ele pôde dizer instantaneamente:

– Bem, isso me surpreende muito. Destrói todos os meus cálculos. Espero apenas que haja algum mal-entendido.

– Temo que não – disse o prefeito. – É exatamente como digo.

– Mas como é possível? – perguntou K. – Não fiz uma jornada tão longa apenas para voltar agora.

– Ah, isso é outra questão – disse o prefeito –, e não cabe a mim decidir, mas posso explicar o que pode ter causado o mal-entendido. Em uma autoridade tão grande como a do conde, às vezes acontece que um departamento cuida de um assunto, outro daquilo, e nenhum sabe sobre o outro. Um departamento de checagem superior supervisiona tudo, e muito atentamente, mas, por sua natureza, chega tarde demais, então ainda pode acontecer alguma confusão. Mas esteja certo, isso acontece apenas nos menores detalhes, tais como seu próprio caso e, até onde sei, nenhum erro desse tipo já foi cometido em assuntos de real importância, mas os pequenos normalmente nos dão bastante trabalho. Quanto ao seu caso, posso dizer, não estou revelando nenhum segredo oficial, eu mesmo não sou tão oficial para isso. Sou um fazendeiro e só. Quanto ao seu caso, posso lhe dizer logo o que aconteceu. Há muito tempo, eu era o prefeito do vilarejo por somente alguns meses, um decreto foi emitido por um departamento do qual não me lembro, dizendo em termos categóricos típicos dos cavalheiros que um agrimensor seria apontado, e o vilarejo deveria preparar todas as plantas e desenhos necessários para seu trabalho. Esse decreto não pode estar relacionado a você pessoalmente, pois foi há muito tempo, e eu não me lembraria disso a não ser por estar doente agora, com muito tempo para deitar na cama e pensar sobre os incidentes mais ridículos. Mizzi – ele acrescentou, interrompendo repentinamente seu relato para falar com sua esposa, que ainda estava apressada pelo cômodo, ocupada com alguma coisa, embora K. não conseguisse descobrir o quê. – Por favor, olhe no armário e talvez encontre o decreto. O fato é que – disse ele, em tom explicativo, virando-se para K. – ele remete a meus primeiros dias como prefeito, quando eu guardava tudo.

A mulher abriu o armário enquanto K. e o prefeito observavam. Estava repleto de papéis e, quando ele foi aberto, duas pilhas de papéis caíram, amarradas como se faz com lenha. A mulher encolheu-se com o susto.

– Tente mais para baixo, mais para baixo – disse o prefeito, conduzindo a procura de sua cama.

A mulher, reunindo os arquivos nos braços, obedeceu e retirou tudo do armário para pegar os papéis ao fundo. O quarto já estava quase cheio de papéis.

– Ah, muito trabalho já foi feito – disse o prefeito, balançando a cabeça. – E essa é apenas uma pequena parte dele. Eu guardo a maior parte do que tenho no celeiro, mas muito já se perdeu. Como alguém pode organizar tudo isso? Mas ainda há muita coisa no celeiro. Será que conseguirá encontrar o decreto? – ele perguntou, virando-se novamente para sua esposa. – Você deve procurar por um arquivo contendo a palavra *agrimensor* sublinhada em azul.

– Está muito escuro aqui – disse sua esposa. – Vou buscar uma vela.

E ela passou sobre os papéis e saiu do quarto.

– Minha esposa é de grande ajuda para mim – disse o prefeito do vilarejo – com o fardo de todos esses assuntos oficiais, que preciso fazer como extra. Tenho outro assistente para o trabalho escrito, o professor, mas mesmo assim ninguém consegue terminar, sempre há muito sem ser feito, e está naquele armário – ele apontou para outro armário – e, quando estou doente, como agora, acumula – disse ele, deitando, cansado, mas com uma expressão de orgulho no rosto.

– Não posso ajudar sua esposa a procurar? – perguntou K. quando a mulher voltou com a vela e ajoelhou-se diante do armário, procurando o decreto.

Sorrindo, o prefeito balançou a cabeça.

– Como eu disse agora mesmo, não estou escondendo nenhum segredo oficial de você, mas não posso deixá-lo procurar os arquivos sozinho.

Tudo estava quieto no quarto, somente o barulho dos papéis era ouvido, e o prefeito talvez tenha até adormecido por um momento. Uma batida leve na porta fez K. virar-se. Claro, eram seus assistentes. Mas pelo menos eles haviam aprendido a se comportar um pouco melhor, e não entraram direto no quarto, e começaram a sussurrar pela porta, que estava ligeiramente aberta.

– Está muito frio aqui fora – eles disseram.

– Quem são esses? – perguntou o prefeito, despertando de sobressalto.

– Apenas meus assistentes – disse K. – Não sei onde posso deixá-los esperando por mim; está muito frio lá fora, e irão atrapalhar aqui dentro.

– Eles não me incomodam – disse o prefeito, em tom gentil. – Deixe-os entrar. De qualquer maneira, eu os conheço. Somos velhos conhecidos.

– Bem, eles me incomodam – disse K. honestamente, permitindo que seu olhar fosse dos assistentes para o prefeito, e de volta para os assistentes, constatando que era difícil diferenciar os três sorrisos. – No entanto, já que estão aqui – sugeriu ele, provocando-os –, podem ficar e ajudar a senhora a procurar por um arquivo contendo a palavra *agrimensor* sublinhada em azul.

O prefeito não foi contra isso; já que K. não podia procurar os papéis, os assistentes podiam, e se lançaram sobre os arquivos imediatamente, mais agitando os papéis do que procurando adequadamente e, enquanto um deles soletrava as palavras em um pedaço de papel, o outro o arrancava de suas mãos. Quanto à esposa do prefeito, ela estava ajoelhada em frente ao armário vazio e não parecia mais estar procurando nada, ou pelo menos a vela estava muito longe dela.

– Então seus assistentes o incomodam, não? – disse o prefeito com um sorriso satisfeito, como se fosse tudo por sua causa, mas ninguém estava em posição de nem mesmo suspeitar de tal coisa. – Mas eles são seus próprios assistentes.

– Não – disse K. tranquilamente. – Só se agarraram a mim depois que cheguei aqui.

– Agarraram-se a você? – perguntou o prefeito. – Suponho que você queira dizer que eles foram designados a você.

– Muito bem, então, eles foram designados a mim – disse K. – Mas bem que poderiam ter caído como neve do céu, com tão pouco esforço que tiveram ao escolhê-los.

– Ah, aqui nada acontece sem ser pensado – disse o prefeito, esquecendo-se da dor em seu pé e até sentando-se na cama.

– Nada? – perguntou K. – E minha nomeação?

– Sua nomeação também foi cuidadosamente pensada – disse o prefeito. – Mas algumas circunstâncias colaterais foram envolvidas e confundiram as coisas. Eu posso mostrar-lhe o que aconteceu com os arquivos.

– Não acho que esses arquivos serão encontrados – disse K.

– Não foram encontrados? – exclamou o prefeito. – Mizzi, por favor, procure um pouco mais rápido! Por ora, posso contar a história sem os arquivos. Nós respondemos ao decreto do qual eu estava falando ao enviar nossos agradecimentos, mas destacando que não precisávamos de um agrimensor. No entanto, essa resposta parece não ter chegado ao departamento original, vamos chamá-lo de A, mas, por algum engano foi para outro Departamento, o B. Então, o Departamento A não recebeu nenhuma resposta, mas infelizmente o Departamento B também não recebeu nossa resposta por completo. Quer o conteúdo do arquivo tenha sido esquecido aqui ou tenha se perdido no caminho, eles não se perderam no departamento em si, isso eu posso assegurar; bem, de qualquer forma, o Departamento B também recebeu a capa de um arquivo apenas com a anotação de que o arquivo desconhecido, que, na verdade, não foi incluído, tratava da nomeação de um agrimensor. Enquanto isso, o Departamento A esperava por nossa resposta; não havia nenhuma observação sobre isso, mas nesses casos há um entendimento, e de fato *deve* haver, em vista da natureza meticulosa de todo o trabalho oficial feito, de que o chefe do departamento estava aguardando que enviássemos uma resposta, concernente a se ele deveria apontar um agrimensor ou, se necessário, falar mais conosco sobre o assunto. Como resultado, ele não olhou as notas preliminares, e permitiu que todo o assunto caísse no esquecimento. Entretanto, no Departamento B, o arquivo chegou às mãos de um oficial bem conhecido por sua boa consciência, de nome Sordini, um italiano. Até para mim, que tenho bons conhecimentos, é difícil entender por que um homem com as habilidades dele está definhando em um dos cargos mais baixos de todos. Bem, esse Sordini naturalmente nos devolveu a capa vazia do arquivo, solicitando o restante dele. Mas muitos meses, se não anos, haviam se passado desde que aqueles primeiros documentos foram redigidos para o Departamento A, o que é compreensível, pois, quando um arquivo é enviado da maneira apropriada, como geralmente acontece, normalmente chega ao departamento correto em um dia no máximo, e é manuseado no mesmo dia. No entanto, se ele se perde, e considerando a excelência da organização será muito difícil perdê-lo, então realmente poderá demorar muito. Então, quando recebemos o bilhete de Sordini, tínhamos apenas uma vaga lembrança sobre o assunto; na época, éramos apenas dois fazendo todo o trabalho, Mizzi e eu, eles ainda não tinham escolhido o professor para me ajudar. Nós mantínhamos cópias apenas dos documentos mais importantes... Em resumo, tudo o que conseguimos responder, de modo bem incerto, era que não sabíamos nada a respeito de tal nomeação, e que não havia necessidade de um agrimensor aqui.

– No entanto – disse o prefeito, interrompendo a si mesmo, como se, em sua ansiedade para contar a história, ele houvesse ido longe demais, ou como se fosse possível que ele tivesse ido longe demais. – Espero que essa história não esteja entediando você.

– Nem um pouco – disse K. – Está muito interessante.

– Não estou contando a história para entretê-lo – disse o prefeito.

– O único motivo pelo qual a história me entretém – disse K. – é a revelação que faz a respeito da confusão ridícula que, em algumas circunstâncias, podem determinar o curso da vida de um homem.

– Você ainda não recebeu nenhuma revelação – disse o prefeito, seriamente. – E posso continuar com a história. Naturalmente, um homem do calibre de Sordini não ficaria satisfeito com a nossa resposta. Eu o admiro, mesmo ele sendo um espinho no meu pé. O fato é que ele não confia em ninguém, mesmo quando, digamos, reconhece uma pessoa, em diversas ocasiões, como o homem mais confiável do mundo. Ele desconfia dessa pessoa na ocasião *seguinte*, como se não a conhecesse antes, ou melhor, como se soubesse que ela era desonesta. Penso que isso é correto, que é a maneira como um oficial deve agir, mas infelizmente pareço não seguir esse princípio básico. É da minha natureza. Veja quão honestamente estou contando a você, um desconhecido, tudo isso; não posso evitar. Sordini, por outro lado, desconfiou logo de nossa resposta. Então, teve início uma longa conversa. Sordini perguntou por que, de repente, me ocorreu que não deveríamos nomear nenhum agrimensor, e eu respondi, com a ajuda da excelente memória de Mizzi, que a primeira ideia havia partido das próprias autoridades (é claro que já havíamos esquecido há muito tempo que ela viera de um departamento diferente das autoridades do castelo). Sordini, então, perguntou por que eu havia mencionado a carta oficial apenas naquele momento, e eu disse que era porque havia lembrado apenas naquele momento. Isso, afirmou Sordini, era muito importante. Ao que respondi que não era um assunto tão importante, já que havia se arrastado por tanto tempo. Sordini disse que não, que *era* muito importante, porque a carta da qual me lembrava não existia. É claro que não existia, eu disse, já que todo o arquivo havia se perdido. Então Sordini disse que, com certeza, deveria haver uma nota preliminar tratando sobre a primeira carta, aquela que não existia. Aqui eu hesitei, porque não queria alegar que um erro havia sido cometido, ou digamos, que eu acreditava ter sido cometido, no departamento de Sordini. Em sua mente, Sr. Agrimensor, talvez esteja culpando Sordini e pensando que minha alegação deveria ao menos tê-lo feito pensar e questionar o caso nos outros departamentos. Mas isso não seria certo; não desejo nenhuma culpa imputada a esse homem, nem mesmo em sua mente. É um princípio de trabalho das autoridades o fato de eles nem considerarem a possibilidade de cometer erros. A excelente organização do conjunto é o que justifica o princípio, que é necessário se pretendermos realizar as tarefas com o máximo de rapidez. Portanto, Sordini não poderia questionar em outros departamentos; além disso, esses departamentos não iriam responder seus questionamentos, porque perceberiam logo que estariam sendo questionados a respeito da possibilidade de algum erro.

– Senhor prefeito, posso interrompê-lo com uma pergunta? – disse K. – O senhor não mencionou uma autoridade de supervisão que checa tudo? Pelo que diz, a organização é tamanha ao ponto de alguém ficar doente apenas com a ideia de essas checagens falharem.

– Você é muito severo – disse o prefeito. – Mas se multiplicar a sua severidade mil vezes, ainda seria nada se comparada à severidade da atitude das autoridades em relação a si mesmas. Somente um completo desconhecido faria essa pergunta. Existem autoridades de supervisão? Existem *apenas* autoridades de supervisão. Pode ter certeza, elas não existem para detectar erros no sentido comum da palavra, já que não ocorrem erros e, mesmo se há algum, como cm seu próprio caso, quem irá dizer que, a longo prazo, foi realmente um erro?

– Isso me traz uma ideia completamente nova – afirmou K.

– E muito antiga para mim – disse o prefeito. – Estou tão convencido quanto você de que houve um erro e, como resultado desse desespero, Sordini ficou muito doente, e as primeiras autoridades de supervisão que checaram o caso, aqueles a quem devemos a descoberta da fonte do erro, também reconheceram sua existência. Mas quem pode afirmar que o segundo grupo de autoridades de supervisão chegará à mesma conclusão, e depois o terceiro grupo, e assim por diante, com todos os outros?

– Talvez – disse K. – Mas prefiro não entrar em tais reflexões e, de qualquer forma, essa é a primeira vez que ouço falar sobre tais autoridades de supervisão, então é claro que ainda não as compreendo. No entanto, realmente penso que devemos diferenciar dois pontos aqui: primeiro, o que acontece entre essas autoridades e o que é, portanto, oficial ou que pode ser considerado oficial; segundo, minha própria pessoa, fora da órbita de todas essas autoridades oficiais como estou, e ameaçado por elas com restrições tão sem sentido que ainda não consigo crer que o risco é sério. Quanto ao primeiro ponto, o que o senhor, Sr. prefeito, descreve como uma ordem chocante e extraordinária sobre o assunto deve ser verdade. Mas eu mesmo não me importaria de ouvir algumas palavras sobre isso.

– Estou chegando lá – disse o prefeito. – Mas você não iria entender sem uma pequena introdução. Mencionei as autoridades de supervisão cedo demais. Então voltarei para minha conversa com Sordini. Como disse, gradualmente baixei a guarda. Mas, se Sordini puder ter até mesmo a menor vantagem sobre outra pessoa, ele terá ganhado o dia, porque, assim, sua atenção, energia e presença de espírito serão muito maiores, e quanto ao homem que ele ataca, é uma visão temerosa, embora ele seja bem recebido pelos inimigos do homem. Posso falar dele dessa forma pela experiência que já tive em outros casos. A propósito, eu mesmo nunca o vi, ele não pode descer até aqui, pois sempre está muito ocupado. De acordo com a descrição que recebi, em seu escritório todas as paredes estão escondidas atrás de torres de enormes pacotes de arquivos, todos empilhados, e esses são apenas os arquivos em que Sordini está trabalhando no momento. E, como os arquivos estão sempre sendo retirados ou colocados de volta nessas pilhas, e tudo sempre com muita pressa, as torres sempre caem, e o som delas caindo ao chão constantemente se tornou algo típico do escritório de Sordini. Bem, Sordini é um verdadeiro trabalhador, e ele dedica a mesma atenção tanto para os menores casos quanto para os maiores.

– Senhor prefeito – disse K. – Continua referindo-se ao meu caso como um dos menores, embora um grande número de oficiais tenha se ocupado com ele, e talvez tenha sido muito pequeno de início, mas o zelo dos oficiais como o Sr. Sordini o transformou em um caso grande. É uma pena, e nem um pouco o que eu gostaria, já que não tenho ambição nenhuma de ver as pilhas de arquivos sobre mim subindo pelos ares e então despencando ao chão. Apenas quero trabalhar em uma pequena mesa de desenhos, como um humilde agrimensor.

– Não – disse o prefeito. – Não é um caso grande, você não tem motivos para queixar-se sobre isso. É um dos menores entre os menores casos. O *status* do caso não é determinado pela quantidade de trabalho dedicado a ele e, se é isso que pensa, ainda está muito longe de compreender as autoridades. Mas, mesmo se você dependesse da quantidade de trabalho, seu caso seria um dos menores. Existem casos muito mais regulares, ou seja, casos que não envolvem nenhum suposto "erro", e que de fato requerem muito mais trabalho recompensador. De qualquer forma, você não entende nada sobre o real trabalho envolvendo seu caso, e agora falarei tudo a respeito. De início, Sordini me retirou do caso, mas então seus oficiais chegaram, e houve audiências diárias com membros de alto escalão desta cidade na Pousada do Castelo, tudo para constar nos registros. A maior parte dos aldeões ficou do meu lado, e somente alguns demonstraram desconfiança, dizendo que o assunto da agrimensura envolvia os interesses de um fazendeiro e pensando que haviam detectado acordos secretos de algum tipo e ocorrências de injustiça. Além disso, eles encontraram um líder, e Sordini estava prestes a ser convencido, pelo que disseram, que se eu houvesse levantado a questão para o conselho da cidade, nem todos os seus membros teriam sido contra a nomeação de um agrimensor. Então algo óbvio, falo sobre o fato de que não necessitávamos de um agrimensor, foi questionado. Um homem chamado Brunswick foi particularmente atuante nesse momento, você provavelmente não o conhece. Ele pode não ser um homem ruim, mas é estúpido e tem uma imaginação selvagem. É o cunhado de Lasemann.

– Lasemann, o curtidor-mestre? – perguntou K., e ele descreveu o homem barbudo que havia visto na casa de Lasemann.

– Sim, é ele – disse o prefeito.

– Conheço também sua esposa – disse K., tentando um tiro no escuro.

– É bem possível – disse o prefeito, e ficou em silêncio.

– Ela é bonita – disse K. –, mas muito pálida e doente. Suponho que tenha vindo do castelo? – Isso foi dito um pouco em forma de questionamento.

O prefeito olhou a hora, colocou remédio em uma pequena colher e o tomou.

– Suponho que tudo o que você conhece do castelo sejam os escritórios? – perguntou K. bruscamente.

– Sim – concordou o prefeito, com um sorriso irônico, mas grato. – E eles são a parte mais importante de lá. Quanto a Brunswick, se pudéssemos mantê-lo longe do conselho municipal, quase todos nós o faríamos de bom grado, mesmo Lasemann. Mas, naquele momento, Brunswick ganhou alguma influência. Ele não é um bom interlocutor, mas grita, e isso é o suficiente para muitas pessoas. E foi assim que fui obrigado a abrir todo o assunto para o conselho, o que de fato foi a alegria de Brunswick, pois é claro que a maioria do conselho não ouviria sobre a nomeação de um agrimensor. Isso também foi há muitos anos, mas o caso nunca foi realmente resolvido naquele momento, em parte devido à abordagem consciente de Sordini, que tentava descobrir os motivos da maioria e também da oposição por uma investigação mais cuidadosa, e em parte por causa da estupidez e ambição de Brunswick, que tem várias ligações pessoais com as autoridades, que faziam sua imaginação surgir com muitas e muitas ideias. Sordini, entretanto, não seria enganado por Brunswick, e como, de fato, Brunswick *poderia* enganar Sordini? Mas, para que ele não fosse enganado, seriam necessários novos interrogatórios e, mesmo antes de serem concluídos, Brunswick já surgia com algo novo. Ah, sim, sua mente era muito rápida, é tudo parte de sua estupidez. E agora chego a um ponto especial de nosso mecanismo oficial: quando um assunto já está sendo analisado por um longo tempo, e até mesmo antes de sua avaliação ser concluída, pode acontecer algo que o resolva, como uma nova luz sobre um ponto não percebido antes, e não há como citá-lo depois. O caso, então, é levado a uma conclusão arbitrária, e normalmente bem correta. É como se o mecanismo oficial não pudesse mais suportar a tensão, e os anos de atrito causados pelo mesmo fator, que por si mesmo pode ser pequeno, e tomasse uma decisão por sua própria vontade, sem a necessidade da intervenção dos oficiais. É claro que não há nenhum milagre, e certamente um oficial ou outro faz alguma anotação concluindo o caso, ou chega a uma decisão que não é registrada, mas aqui nós não conseguimos descobrir, até mesmo com as autoridades, qual oficial tomou a decisão neste caso e por quê. As autoridades de supervisão descobrirão isso muito tempo depois, mas nós mesmos não, e até lá, quase ninguém estará interessado. Bem, como eu estava dizendo, essas decisões normalmente são excelentes, e o único aspecto disruptivo sobre elas é que, como geralmente acontece, ouvimos sobre elas tarde demais, uma discussão tão apaixonada sobre um assunto que foi resolvido há tanto tempo e ainda continua. Não sei se tal decisão foi tomada em seu caso, há muitos aspectos que sugerem que não, e muitos outros que sugerem que sim, mas, se foi, então uma nota sobre sua nomeação teria sido enviada para você, e você teria se estabelecido em sua longa jornada até aqui. Enquanto isso, muito tempo teria se passado, e Sordini ainda estaria trabalhando até sua exaustão no mesmo caso, Brunswick estaria tramando e causando intrigas, e eu teria sido afetado pelos dois. Mal considero essa possibilidade, mas uma coisa sei por certo: nesse meio-tempo, uma autoridade de supervisão descobriu que, muitos anos atrás, o Departamento A enviou um inquérito para a cidade sobre um agrimensor, e nunca recebeu resposta. Fui questionado sobre isso recentemente, então, é claro que toda a questão foi esclarecida. O Departamento A ficou satisfeito com minha resposta, quanto a que não precisávamos de nenhum agrimensor, e Sordini foi obrigado a admitir que ele não havia sido competente ao lidar com esse caso e que ele, sem culpa, havia feito um trabalho desnecessário e enervante. Se não chegassem trabalhos de todos os lados, como sempre, e se o seu caso não fosse, afinal, um caso muito pequeno, poderíamos quase dizer o menor dos menores, então provavelmente teríamos respirado aliviados, todos nós, incluindo o próprio Sordini, e apenas Brunswick ainda se sentiria ridiculamente rancoroso. E agora, Sr. Agrimensor, imagine meu sofrimento quando, após a feliz conclusão de todo o assunto, e muito tempo tendo se passado também, você repentinamente aparece, e então parece que tudo irá recomeçar. Estou muito determinado a não permitir isso, enquanto estiver ao meu alcance, e tenho certeza de que entenderá.

– Com certeza – disse K. – Mas também entendo que tanto eu quanto a lei fomos absurdamente prejudicados. Pessoalmente, saberei como defender-me.

– E como fará isso? – perguntou o prefeito.

– Não posso dizer – afirmou K.

– Não quero me impor a você – disse o prefeito –, mas sugiro que me considere como, bem, não vou dizer um amigo, já que somos totalmente estranhos, mas, até certo ponto, um associado. Não posso permitir que seja aceito como um agrimensor aqui, mas, de outra forma, poderia vir até mim com confiança, embora apenas entre os limites do meu poder, que não é muito amplo.

– Você continua falando – disse K. – sobre a possibilidade de eu ser aceito como um agrimensor, mas já fui nomeado para essa função. Olhe a carta de Klamm.

– A carta de Klamm – disse o prefeito – é valiosa e merece respeito pela assinatura de Klamm, que parece ser genuína, mas, fora isso... Não, não me atrevo a lhe dar minha opinião. Mizzi! – gritou ele, acrescentando: – O que raios vocês estão fazendo?

Os assistentes, que estavam fora da vista por algum tempo, e Mizzi obviamente haviam falhado em encontrar o arquivo que procuravam, então tentaram guardar tudo no armário novamente, mas também falharam nisso por causa da desorganização e do número exorbitante de arquivos. Assim, os assistentes pensaram em um plano que agora colocavam em prática. Haviam deitado o armário no

chão, colocado todos os arquivos dentro dele, e então sentaram Mizzi sobre as portas do armário, tentando pressioná-las para fechar.
– Então o arquivo não foi encontrado – disse o prefeito. – Bem, é uma pena, mas agora você sabe a história, então não precisamos mais do arquivo. De qualquer forma, ele será encontrado em algum momento, provavelmente está na casa do professor. Ele guarda muitos arquivos lá. Agora traga a vela até aqui, Mizzi, e leia esta carta comigo.

Mizzi se aproximou, parecendo ainda mais cinza e insignificante do que antes enquanto sentava na beirada da cama perto de seu marido forte e vigoroso, que colocou seus braços ao redor dela. Somente seu pequeno rosto aparecia à luz da vela, seus traços claros e severos suavizados pela devastação da idade. Assim que ela olhou para a carta, fechou suas mãos e disse:

– É de Klamm!

Então, eles leram a carta juntos, sussurrando um para o outro de tempos em tempos e, finalmente, bem quando os assistentes estavam comemorando que haviam conseguido fechar as portas do armário, e Mizzi os olhava com gratidão, o prefeito disse:

– Mizzi pensa igual a mim, e agora posso arriscar falar o que está em minha mente. Este comunicado não tem nada de oficial, e sim particular. Fica claro desde a saudação: "Caro senhor". Além disso, não há nenhuma palavra nela sobre você ser aceito como agrimensor, ela só lida com os termos gerais do serviço ao castelo, e isso também não afirma nada comprometedor, somente que foi apontado, "como você sabe", ou seja, o fardo da prova de que foi nomeado cai sobre você. Finalmente, você foi oficialmente entregue a mim, o prefeito do vilarejo, como seu superior imediato, que irá contar-lhe todo o restante, como já fiz quase completamente. Isso está tão claro como o dia para qualquer um que está acostumado a ler comunicados oficiais e, como consequência, lê cartas não oficiais ainda melhor. Mas não estou surpreso que você, um desconhecido, não entenda isso. Enfim, a carta não fala nada além de que Klamm, pessoalmente, pretende ocupar-se com você para que seja aceito no serviço ao castelo.

– Você interpretou a carta tão bem, Sr. prefeito – disse K. – que, por fim, não sobra nada além de uma assinatura em uma folha de papel branca. Não acha que, ao fazer isso, está subestimando o nome de Klamm, a quem alega respeitar?

– Você me entendeu mal – disse o prefeito. – Não errei o significado da carta, não a diminuí com minha interpretação, muito pelo contrário. Uma carta pessoal de Klamm naturalmente significa muito mais do que um comunicado oficial. Só não significa o que *você* acha que significa.

– Você conhece Schwarzer? – perguntou K.

– Não – respondeu o prefeito. – Você o conhece, Mizzi? Não, ela também não. Não o conhecemos.

– Isso é estranho – disse K. – Ele é o filho de um dos oficiais.

– Meu caro senhor – disse o prefeito –, como posso conhecer todos os filhos dos oficiais?

– Muito bem – disse K. –, então você terá de acreditar em mim quando digo que ele é. Eu tive uma diferença de opinião com esse homem chamado Schwarzer no dia de minha chegada. Então, ele falou ao telefone com um oficial chamado Fritz, e foi informado que eu realmente havia sido apontado como agrimensor. Como explica isso, Sr. prefeito?

– Simples – disse o prefeito. – Você nunca realmente entrou em contato com nossas autoridades. Todos os seus contatos são apenas de aparência, mas, como resultado de sua ignorância, você pensa que eles são reais. E quanto ao telefone: olhe, não há um telefone aqui em minha casa, e certamente estou muito relacionado às autoridades. Os telefones podem ser úteis em pousadas e afins, assim como uma caixa musical, mas é só. Você já telefonou para alguém aqui? Bem, então talvez entenderá o que quero dizer. O telefone obviamente funciona muito bem no castelo, eu ouvi falar que eles telefonam muito por lá, o que, obviamente, acelera o trabalho. Aqui embaixo, nós ouvimos esses telefonemas constantes como um som de sussurro e de canto na linha, e tenho certeza de que já o escutou também. Mas esse som de sussurro e canto é a única informação confiável e real que o telefone envia para nós aqui embaixo, e tudo o mais é apenas ilusão. Não há uma conexão telefônica com o castelo, não há painel de comando passando em nossas ligações; se ligamos daqui para alguém do castelo, os telefones tocam em todos os departamentos inferiores, ou pelo menos tocariam se, como sei de fato, o som não estivesse desligado em quase todos eles. Às vezes, um oficial cansado sente a necessidade de se divertir um pouco, principalmente à tarde ou à noite, e religa o som, e recebemos uma resposta, mas uma resposta que é apenas uma brincadeira. É muito compreensível. Quem tem o direito de importunar um trabalho tão importante, sempre caminhando a todo vapor, com suas pequenas preocupações particulares? Realmente não compreendo como até mesmo um estranho pode acreditar que, se ligar, digamos, para Sordini, será realmente Sordini que irá atendê-lo. É provável que será alguém com o cargo muito abaixo em um departamento muito diferente. Mas, novamente, pode chegar um tempo maravilhoso quando alguém ligará para um escriturário, e o próprio Sordini atenderá. Nesse caso, claro, é aconselhável afastar-se rapidamente do telefone antes que se ouça qualquer barulho.

– Bem, não é assim que vi – disse K. – Eu não sabia desses detalhes, mas é verdade que não acreditei muito naqueles telefonemas. Sempre estive ciente de que apenas algo vivido ou obtido no próprio castelo teria alguma importância real.

– Você está errado – disse o prefeito incomodado. – É claro que esses telefonemas têm uma importância real. Por que não? Como uma mensagem passada do castelo por qualquer oficial pode ser insignificante? Acabei de dizer isso em relação à carta de Klamm. Nada do que está escrito tem um significado oficial e, se você atribui um significado oficial a ela, está errado; por outro lado, sua importância pessoal, seja amigável ou hostil, é muito grande, e normalmente maior do que qualquer significado oficial.

– Muito bem – disse K. – Presumindo que é tudo como diz, então devo ter alguns bons amigos no castelo; na verdade, olhe da maneira correta, e quando aquele departamento pensou, muitos anos atrás, em enviar um agrimensor, foi um ato de amizade para mim, e diversos atos de amizade se seguiram, até que, enfim, fui chamado aqui sem nenhum propósito, e depois ameaçado com expulsão.

– Há de fato algo no que você diz – afirmou o prefeito. – Está certo em pensar que os comunicados do castelo não devem ser levados a sério. Mas é necessário tomar cuidado em geral, não apenas aqui, e quanto mais importante a correspondência recebida, mais necessário é tomar cuidado. Não entendo o que diz sobre ser chamado até aqui. Se tivesse seguido melhor o que eu disse, certamente perceberia que a questão de sua nomeação é complicada demais para respondermos ao curso de uma pequena conversa.

– Então a conclusão é – afirmou K. – que tudo está muito confuso e que nada pode ser resolvido, e eu estou sendo expulso.

– Quem iria se arriscar a expulsá-lo, meu caro senhor? – disse o prefeito. – A própria falta de clareza nas primeiras questões garante a você o mais civilizado tratamento, mas parece ser sensível demais. Ninguém o está segurando aqui, mas isso não equivale a ser expulso.

– Oh, senhor prefeito – disse K. – Agora está vendo tudo isso bem claro novamente. Deixe-me contar-lhe algumas coisas que me mantêm aqui: os sacrifícios que fiz ao deixar minha casa; minha longa e difícil jornada; minhas esperanças bem fundamentadas de nomeação aqui; minha completa falta de meios de sustento; a impossibilidade de encontrar algum trabalho adequado em casa; e, por último, minha noiva, que é deste vilarejo.

– Ah, sim, Frieda! – disse o prefeito, sem surpresa. – Eu sei disso. Mas Frieda irá segui-lo para qualquer lugar. Quanto ao resto, serão necessárias algumas considerações, e falarei com o castelo sobre isso. Se chegarmos a uma decisão, ou se for necessário questioná-lo novamente, mandarei chamá-lo. Pode ser?

– Não, não pode – disse K. – Eu não quero nenhum favor do castelo, quero meus direitos.

– Mizzi – disse o prefeito para sua esposa, que ainda estava sentada ao lado dele, pensando e brincando sobre a carta de Klamm, com que ela havia dobrado em um barco de papel. Alarmado, K. tirou a carta das mãos dela. – Mizzi, minha perna está começando a doer muito novamente, vamos precisar trocar a compressa.

K. ficou em pé.

– Então, direi adeus – ele disse.

– Sim, por favor – disse Mizzi, que já estava preparando algum unguento. – Há uma corrente de ar terrível.

K. virou-se. Os assistentes, em sua prontidão sempre inapropriada, tentando mostrar-se úteis, abriram as duas folhas da porta assim que ouviram o comentário de K. Para manter o frio penetrante fora do quarto do enfermo, K. apenas fez uma reverência ao prefeito. Então, levando os assistentes com ele, saiu do quarto e rapidamente alcançou a porta.

6
Segunda conversa com a senhoria

O senhorio esperava por ele do lado de fora da pousada. Ele não se aventuraria a falar sem ser solicitado, então K. perguntou o que desejava.

– Encontrou um novo lugar para ficar? – questionou o senhorio, com seus olhos em direção ao chão.

– Acho que está perguntando isso em nome de sua esposa – disse K. – Você parece ser muito dependente dela.

– Não – disse o senhorio –, não estou falando em nome dela. Mas ela está muito irritada e incomodada com você; não consegue trabalhar, fica deitada na cama suspirando e reclamando o tempo todo.

– Devo ir vê-la? – perguntou K.

– Gostaria que fosse – disse o senhorio. – Fui buscá-lo na casa do prefeito do vilarejo, mas ouvi vocês dois pela porta conversando, e não quis interromper. Estava preocupado com minha esposa também, então vim direto para casa, mas ela não permite que eu entre para vê-la, então tudo o que pude fazer foi esperar por você.

– Venha comigo, então, vamos resolver isso rápido – disse K. – Logo descansarei a mente dela.

– Eu espero que sim – disse o senhorio.

Eles passaram pela cozinha bem iluminada, onde três ou quatro criadas, todas um pouco longe umas das outras, congelaram em meio às tarefas que estavam fazendo ao ver K. Os suspiros da senhoria podiam ser ouvidos até mesmo na cozinha. Ela estava deitada em um quarto pequeno sem janelas, separado da cozinha por uma fina parede de madeira. Havia espaço apenas para uma grande cama de casal e um guarda-roupa. A cama estava posicionada para que seu ocupante conseguisse ver a cozinha inteira e tudo o que acontecia ali. Por outro lado, quase nada do pequeno quarto podia ser visto da cozinha; ele estava escuro, e apenas as roupas de cama vermelhas e brancas se destacavam um pouco. Não era possível distinguir nenhum detalhe até entrar lá e seus olhos se acostumarem com a luz fraca.

– Enfim, você chegou – disse a senhoria, fraca. Ela estava esticada de costas e, obviamente, tinha problemas para respirar; ela havia jogado o edredom para trás. Na cama, parecia muito mais jovem do que quando estava completamente vestida, mas mesmo assim a camisola de rendas que usava era pequena demais para ela, empoleirando-se sem firmeza sobre o topo de sua cabeça, fazendo seu rosto cansado parecer desprezível.

– Como eu poderia ter chegado antes? – perguntou K. gentilmente. – Você não mandou me buscar.

– Não deveria ter me feito esperar tanto – disse a senhoria, com a persistência aflita de um inválido. – Bem, sente-se – ela disse, apontando para a beirada da cama. – E vocês, vão embora.

Pois não apenas os assistentes de K. estavam ali dentro, mas as criadas também.

– Quer que eu saia também, Gardena? – perguntou o senhorio e, pela primeira vez, K. ouviu o nome de sua esposa.

– É claro – disse ela vagarosamente. E, como se seus pensamentos estivessem em outro lugar, ela acrescentou, distraída: – Por que você, de todas as pessoas, deveria ficar?

Mas, quando todos os outros já haviam se retirado para a cozinha – e dessa vez até os assistentes saíram logo, embora a razão fosse que eles estavam perseguindo uma das criadas –, Gardena estava prestando atenção o suficiente para perceber que tudo o que era dito poderia ser ouvido de lá, pois o pequeno quarto não tinha portas, então ela ordenou que todos saíssem da cozinha também. Eles logo obedeceram.

– Agora, Sr. Agrimensor – Gardena disse. – Há um xale pendurado na porta do guarda-roupa. Por favor, entregue-o para mim? Quero me cobrir com ele, não consigo aguentar o peso deste edredom, estou respirando com muita dificuldade.

E, quando K. entregou-lhe o xale, ela disse:

– Olhe isso, é um tecido fino, não é?

Para K., parecia um tecido comum de lã, e ele o tocou, apenas para agradá-la, mas não fez nenhum comentário.
– Sim, é um tecido muito fino – disse Gardena, enrolando-o ao seu redor. Agora ela estava deitada tranquilamente, e não parecia sofrer mais. Ela até percebeu que seu cabelo estava desarrumado pela forma com que estava deitada e, ao sentar-se, ela o arrumou em sua touca de dormir. Seu cabelo era bem espesso.
K. estava ficando impaciente, e disse:
– Madame, mandou perguntar se eu havia encontrado outro lugar para ficar.
– Eu mandei perguntarem isso? – questionou a senhoria. – Não, está enganado.
– Mas seu marido acabou de me perguntar isso.
– Eu não acredito – disse a senhoria. – Estou pronta para brigar com ele. Quando não quis que você ficasse aqui, ele o deixou ficar; agora que estou feliz em tê-lo aqui, ele o está mandando embora. Está sempre fazendo esse tipo de coisa.
– Você mudou de ideia sobre mim tanto assim em apenas algumas horas? – perguntou K.
– Eu não mudei de ideia – disse a senhoria, soando fraca novamente. – Dê-me sua mão. Pronto. Agora prometa ser completamente honesto comigo, e eu serei honesta com você.
– Ótimo – disse K. – Qual de nós dois irá começar?
– Eu – disse a senhoria. Ela não passou a impressão de estar pronta para favorecer K., só parecia mais ansiosa para falar primeiro.
Ela tirou uma foto de debaixo de seu travesseiro e entregou-a para K.
– Olhe essa foto – ela pediu para K., com sinceridade.
Para conseguir ver melhor, K. foi para a cozinha, mas até mesmo lá não era fácil distinguir nada, pois a foto havia sumido com o tempo, e estava rachada, amassada e manchada em diversos lugares.
– Não está em bom estado – disse K.
– Temo que não, temo que não – disse a senhoria. – É isso que acontece quando você carrega algo consigo durante tantos anos. Mas, se olhar de perto, tenho certeza de que conseguirá ver tudo. Eu

posso ajudá-lo; apenas diga-me o que você vê. Eu gostaria de ouvir sobre essa foto. E então, o que você vê?
– Um jovem – disse K.
– Isso mesmo – disse a senhoria. – E o que ele está fazendo?
– Acho que está deitado em uma tábua, esticando-se e bocejando.
A senhoria riu.
– Está errado – ela disse.
– Mas aqui está a tábua e aqui está ele, deitado – disse K., firme em sua própria opinião.
– Olhe com mais atenção – disse a senhoria, incomodada. – Ele realmente está deitado?
– Bem, não – disse K. agora. – Não está deitado, ele está no ar, e agora vejo que não está na tábua, é provavelmente uma corda, e o jovem está pulando em um lugar alto.
– Pronto, aí está – disse a senhoria satisfeita. – Sim, ele está pulando, e é assim que os mensageiros oficiais praticam. Eu sabia que iria descobrir o que é. Você consegue ver o rosto dele também?
– Bem pouco – disse K. – Ele com certeza está fazendo um grande esforço, sua boca está aberta, seus olhos estão apertados, e seu cabelo está solto no ar.
– Muito bem – disse a senhoria, aprovando. – Como nunca o viu pessoalmente, não poderá descobrir mais nada. Mas ele era um homem muito bonito. Eu o vi apenas uma vez, brevemente, e nunca o esquecerei.
– Quem era ele, então? – perguntou K.
– Ele era o mensageiro – disse a senhoria. – O mensageiro que foi enviado por Klamm para convocar-me para vê-lo.
K. não estava escutando com muita atenção; o som de algo batendo no vidro o distraiu. Ele logo descobriu o motivo do incômodo. Os assistentes estavam no jardim, esperando na neve. Ficaram muito felizes por ver K. novamente, e alegremente apontaram um para o outro, e continuaram batendo na janela da cozinha. Com um movimento de K., eles pararam, tentando empurrar-se, mas continuavam fugindo um do outro, e logo se aproximavam novamente da janela. K. correu para o pequeno quarto, onde os assistentes não

conseguiam vê-lo do lado de fora, e ele não precisava vê-los. Mas aquelas batidas leves e constantes na janela o seguiram.

– São aqueles assistentes de novo – ele disse para a senhoria, como uma forma de desculpar-se, apontando para o jardim.

No entanto, a senhoria não lhe deu atenção; pegou a foto de volta e olhou para ela, alisou-a e guardou-a novamente sob o travesseiro. Seus movimentos estavam mais lentos, mas não pela fraqueza, eles estavam mais lentos com o peso da memória. Ela queria que K. conversasse com ela e, enquanto ele o fazia, ela se esqueceu dele. Ela brincava com as franjas de seu xale. Somente depois de algum tempo, a senhoria olhou para cima, passou a mão sobre seus olhos, e disse:

– Esse xale também veio de Klamm. E essa touca de dormir também. A fotografia, o xale e a touca são minhas três lembranças dele. Não sou jovem como Frieda, não tenho objetivos tão altos quanto ela, nem sou tão amorosa, ela é muito amorosa. Resumindo, eu sei o que é certo e apropriado, mas preciso confessar que, sem essas três coisas, eu nunca teria suportado tudo até aqui por tanto tempo, provavelmente nem mesmo por um dia. Essas três lembranças talvez possam parecer pequenas para você, mas então, como vê, Frieda era íntima de Klamm por muito tempo, mas ela não tem nenhuma lembrança dele. Eu perguntei; ela é tão fervorosa e tão insaciável, enquanto eu, por outro lado, que estive com Klamm apenas essas três vezes, pois ele não me chamou mais depois disso, não sei por que, eu trouxe essas lembranças comigo, adivinhando como meu tempo seria curto. Bem, você precisa cuidar de si. Klamm nunca dá nada por sua própria vontade, mas, se você vir algo agradável, pode pedir.

K. sentiu-se desconfortável ao ouvir essas histórias, pois elas também o afetavam.

– Há quanto tempo foi isso? – ele perguntou com um suspiro.

– Mais de vinte anos – disse a senhoria. – Bem mais de vinte anos atrás.

– E você tem sido fiel a Klamm por tanto tempo? – perguntou K.

– Mas, madame, você percebe que, ao fazer tais confissões, está me causando grande ansiedade sobre meu casamento vindouro?

A senhoria considerou impróprio para K. citar seus próprios assuntos, e olhou para ele irritada.

– Não me olhe tão irritada, madame – disse K. – Não estou dizendo nada contra Klamm, mas, pela força das circunstâncias, eu tenho uma certa ligação com ele; a maior admiradora de Klamm não poderia negar isso. Tudo bem, então. Como resultado do que diz, não posso evitar não pensar em mim com a menção do nome de Klamm, não há como mudar isso. Além disso, madame – neste momento, K. segurou sua mão –, lembre-se de como nossa última conversa terminou, e que dessa vez queremos partir em bons termos.

– Você está certo – disse a senhoria, abaixando a cabeça. – Mas poupe-me. Não sou mais sensível que as outras pessoas, longe disso, mas todos nós temos nossos pontos delicados, e esse é o meu, o meu único.

– Infelizmente, também é o meu – afirmou K. – Mas certamente irei me controlar. No entanto, diga-me, madame, como suportarei essa terrível fidelidade a Klamm em meu próprio casamento, sempre supondo que Frieda é como você nesse aspecto?

– Terrível fidelidade – repetiu a senhoria. – Isso é fidelidade? Eu sou fiel ao meu marido, mas Klamm? Klamm certa vez fez de mim sua amante, será que posso perder esse título? E você pergunta como poderá suportar isso com Frieda? Oh, senhor Agrimensor, quem é você para atrever-se a fazer tal pergunta?

– Madame! – exclamou K. em um tom de aviso.

– Eu sei – disse a senhoria, concordando. – Mas meu marido nunca me fez tais perguntas. Não sei qual de nós dois é a mais infeliz, eu naquela época ou Frieda agora. Frieda, que voluntariamente deixou Klamm, ou eu, a quem ele nunca mais chamou. Talvez Frieda seja a mais infeliz, afinal, mesmo que ela ainda não saiba a extensão disso. Mas meus pensamentos, naquela época, dominavam minha infelicidade de maneira mais exclusiva, pois eu continuava a perguntar a mim mesma e, de coração, ainda não parei de perguntar: por que isso aconteceu? Por que Klamm me chamou três vezes e não uma quarta vez, nunca mais a quarta vez? O que mais eu poderia pensar na época? O que mais poderia falar com meu marido, com quem me casei logo depois que isso aconteceu? Não tínhamos tempo durante o dia, essa hospedaria estava em um péssimo estado quando a assumimos e tivemos que tentar reerguê-la do zero, mas durante a noite? Durante anos, nossas conversas à noite eram somente sobre Klamm e as razões por ele ter mudado de ideia. E, se meu marido dormisse enquanto conversávamos, eu o acordava, e continuava falando.

– Agora, se me permite – disse K. – Irei fazer uma pergunta muito direta.

A senhoria não disse nada.

– Então vejo que não me permite – disse K. – Muito bem, isso é o suficiente para mim.

– De fato, é – disse a senhoria – isso em particular. Você entende tudo errado, até mesmo um silêncio. Você não pode evitar. Eu permito que fale.

– Se entendo tudo errado – disse K. –, talvez eu esteja errado sobre minha pergunta também, e não é tão direta, afinal. Só queria saber como conheceu seu marido, e como essa pousada chegou em suas mãos.

A senhoria franziu as sobrancelhas, mas disse, bastante serena:

– É uma história muito simples. Meu pai era o ferreiro aqui, e Hans, meu atual marido, cuidava dos cavalos de um senhor fazendeiro e normalmente visitava meu pai. Isso foi após meu último encontro com Klamm, eu estava muito infeliz, embora não devesse estar, pois tudo estava bem, e o fato de eu não poder mais me aproximar de Klamm foi por sua própria decisão, então isso estava resolvido também, apenas os motivos para isso estavam obscuros, e eu poderia pensar sobre eles, mas não deveria ter ficado infeliz. No entanto, eu estava, e não conseguia trabalhar, e ficava sentada no jardim o dia inteiro. Hans me via ali e, algumas vezes, sentava-se comigo. Eu não lhe contava meus problemas, mas ele sabia o que era e, como é um bom companheiro, às vezes também derramava algumas lágrimas em simpatia por mim. E, quando o senhorio daquela época, cuja esposa havia morrido, e portanto precisava abrir mão dos negócios, além de já ser um ancião, bem, quando ele passou por nosso jardim um dia e nos viu sentados ali, ele parou e, sem demora, nos ofereceu a pousada. Ele confiava em nós, então não quis nenhum dinheiro adiantado, e cobrou um aluguel muito baixo também. Não queria ser um peso para o meu pai, eu estava indiferente a todo o resto, então, pensando sobre a pousada e o novo trabalho lá, que talvez pudesse me ajudar a esquecer um pouco, entreguei minha mão em casamento para Hans. E essa é a minha história.

Houve silêncio por algum tempo, então K. disse:

– O antigo senhorio agiu com muita generosidade, talvez precipitadamente, ou possuía alguma razão em especial para confiar em vocês dois?

– Ah, ele conhecia bem Hans – disse a senhoria. – Era o tio dele.

– Então, por certo – disse K. –, a família de Hans era bem a favor de seu casamento com ele.

– Talvez – disse a senhoria. – Não sei, nunca parei para pensar.

– Mas deve ter sido assim – disse K. – Se a família dele estava pronta para fazer tal sacrifício e simplesmente entregar a pousada para vocês sem garantias.

– Ele não estava sendo precipitado, como percebemos depois – disse a senhoria. – Eu me dediquei muito ao trabalho, era forte, era a filha do ferreiro, não precisava de criados, estava em todos os lugares: no salão do bar, na cozinha, nos estábulos, no jardim. Eu cozinhava tão bem que os convidados até foram atraídos para fora da Pousada do Castelo. Você não foi para o salão ao meio-dia, não conhece nossos hóspedes na hora do almoço; naquela época, havia muito mais, embora desde então muitos pararam de vir. Como resultado, não apenas conseguimos pagar o aluguel corretamente, mas também conseguimos comprar o lugar inteiro em poucos anos, e não devemos quase nada a ele atualmente. Com certeza, outra consequência foi que deixei minha saúde de lado com tudo isso, desenvolvi uma séria doença cardíaca, e agora sou uma mulher velha. Você pode pensar que sou muito mais velha do que Hans, mas, na realidade, ele é apenas dois ou três anos mais novo do que eu, e você pode ter certeza de que ele nunca irá envelhecer, por seu tipo de trabalho, fumar um charuto, ouvir os hóspedes, fumar novamente, às vezes entregar uma cerveja, esse tipo de trabalho não envelhece ninguém.

– Suas conquistas são notáveis – disse K. –, isso sem nenhuma dúvida, mas estávamos falando sobre o período antes de seu casamento, e então teria sido realmente surpreendente a família de Hans incentivar vocês dois a se casarem, quando isso significava um sacrifício financeiro, ou pelo menos apoiar um risco tão grande quanto entregar a pousada confiando apenas em sua própria capacidade para trabalhar, sobre a qual eles não poderiam saber na época, e a capacidade de Hans, cuja ausência total eles deviam ter percebido.

– Sim, bem – disse a senhoria cansada. – Entendo aonde você quer chegar, e como está longe do ponto. Klamm não teve nada a ver com isso. Por que ele pensaria que deveria fazer algo por mim ou, mais especificamente, como poderia pensar em fazê-lo, de qualquer forma? Ele não sabia nada sobre mim. O fato de nunca ter me chamado novamente demonstrou que ele havia me esquecido. Quando não chama mais a pessoa, ele a esquece completamente. Eu não queria dizer isso na frente de Frieda. Mas não é que ele apenas esquece; é mais do que isso. Pois, se você esquece alguém, pode conhecê-la novamente. Com Klamm, no entanto, isso é impossível. Quando para de chamar alguém, ele a esqueceu completamente, não apenas no passado, mas para o futuro, de uma vez por todas. Se me esforçar muito, posso ver sua mente e suas ideias, que não fazem nenhum sentido aqui, entretanto, embora talvez possam fazer de onde quer que você tenha vindo. Talvez seus pensamentos sejam tolamente selvagens o bastante para imaginar que Klamm me entregou em casamento para um homem como Hans para que eu não tivesse nenhum problema para me aproximar dele de novo, caso me chamasse novamente no futuro. Bem, não há como ser mais tolo. Quem é o homem que poderia me impedir de ir até Klamm caso ele me desse um sinal? Sem sentido, totalmente sem sentido; nada além de confusão pode vir de brincar com ideias tão sem sentido.

– Não – disse K. – Não vamos nos confundir. Meus pensamentos não foram nem perto do que você imagina, embora, para lhe dizer a verdade, eles estivessem nesse caminho. Por enquanto, eu estava apenas admirando o fato de que a família de Hans esperava tanto do casamento dele com você, e de que essas esperanças de fato foram alcançadas, embora com preço de seu próprio coração e sua saúde. A ideia de ligar esses fatos a Klamm foi, de fato, forçando-se sobre mim, mas não, ou pelo menos ainda não, na maneira crua em que você o apresentou, simplesmente pelo propósito de permitir que me acusasse novamente, o que parece gostar de fazer. Eu lhe desejo muita alegria com isso! Mas estava pensando: primeiro, Klamm é obviamente o motivo de seu casamento. Se não fosse por Klamm, você não estaria infeliz, não teria sentado sem fazer nada no jardim da frente; se não fosse por Klamm, Hans não teria visto você lá e, se não fosse por sua tristeza, Hans, que é tímido, nunca teria se aventurado a falar com você. Se não fosse por Klamm, você e Hans nunca teriam se encontrado nas lágrimas; se não fosse por Klamm, o generoso tio de Hans nunca teria visto você e seu sobrinho sentados amigavelmente juntos; se não fosse por Klamm, você não estaria indiferente à vida, então nunca teria se casado com Hans. Bem, eu poderia dizer que Klamm se apresenta de maneira proeminente em tudo isso. Mas vai além disso. Se você não estivesse tentando esquecê-lo, com certeza não teria trabalhado tanto, sem pensar em si mesma, e proporcionado à pousada tal reputação. Então percebo Klamm aqui também. Mas, além disso, Klamm é a causa de sua doença, pois seu coração estava exausto com uma paixão infeliz antes mesmo de seu casamento. Então resta apenas a questão de o que induziu a família de Hans a apoiar tanto o casamento. Você mencionou que ter sido amante de Klamm significa um aumento de *status* para uma mulher que ela nunca pode perder, então suponho que isso os tenha tentado. Além disso, penso eu, foi a esperança de que a estrela cadente que a conduziu até Klamm, sempre supondo que foi uma estrela cadente, mas você é quem pode dizer, ainda era sua, ou seja, que a sorte ainda estava ao seu lado, e não a abandonaria tão repentina e bruscamente como Klamm fez.

– Você fala sério? – perguntou a senhoria.

– Realmente falo sério – K. respondeu rapidamente. – Mas penso que a família de Hans não estava totalmente certa nem totalmente errada em suas esperanças, e eu também penso entender o erro que você cometeu. Externamente, tudo parece ter dado certo: Hans está bem, sua esposa é uma mulher fina, capaz, ele aproveita essa consideração, não deve nenhum dinheiro na pousada. Mas nem tudo realmente deu certo: Hans com certeza teria sido mais feliz com uma garota simples que o tivesse como seu primeiro grande amor. Se, como você diz em forma de repreensão, ele às vezes fica lá no salão do bar parecendo perdido, pode ser porque ele realmente se sinta perdido, sem ser infeliz por isso, com certeza, pelo pouco que o conheço até agora, mas é igualmente verdade que esse jovem bonito e inteligente teria sido mais feliz com outra esposa, pelo que quero dizer que ele seria mais independente, trabalhador e viril. E você mesma certamente não é feliz. Como você disse, não gostaria de continuar vivendo sem essas três lembranças, e você tem um coração fraco. Então, a família de Hans estava errada em suas expectativas? Não, não acho. A bênção daquela estrela cadente era sua, mas eles não sabiam como aproveitá-la ao máximo.

– Em que eles falharam, então? – perguntou a senhoria. Ela estava agora completamente deitada de costas, olhando para o teto.

– Eles não perguntaram para o Klamm – disse K.

– Ah, então você está de volta a seus próprios assuntos – disse a senhoria.

– Ou seus – disse K. – Nossos assuntos correm em paralelo.

– O que você quer de Klamm, então? – perguntou a senhoria. Ela agora havia balançado os travesseiros, para que conseguisse apoiar-se neles para sentar-se corretamente, e olhava para K. de frente. – Eu lhe contei sinceramente sobre o meu caso, do qual deve ter aprendido alguma coisa. Agora, diga-me com a mesma sinceridade o que você quer perguntar para Klamm. Foi muito difícil convencer Frieda a subir para seu quarto e ficar lá. Eu temia que você não falaria sinceramente o bastante na frente dela.

– Não tenho nada a esconder – disse K. – Mas antes deixe-me apontar algo para você. Klamm se esquece de uma vez por todas, você diz. Primeiro, isso parece improvável para mim, e, segundo, não pode ser provado e não é nada além de uma lenda inventada pelas mentes femininas daquelas que receberam o favor de Klamm. Estou surpreso que tenha acreditado em uma lenda tão evidente.

– Não é uma lenda – disse a senhoria. – Ela vem de uma experiência geral.
 – Mas também pode ser contrariada por uma nova experiência – disse K. – Há uma diferença entre seu caso e o de Frieda. Klamm não parou de chamar Frieda; alguém pode dizer que ele a chamou, mas ela não respondeu. É até possível que ainda esteja esperando por ela. A senhoria ficou em silêncio e permitiu que seus olhos passassem por K., observando-o. Então ela disse:
 – Ouvirei com calma tudo o que você tem a dizer. Eu preferiria que você falasse abertamente do que pensar que está me poupando. Só tenho um pedido. Não mencione o nome de Klamm. Chame-o de "ele", ou outra coisa, mas não o chame pelo nome.
 – Fico feliz em atendê-la – disse K. – Mas é difícil dizer apenas o que eu quero dele. Primeiro, quero vê-lo pessoalmente, depois quero ouvir sua voz, e então quero saber do próprio homem como ele se sente sobre nosso casamento. Tudo o mais que eu possa perguntar-lhe depende do decorrer dessa conversa. Pode haver muitos assuntos para discussão, mas o que mais importa, para mim, é vê-lo face a face. Nunca falei pessoalmente com nenhum dos oficiais aqui. Parece mais difícil conseguir isso do que imaginei. Mas agora é meu dever falar com ele pessoalmente e, da maneira que vejo, é cada vez mais fácil de fazer; posso falar com ele como um oficial somente em seu escritório, que pode ser inacessível, no castelo ou, e não estou certo sobre isso, na Pousada do Castelo, mas posso falar com ele sobre assuntos pessoais em qualquer lugar fechado ou nas ruas, onde quer que o encontre. Se, em vez disso, eu perceber que tenho o oficial diante de mim, estou feliz com isso, mas esse não é meu objetivo principal.
 – Muito bem, então – disse a senhoria, pressionando seu rosto nos travesseiros como se preparando para fazer um comentário indecente. – Se eu conseguir passar seu pedido para uma conversa com Klamm por meus contatos, então me prometa não fazer nada por sua própria conta até que a resposta chegue do castelo.
 – Por mais que eu quisesse fazer o que me pede ou ceder aos seus caprichos – disse K. –, não posso lhe prometer. Isso é urgente,

particularmente após o infeliz resultado de minha conversa com o prefeito do vilarejo.

– Podemos esquecer essa objeção – disse a senhoria. – O prefeito é um homem sem nenhuma importância. Você não percebeu? Ele não conseguiria manter seu emprego nem mesmo por um dia se não fosse por sua esposa. Ela é responsável por tudo.

– Mizzi? – perguntou K. A senhoria concordou. – Sim, ela estava lá – disse K.

– Ela opinou em alguma coisa? – perguntou a senhoria.

– Não – disse K. – E tive a impressão de que ela não poderia.

– Ah, sim – disse a senhoria. – Você está com a ideia errada em tudo aqui. Enfim, qualquer coisa que o prefeito tenha decidido sobre você é sem importância nenhuma. Eu falarei com a esposa dele em algum momento. E, se eu prometer a você que a resposta de Klamm chegará em no máximo uma semana, não tem por que não fazer como eu digo.

– Nada disso é o fator decisivo – disse K. – Já tomei minha decisão, e tentarei agir de acordo com ela mesmo se vier uma resposta negativa. Mas, se é isso que pretendo fazer desde o início, não posso pedir uma entrevista antes. O que ainda poderia ser uma tentativa ousada, mas honesta, sem tal pedido, se transformaria em uma clara insubordinação após uma resposta negando-a. Com certeza, seria muito pior.

– Pior? – questionou a senhoria. – É insubordinação de qualquer forma. E faça como quiser. Dê-me meu vestido.

Sem prestar mais atenção a K., ela colocou o vestido e correu para a cozinha. Podia-se ouvir uma comoção no salão durante algum tempo. Alguém havia se chocado com a divisória. Os assistentes abriram-na e gritaram que estavam com fome. Então, outros rostos apareceram ali. Era possível ouvir até mesmo diversas vozes cantando em harmonia.

Era verdade que a conversa de K. com a senhoria havia atrasado consideravelmente a preparação do almoço, que ainda não estava pronto, mas os fregueses estavam reunidos, embora nenhum deles se atrevesse a quebrar a proibição da senhoria de entrar na cozinha.

No entanto, agora que os observadores pediam para que a senhoria se apressasse, as criadas entraram correndo na cozinha e, quando K. entrou no salão do bar, a notavelmente grande companhia, mais de vinte pessoas, homens e mulheres, vestidos de maneira provincial, mas não rústica, deixaram as janelas onde estavam reunidos e se espalharam pelas pequenas mesas para garantir seus lugares. Um casal e diversas crianças já estavam sentados a uma pequena mesa ao canto: o marido, um cavalheiro amigável, de olhos azuis, com cabelo e barba grisalhos, estava em pé, e curvando-se sobre as as crianças, marcando com uma faca o tempo de sua música, que ele tentava manter calmo. Talvez esperasse que a cantoria pudesse fazê-los esquecer de que estavam com fome. A senhoria desculpou-se com o grupo em algumas palavras, faladas superficialmente, e ninguém se aproximou dela. Ela procurou o senhorio, mas, em vista da estranheza da situação, ele provavelmente havia fugido há muito tempo. Então, ela caminhou vagarosamente até a cozinha, sem olhar para K., que apressou-se para seu quarto e para Frieda.

7
O professor

K. encontrou o professor lá em cima. Foi bom ver que o quarto mal podia ser reconhecido, Frieda estivera muito ocupada. Havia sido bem arejado, o forno estava aquecido com muito óleo, o chão estava lavado, a cama estava feita, e os pertences das criadas, a maioria suja e espalhafatosa, haviam sido retirados, e seus quadros também. A mesa, de onde antes a sujeira incrustada em cima dela o encarava sempre que a olhava, estava agora coberta por uma toalha de crochê. Agora era possível receber convidados ali, e o fato de que o pequeno pacote de roupas íntimas de K., que obviamente Frieda havia lavado, estava pendurado perto do fogão para secar não era obstrutivo. O professor e Frieda estavam sentados à mesa, e levantaram-se quando K. entrou. Frieda cumprimentou K. com um beijo, e o professor fez uma pequena reverência. K., distraído e ainda agitado pela sua conversa com a senhoria, começou a desculpar-se por ainda não ter visitado o professor, soando como se ele deduzisse que o professor, impaciente por sua falha, havia agora ido até lá para visitá-lo. No entanto, em seus modos contidos, o professor parecia lembrar apenas após algum tempo que ele e K. haviam marcado um compromisso de encontrarem-se em algum momento.

– Então, Sr. Agrimensor – ele disse com calma. – Você é o desconhecido com quem falei algum tempo atrás na porta da igreja.

– Sim – respondeu K., brevemente; ali em seu quarto ele não precisava lidar com o que havia tolerado quando estava se sentindo tão desolado. Ele virou para Frieda e disse a ela que precisava fazer de uma vez uma visita importante, para a qual ele precisaria estar o mais bem-vestido possível. Sem perguntar mais nada para K., Frieda imediatamente chamou os assistentes, que estavam ocupados investigando a nova toalha de mesa, e disse a eles para levar as roupas de K. e as botas, que ele começou a retirar, até o jardim para limpá-las com cuidado. Ela mesma tirou uma camisa do varal e foi até a cozinha para passá-la.

Agora K. estava sozinho com o professor, que ainda estava sentado à mesa em silêncio, e o fez esperar um pouco mais enquanto tirava a camisa que estava vestindo e começava a lavar-se na bacia. Somente naquele momento, de costas para o professor, ele questionou por que o homem estava lá.

– Eu vim em nome do prefeito do vilarejo com uma mensagem – disse o professor.

K. estava pronto para ouvir o que o prefeito queria, mas, como era difícil fazer-se ouvir pelo som da água, o professor aproximou-se e apoiou-se contra a parede ao lado de K., que pediu desculpas por lavar suas roupas e por seu estado de agitação pela urgência do chamado que ele precisava atender. O professor ignorou isso e disse:

– Você foi mal-educado com o prefeito do vilarejo, aquele homem digno, experiente e muito estimado.

– Não sei de que forma fui mal-educado – disse K., secando-se. – Mas é verdade que agi fora do que é considerado modos elegantes, algo importante para minha própria existência, que é ameaçada por uma organização oficial infame, da qual os detalhes não preciso descrever a você, já que você mesmo trabalha ativamente para as autoridades. O prefeito reclamou de mim?

– Em que departamento ele teria reclamado? – disse o professor. – Mesmo se ele soubesse para onde ir, iria reclamar? Eu apenas redigi, com as palavras dele, um pequeno memorando sobre sua conversa, e foi suficiente para constatar a gentileza do prefeito e a maneira como você lhe respondeu.

Enquanto K. procurava seu pente, que Frieda deveria ter guardado em algum lugar, ele disse:

– O quê? Um memorando? Redigido após o acontecido, e em minha ausência, por alguém que não estava presente durante a conversa? Muito bem, devo dizer. E por que um memorando? Foi algo oficial?

– Não – disse o professor. – Semioficial, e o memorando em si é apenas semioficial. Ele foi redigido apenas porque precisamos obedecer protocolos estritos em tudo. Pelo menos está no papel agora, e não lhe dá nenhum crédito.

K., que finalmente havia encontrado o pente, que escorregara na cama, disse com mais calma:

– Bem, então está no papel. Você veio até aqui apenas para me dizer isso?

– Não – disse o professor –, mas não sou um robô, e preciso lhe dar minha opinião. A mensagem que trago, por outro lado, é uma grande prova da gentileza do prefeito, que eu gostaria de apontar que está além da minha própria compreensão, e apenas sob a pressão de minha posição e por respeito ao prefeito que eu a entrego.

K., agora limpo e com o cabelo penteado, sentou-se à mesa esperando pela camisa e suas outras roupas; ele não estava nem curioso sobre o que o professor estava dizendo, e também estava sob a influência da opinião inferior da senhoria sobre o prefeito.

– Eu suponho que já seja mais de meio-dia – ele disse, pensando na longa jornada que iria seguir. Então, recuperando-se, acrescentou: – Mas você queria me dizer algo sobre o prefeito.

– Muito bem – disse o professor, balançando os ombros, como se isentasse a si mesmo de qualquer responsabilidade. – O prefeito do vilarejo teme que, se a decisão sobre seus assuntos demorar para chegar, você possa fazer algo por sua própria vontade. De minha parte, não sei por que ele teme isso; minha opinião é que você deve fazer o que quiser. Não somos seus anjos da guarda, não somos obrigados a segui-lo aonde quer que você vá. Muito bem. O prefeito do vilarejo não compartilha de minha opinião. Para falar a verdade, ele não pode apressar a decisão por vontade própria, esse é um assunto para as autoridades do conde. Mas ele está pronto para tomar uma decisão provisional e muito generosa em sua própria competência, e agora resta apenas que você aceite: ele lhe oferece o cargo temporário de zelador escolar. No início, K. mal percebeu exatamente o que estava sendo oferecido a ele, mas o simples fato de ser uma oferta de algum tipo parecia sem importância para ele. Isso indicava que, na opinião do prefeito, ele estava em posição de fazer as coisas por si próprio, o que justificava a atitude trabalhosa do conselho para proteger-se. E como todos levavam aquilo tão a sério! O professor, que estava esperando ali por algum tempo após escrever o memorando, devia ter sido convencido a ir até lá pelo prefeito. Quando o professor viu que ele havia feito K. pensar em tudo, continuou:

– Eu transmito minhas próprias objeções. Apontei que até agora não precisamos de nenhum zelador escolar, pois a esposa do sacristão faz a arrumação de tempos em tempos, supervisionada por minha professora-assistente, senhorita Gisa, e eu já tenho muito trabalho com as crianças, e não quero um zelador arrumando mais trabalho. Mas o prefeito disse que, na verdade, a escola estava muito suja. Eu respondi honestamente que não estava tão ruim. E, acrescentei, será que irá melhorar se esse homem for nosso zelador? Certamente, não. Além do fato de que ele não sabe nada sobre tal função, o prédio da escola possui apenas duas grandes salas de aula, e mais nenhuma, então o zelador e sua família precisariam morar em uma das salas de aula, dormir lá, talvez até cozinhar, o que dificilmente deixaria o lugar mais limpo. Mas o prefeito apontou que essa posição seria um consolo para você em seu momento de dificuldade, então você faria o seu melhor para preenchê-la bem. Além disso, disse o prefeito, nós também teríamos sua esposa e seus assistentes trabalhando para nós, então seria possível deixar não apenas a própria escola em ordem, mas o jardim também. Eu consegui facilmente contrariar isso. Por fim, não havia mais nada que o prefeito poderia alegar em seu favor, então ele apenas riu e disse que, afinal, você é um agrimensor, então seria capaz de cuidar do jardim da escola muito bem. Nenhum homem pode escapar de uma piada, então vim vê-lo com essa oferta.

– Você enfrentou um trabalho desnecessário, senhor – disse K.

– Não tenho nenhuma intenção de aceitar esse cargo.

– Excelente – disse o professor. – Excelente. Você o recusa completamente. – E pegou seu chapéu, fez uma reverência, e saiu.

Em um momento, Frieda subiu, parecendo ansiosa; ela trouxe de volta a camisa, sem passar, e sem responder nenhuma pergunta. Para distrair sua mente, K. contou sobre o professor e sua oferta, mas ela mal estava escutando. Jogou a camisa sobre a cama e saiu correndo novamente. Logo ela voltou, mas com o professor, que parecia mal-humorado e não falou nada. Frieda implorou por um pouco de paciência – obviamente ela já tinha feito isso em seu caminho até lá – e, então, levou K. por uma porta lateral que ele não havia notado antes até o sótão ao lado de seu quarto onde ela, finalmente, sem fôlego e muito agitada, lhe contou o que aconteceu. A senhoria, irritada por ter se rebaixado a fazer algumas confissões para K. e, o que era ainda pior, por ter sido condescendente, mesmo com sua natureza complacente, em promover a ideia de uma conversa entre Klamm e K., e agora, sem conseguir nada além de, como ela disse, uma rejeição fria e insincera, estava determinada a não ter K. mais na casa. Se ele tinha contatos com o castelo, ela disse, era melhor que os usasse rapidamente, porque deveria deixar a pousada naquele dia, naquela mesma hora, e ela não o aceitaria de volta a não ser por ordem direta das autoridades e sob coerção; mas ela esperava que não chegasse a esse ponto, pois também tinha contatos com o castelo e os usaria. Além disso, ele estava na casa agora como resultado da negligência do senhorio, e não estava nem um pouco preocupado, pois, naquela mesma manhã, ele havia se gabado de ter uma cama para passar a noite disponível em outro lugar. Frieda com certeza ficaria ali; se Frieda quisesse sair com K., ela, a senhoria, ficaria muito triste; na verdade, ela havia sentado ao lado do fogão na cozinha chorando apenas com a possibilidade de isso acontecer, aquela pobre mulher com seu problema no coração, mas o que mais ela poderia fazer, disse Frieda, agora que a senhoria via que, de qualquer maneira, a honra à memória de Klamm e suas lembranças estavam em jogo. Essa era a atitude da senhoria. Frieda com certeza o seguiria, K., para onde quer que ele fosse, sem dúvida, mas eles dois estavam em uma situação terrível. Então ela havia ficado muito feliz ao ouvir sobre a oferta do prefeito, mesmo se não fosse um posto adequado para K., afinal era apenas temporário, como já havia sido dito expressamente. Eles ganhariam tempo e facilmente encontrariam outras possibilidades, mesmo se a decisão final não fosse tão boa.

– Se for necessário – finalmente exclamou Frieda, pendurando-se no pescoço de K. –, nós podemos ir embora; o que nos mantém aqui no vilarejo? Mas só por enquanto, meu querido, vamos aceitar a oferta, por favor? Eu trouxe o professor de volta, você só precisa falar "eu aceito", nada mais, e nos mudaremos para a escola.

– Isso é ruim – disse K., mas sem realmente falar sério, pois ele não se importava onde iria ficar, e ali no sótão, onde não havia paredes e janelas dos dois lados, enquanto um vento frio soprava sutilmente, ele estava congelando em suas roupas íntimas. – Você deixou este quarto tão bonito, e agora precisamos nos mudar. Eu não queria mesmo aceitar esse cargo; é vergonhoso ser humilhado na frente desse professorzinho insignificante, e agora ele será meu superior. Se apenas pudéssemos ficar um pouco mais de tempo, talvez minha situação possa mudar ainda esta tarde. Se pelo menos você pudesse ficar, poderíamos esperar e mandar o professor embora. Eu sempre posso encontrar um lugar para passar a noite, no bar, se for necessário devem...

E aí Frieda colocou a mão sobre a boca dele.

– Isso não – ela disse ansiosamente. – Por favor, não diga isso novamente. No entanto, farei como você diz em todo o resto. Se quer que eu fique aqui sozinha, então ficarei, por mais triste que possa ser para mim. Se quiser, nós rejeitaremos a oferta, embora eu pense que seria errado fazê-lo. Porque, ouça, se você encontrar qualquer outra coisa, até mesmo esta tarde, bem, naturalmente, abriremos mão da vaga na escola de uma vez, ninguém poderá tentar nos impedir. E quanto à sua humilhação diante do professor, confie em mim que não tem nada disso. Eu mesma falarei com ele, você precisa apenas ficar lá em silêncio, e o mesmo depois. Nunca mais precisará falar com ele se não quiser. Eu, e apenas eu, provavelmente serei empregada dele, e talvez nem isso, pois conheço a fraqueza dele. Então, se aceitarmos a vaga, nem tudo estará perdido, mas vamos perder muito se a recusarmos. Acima de tudo, se você não souber nada do castelo hoje, é muito improvável que encontre uma cama para passar a noite em qualquer lugar do vilarejo e eu, como sua futura esposa, não teria nada com que me envergonhasse. E, se você não conseguir uma cama para passar a noite, espera que eu durma aqui, neste quarto quentinho, enquanto sei que está vagando lá fora, no escuro e no frio?

K., que todo esse tempo estava com seus braços cruzados, batendo em suas costas com suas mãos para aquecer-se um pouco, disse:
— Então vejo que não há outra opção a não ser aceitar. Venha comigo!

De volta ao quarto, ele foi diretamente para o fogão, ignorando o professor, que estava sentado à mesa, retirou seu relógio, e disse:
— Está ficando tarde.
— Mas agora estamos acertados, senhor — disse Frieda. — Vamos aceitar a vaga.
— Muito bem — disse o professor. — Mas a vaga é oferecida para o agrimensor ali. Ele deve falar por si mesmo.

Frieda foi ajudar K.
— Realmente — ela disse. — Ele aceita a vaga, não aceita, K.?
Assim, K. limitou sua declaração em um simples "sim" direcionado à Frieda, não ao professor.
— Então — disse o professor —, a mim só resta dizer quais serão seus deveres, para que entremos em acordo de uma vez por todas. Você, Sr. Agrimensor, deverá limpar e aquecer as duas salas de aula todos os dias, realizar pequenos reparos pelo lugar, limpar o caminho pela neve no jardim, ir a lugares para mim e para minha professora-assistente e cuidar de toda a jardinagem nas estações mais quentes do ano. Em troca, você terá o direito de morar em uma das salas de aula, a que escolher, mas, se as crianças não estiverem estudando nas duas salas ao mesmo tempo, e você estiver na sala em que elas *estão*, é claro que precisará se mudar para a outra sala. Não poderá cozinhar no prédio da escola, mas você e todos da sua casa poderão comer aqui na pousada, tudo pago pelo município. Falo isso apenas para constar, pois, como um homem educado, você saberá essas coisas por si mesmo, que deve manter estritamente a dignidade da escola e, em particular, as crianças nunca devem, por exemplo, ter que testemunhar qualquer cena desagradável de sua vida doméstica durante as aulas. Sobre isso, deixe-me apenas mencionar que insistimos que legalize seu relacionamento com a srta. Frieda o mais rápido possível.

Tudo isso parecia insignificante para K., como se não dissesse respeito a ele ou pelo menos não o prendesse de nenhuma forma, mas os modos arrogantes do professor o irritavam, e ele disse casualmente:

– Bem, suponho que essas sejam as obrigações comuns.

Para esconder um pouco essa observação, Frieda perguntou pelo salário:

– Se o salário será pago ou não – disse o professor –, só será considerado após um mês de trabalho em experiência.

– Mas isso será difícil para nós – disse Frieda. – Vamos casar quase sem dinheiro, e começar uma casa com nada. Senhor, não podemos elaborar uma petição para o município solicitando um pequeno salário de início? Você nos apoia?

– Não – disse o professor, ainda falando com K. – Tal petição só seria respondida como você deseja se eu a recomendasse, e eu não faria isso. Ofereci o cargo apenas como um favor para vocês, e favores não devem ir longe demais se um homem deseja manter sua consciência sobre sua responsabilidade pública.

Nesse momento, K. interveio, quase contra sua vontade.

– Quanto aos favores, senhor – ele disse –, acho que está errado. Talvez seja apenas eu que esteja fazendo um favor a você.

– Ah, não – disse o professor, sorrindo, pois agora ele havia forçado K. a falar diretamente com ele, afinal. – Eu tenho instruções precisas a esse respeito. Precisamos de um zelador tanto quanto precisamos de um agrimensor. Zelador ou agrimensor, você é uma pedra em nossos sapatos. Precisarei pensar muito para encontrar uma forma de justificar essa despesa para o conselho municipal; seria melhor, e mais de acordo com os fatos, apenas entregar o pedido sobre a mesa, sem tentar justificá-lo.

– É exatamente isso que quero dizer – disse K. – Precisa me aceitar contra a sua vontade e, embora tenha suas reservas sobre isso, você precisa me aceitar. Mas, se alguém é obrigado a aceitar outra pessoa, e essa outra pessoa se permite ser aceita, ela que está lhe fazendo um favor.

– Estranho – disse o professor. – O que, pergunto eu, poderia nos obrigar a aceitar você? Ora, apenas o coração bondoso e generoso do prefeito do vilarejo. Eu percebo, Sr. Agrimensor, que você precisará abandonar muitas de suas noções fantasiosas antes de ser útil como zelador da escola. Naturalmente, observações como essas não farão ninguém sentir-se inclinado a lhe pagar um salário. Temo que também preciso comentar que sua conduta me trará muito trabalho; todo esse tempo que está negociando comigo, como não posso deixar de notar, e mal posso acreditar, está em sua camisa e roupas íntimas.

– Sim, estou – disse K., rindo e batendo palmas. – O que aconteceu com aqueles terríveis assistentes?

Frieda correu para a porta. O professor, percebendo que K. não iria lhe responder mais, perguntou para Frieda quando eles se mudariam para a escola.

– Hoje – disse Frieda.

– Então irei falar com vocês logo cedo amanhã – disse o professor, levantando a mão para despedir-se.

Ele estava prestes a passar pela porta, que Frieda já havia aberto para ele, mas trombou com as criadas voltando com suas coisas para estabelecer-se no quarto novamente. Ele precisou passar por elas, pois elas não deram passagem para ninguém. Frieda o seguiu.

– Vocês estão com pressa – disse K. para as criadas, muito contente com elas dessa vez. – Nós ainda estamos aqui, e vocês entram dessa maneira?

Elas não responderam, apenas mexeram de maneira estranha com seus pacotes, onde K. viu os trapos familiares pendurados.

– Acho que vocês nunca lavaram suas coisas – disse K., sem irritação, mas com um pouco de afeto por elas. Elas perceberam, abriram a boca ao mesmo tempo para exibir os dentes limpos e fortes, como dentes de animais, e riram sem nenhum som.

– Entrem, então – disse K. – Organizem-se, é seu quarto, afinal.

Mas, quando elas ainda hesitaram – talvez lhes parecesse que o quarto havia mudado muito –, K. segurou uma delas pelo braço para levá-la para dentro. No entanto, ele a soltou logo, pois, após se entenderem mutuamente, ambos se resolveram e K. ficou muito surpreso.

– Bem, vocês já me encararam por tempo o bastante – disse K., demonstrando sensação de desconforto.

Ele pegou seus sapatos e botas, que Frieda, seguida timidamente pelos assistentes, havia levado, e vestiu-se. Ainda era um mistério para ele como Frieda podia ser tão paciente com os assistentes. Eles deveriam ter limpado suas roupas no jardim, mas, após uma longa procura, ela os havia encontrado sentados alegremente lá embaixo, almoçando, com as roupas amontoadas no colo. Ela mesma precisou limpar tudo e, ainda assim, embora ela estivesse acostumada a dar ordens para os criados, não brigou com eles, mas contou para K., diante deles também, sobre sua chocante negligência como se fosse uma pequena piada, e ainda deu uns tapinhas em um deles, quase em forma de elogio, em seu rosto. K. iria brigar com ela por isso mais para frente, ele pensou, mas agora era hora de ir embora.

– Os assistentes podem ficar aqui e ajudá-la com a mudança – K. disse para Frieda.

Mas eles não ficaram felizes com isso, ainda que estivessem alimentados e felizes, gostavam da ideia de um pouco de exercício. Apenas quando Frieda disse "isso mesmo, vocês ficam aqui" que eles concordaram.

– Sabe para onde estou indo agora? – perguntou K.

– Sim – disse Frieda.

– E não está mais tentando me impedir? – perguntou K.

– Você encontrará tantos obstáculos em seu caminho – disse ela. – O que eu poderia dizer?

Ela beijou K. para despedir-se, entregou-lhe um pacote de pão e linguiças que havia separado, já que ele não havia almoçado, lembrou que ele deveria ir para a escola depois e não voltar para lá e, com a mão nos ombros dele, desceu até a porta da frente com ele.

8
Esperando por Klamm

No início, K. estava feliz por ter escapado do quarto quente, lotado como estava com as criadas e os assistentes. Lá fora estava um pouco congelado, a neve estava mais firme e a caminhada era mais fácil. No entanto, estava começando a escurecer, então ele apressou o passo.

O castelo, com seus traços começando a embaçar-se, estava firme como sempre. K. nunca havia visto sequer o menor indício de vida lá. Talvez não fosse possível distinguir as coisas daquela distância, mas seus olhos continuavam tentando adaptar-se e não aceitavam que era tudo tão quieto. Quando K. olhava para o castelo, às vezes pensava ver alguém sentado ali, olhando para o espaço, não perdido em pensamentos, portanto, excluído de todo o resto, mas alguém livre e tranquilo, como se estivesse sozinho e ninguém o observasse. Ele devia perceber que ele mesmo estava sendo observado, mas isso não o incomodava nem um pouco e, de fato – era difícil distinguir se isso era a causa ou o efeito –, os olhos observadores não conseguiam encontrar nada para ver, e se afastavam da figura. A impressão havia sido reforçada naquele dia pela escuridão antecipada. Quanto mais ele olhava, menos conseguia ver, e mais tudo se escondia no crepúsculo.

Assim que K. chegou à Pousada do Castelo, que ainda não estava com suas luzes acesas, uma janela foi aberta no primeiro andar, e um cavalheiro robusto, com o rosto liso, jovem, em um casaco de pele, apareceu e ficou ali onde ele estava, na janela, parecendo não reagir ao cumprimento de K. nem com o mais leve aceno de cabeça. K. não encontrou ninguém no hall de entrada nem no bar, onde o cheiro da cerveja estava ainda mais forte do que antes. Esse tipo de coisa não acontecia na Pousada da Ponte. K. foi imediatamente até a porta por onde havia visto Klamm da última vez que esteve lá e, cuidadosamente, abaixou a maçaneta, mas a porta estava trancada. Então tentou tatear até encontrar o buraco na porta, mas, presumivelmente, o pedaço de madeira sobre ele estava tão bem ajustado que ele não conseguiu encontrá-lo pelo toque, então ele acendeu um fósforo. E aí foi alertado por um choro. Uma jovem estava sentada, encolhida ao lado do fogão, no canto entre a porta e o aparador olhando para ele enquanto o fósforo queimava, e lutando para abrir seus olhos sonolentos. Aquela era, obviamente, a sucessora de Frieda. Ela logo se arrumou e acendeu a luz, com a expressão em seu rosto ainda hostil, mas então reconheceu K.

– Ah, é você, Sr. Agrimensor – ela disse com um sorriso, e esticou sua mão para K., apresentando-se. – Meu nome é Pepi.

Ela era pequena, com bochechas vermelhas, e com aparência saudável, seu cabelo cor de areia estava arrumado em uma longa trança, com alguns cachos soltos, rodeando seu rosto. Usava um vestido que não servia para ela, feito de um tecido acinzentado brilhante, reto, mas amarrado na barra como uma criança desajeitada, por uma fita de seda amarrada em um laço, o que a impedia de mover-se livremente. Ela perguntou como estava Frieda, e se ela iria voltar logo. Havia quase um toque de malícia em sua pergunta.

– Eu fui chamada apressadamente assim que Frieda foi embora – ela acrescentou. – Porque eles não conseguem ficar sem uma garota trabalhando aqui. Eu era arrumadeira até agora, e não sei dizer o que fiz certo para mudar de função. Há muito trabalho aqui nas tardes e noites, o que é muito cansativo, e mal conseguirei suportar, e não admiro que Frieda tenha desistido.

– Frieda estava muito satisfeita com o trabalho aqui – disse K., para deixar claro para Pepi a diferença entre ela e Frieda, o que ela parecia ignorar.

– Não acredite nela – disse Pepi. – Frieda consegue se controlar melhor do que a maior parte das pessoas. O que ela não quer admitir, não irá admitir, para que você nem perceba que ela tem algo para admitir. Trabalhei com ela aqui por muitos anos, sempre dividimos uma cama, mas não posso afirmar que éramos muito amigas, e tenho certeza de que ela nem se lembra de mim. A sua única amiga mulher, talvez, seja a senhoria da Pousada da Ponte, o que é típico dela.

— Frieda é minha noiva — disse K., procurando pelo buraco na porta enquanto falava.

— Eu sei — disse Pepi. — É por isso que estou contando isso. Se ela não fosse sua noiva, então isso não importaria para você.

— Compreendo — disse K. — Você quer dizer que posso me orgulhar de ter ganhado uma garota reservada.

— Sim — ela disse, e riu, parecendo satisfeita, como se houvesse induzido K. a alcançar um entendimento secreto com ela sobre Frieda.

Mas não era nada que ela havia dito que ocupou a mente de K. e o distraiu um pouco do que ele estava procurando; era sua aparência e presença ali. Com certeza, ela era muito mais nova do que Frieda, quase uma criança, e suas roupas eram ridículas; ela certamente havia se vestido seguindo suas próprias ideias sobre a importância de uma garçonete. E à sua própria maneira, ela estava certa, já que sua posição, para a qual ela não estava preparada, havia chegado inesperadamente, sem merecimento, e somente para experiência. Até mesmo a pequena bolsa de couro que Frieda sempre usava em seu cinto não havia sido passada para ela. Quanto à sua suposta insatisfação com o trabalho, ela estava simplesmente querendo se mostrar. Ainda assim, apesar de sua tolice infantil, ela também devia ter ligações com o castelo. Se ela não estivesse mentindo, havia sido uma camareira, dormia dias ali sem saber o valor do que possuía e, se ele abraçasse seu corpo pequeno, rechonchudo, e de ombros redondos, não conseguiria poupá-la daquilo, mas a proximidade disso poderia encorajá-lo para a difícil tarefa que viria. Então talvez ela não fosse muito diferente de Frieda, afinal. Ah, sim, ela era. Ele precisou apenas lembrar-se do olhar de Frieda para ter certeza disso. Não, K. nunca teria tocado em Pepi. Mesmo assim, ele precisou cobrir seus olhos por um instante, pois estava olhando para ela avidamente.

— Nós não precisamos das luzes acesas — disse Pepi, apagando-as novamente. — Só acendi porque você me assustou. O que você quer aqui, de qualquer forma? Frieda esqueceu alguma coisa aqui?

– Sim – disse K., apontando para a porta. – Aqui, no quarto ao lado, uma toalha de mesa, uma toalha branca de crochê.

– Ah, sim, é claro. A toalha de mesa – disse Pepi. – Eu me lembro, um trabalho muito fino, eu a ajudei com ela, mas não está naquele quarto.

– Frieda pensa que está. Quem está hospedado aí? – perguntou K.

– Ninguém – disse Pepi. – É a sala de jantar dos cavalheiros, onde eles comem e bebem, ou melhor, é feita para isso, mas a maioria dos cavalheiros fica em seus próprios quartos.

– Se eu puder ao menos ter certeza – disse K. – de que não há ninguém no quarto agora, gostaria de entrar para procurar a toalha de mesa. Mas não posso ter certeza, posso? Klamm normalmente fica nesse quarto.

– Klamm com certeza não está ali agora – disse Pepi. – Ele está saindo. O trenó está esperando por ele no jardim.

K. saiu do bar imediatamente, sem nenhuma explicação e, no hall de entrada, não dirigiu-se à saída, mas seguiu para dentro da casa. Alguns passos a mais o levaram para o jardim. Como era lindo e tranquilo ali! O jardim era retangular, cercado nos três lados pelo prédio da pousada e, no outro lado, onde estava a estrada – uma rua lateral que K. não conhecia –, por uma parede branca. Um portão grande, pesado, estava aberto. Vista dali, a pousada parecia mais alta no lado do jardim do que na frente, ou pelo menos o primeiro andar se estendia muito e parecia maior, pois uma galeria de madeira o cercava, fechada a não ser por um pequeno espaço na direção dos olhos. Na direção diagonal oposta a K., na parte central do prédio, mas no canto onde a ala lateral estava, havia um caminho aberto para a casa sem nenhuma porta. Na frente dela, estava um trenó escuro, fechado, com dois cavalos amarrados a ele. Não havia ninguém à vista a não ser o condutor, cuja presença K. apenas deduziu, e não o enxergou de fato àquela distância e no escuro.

Com as mãos em seus bolsos, olhando cuidadosamente ao seu redor, e perto do muro, K. deu a volta nos dois lados do jardim até alcançar o trenó. O condutor, um dos camponeses que estavam no bar no outro dia, estava sentado lá, enrolado em peles, e havia observado K. aproximar-se sem interesse, assim como os olhos acompanham ociosamente um gato pulando. Quando K. chegou até ele e disse boa-noite, e até quando os cavalos ficaram inquietos à vista de um homem saindo da escuridão, ele ainda não demonstrou interesse nenhum. K. apreciou isso. Apoiando-se contra o muro, ele desembrulhou seu sanduíche, pensou em Frieda, agradecido, por ela tê-lo servido tão bem, e entrou na casa. Uma escada subindo para a direita, e uma passagem baixa, mas aparentemente longa, a cruzava no fim das escadas. Tudo estava limpo, bem lavado, e precisamente delineado.

A espera demorou mais do que K. imaginara. Ele havia terminado seu sanduíche há muito tempo, o frio estava muito agudo, o crepúsculo havia se transformado em uma escuridão completa, e ainda não havia nenhum sinal de Klamm.

– Ainda pode demorar muito – disse de repente uma voz rouca, tão próxima a K. que ele pulou. Era o condutor, espreguiçando e bocejando, tão alto como se ele tivesse acabado de acordar.

– O que ainda pode demorar muito? – perguntou K., sem incomodar-se com a interrupção, pois o silêncio e o suspense constantes haviam se tornado opressivos.

– Ainda pode demorar muito até você ir embora – disse o condutor.

K. não entendeu, mas não perguntou mais nada, pensando que essa era a melhor maneira de fazer esse homem antissocial falar. Ali na escuridão, não responder nada era quase uma provocação. E, de fato, após algum tempo, o motorista perguntou:

– Quer conhaque?

– Sim – disse K., sem parar para pensar e muito tentado com a oferta, porque ele estava tremendo com o frio.

– Abra a porta do trenó, então – disse o condutor. – Há várias garrafas no bolso lateral. Pegue uma, dê um gole e me entregue. Para mim, é muito difícil descer daqui com todas essas peles.

K. não se importou em estender a mão para ele, mas havia se permitido conversar com o condutor, então concordou, mesmo com o risco de ser encontrado por Klamm ao lado do trenó. Abriu a grande porta e poderia ter retirado a garrafa do bolso lateral, mas, agora que a porta estava aberta, ele sentiu uma vontade irresistível de entrar no trenó. Iria se sentar ali por apenas um instante. Ele subiu rapidamente. O calor dentro do trenó era extraordinário, e ele continuava aquecido mesmo com a porta, a qual K. não se atreveu a fechar, completamente aberta. Não era possível saber se você estava sentado ou não, pois era tão confortável entre os tapetes, almofadas e peles; era possível virar-se e esticar-se por todos os lados, e em todos os lugares era possível afundar no calor macio. Braços esticados, cabeça apoiada nas almofadas preparadas para isso, K. olhou para o prédio escuro. Por que Klamm estava demorando tanto para descer? Como se estivesse adormecido pelo calor após ficar tanto tempo na neve, K. desejou que Klamm chegasse logo. A ideia de que seria melhor não ser encontrado por Klamm naquela posição passou por sua mente, mas não muito claramente, como uma ansiedade fraca. Ele foi encorajado naquele estado de satisfação pelo comportamento do condutor, que devia saber que ele estava dentro do trenó e o deixava permanecer ali sem nem pedir o conhaque. Isso foi gentil da parte dele, mas K. gostaria de ajudar o homem, então, movendo-se lentamente e sem mudar de posição, ele alcançou o bolso lateral, mas não o da porta aberta, que estava longe demais; em vez disso, esticou-se para a porta fechada atrás dele, e conseguiu o mesmo resultado, pois havia garrafas no outro bolso lateral também. Ele retirou uma garrafa, abriu-a e cheirou. Sorriu instintivamente; o perfume era doce e prazeroso, como ouvir elogios e palavras gentis de alguém que você ama, e não sabe por que, e não quer saber, você só está feliz por ouvir a pessoa proferi-las. Será que aquilo era realmente conhaque, K. pensou, provando-o por curiosidade. Sim, era conhaque, marcante, queimando-o e aquecendo-o. Mas, quando o bebeu, ele se transformou em algo que era um pouco mais do que o veículo de doces perfumes em uma bebida um pouco mais adequada para um condutor. Aquilo era possível? K. pensou novamente, como se reprovasse a si mesmo, e bebeu mais uma vez.

Então – K. estava bem no meio de uma longa nevasca –, de repente, uma luz elétrica brilhante foi acesa no interior sobre a escada, no corredor, no hall de entrada, e do lado de fora, sobre a entrada em si. Agora era possível ouvir passos descendo a escada, e a garrafa tombou das mãos de K., o conhaque derramou-se sobre a pele e K. pulou para fora do trenó. Ele teve tempo apenas para fechar a porta, o que fez um barulho muito alto e, no momento seguinte, um cavalheiro saiu lentamente do prédio. O único consolo era que não se tratava de Klamm – ou esse era um fato para lamentar-se? Era o cavalheiro que K. já havia visto na janela do primeiro andar. Um jovem, muito bem apessoado, com um rosto branco e rosa, mas extremamente sério. K. olhou para ele de maneira obscura, mas essa obscuridade era própria. Se apenas ele tivesse trazido seus assistentes em seu lugar; também teriam se comportado da mesma maneira que ele. Olhando para ele, o cavalheiro permaneceu em silêncio, como se não houvesse fôlego suficiente em seu peito estreito para o que pudesse ser dito.

– Isso é terrível – ele, enfim, comentou, puxando seu chapéu um pouco para trás.

O que era aquilo? Era pouco provável que o cavalheiro soubesse que K. esteve no trenó, mas o pensamento de uma coisa ou outra era terrível. Talvez era o modo de K. caminhar pelo jardim.

– Como você pode estar aqui? – questionou o cavalheiro com uma voz mais branda, respirando com um suspiro de resignação.

Que perguntas! Que respostas! K. deveria defender-se e expressamente confirmar para esse cavalheiro que a jornada em que ele havia estado, cheio de esperança, havia sido em vão? Em vez de responder, K. virou-se para o trenó, abriu a porta e pegou seu chapéu, que ele havia deixado do lado de dentro. Percebeu, para sua decepção, que o conhaque estava pingando sobre o estribo.

Então voltou-se para o cavalheiro; ele não tinha mais escrúpulos sobre mostrar que havia estado dentro do trenó. Afinal, não era o fim do mundo. Se fosse questionado, mas somente assim, não iria revelar o fato de que o próprio condutor tinha ao menos o encorajado para abrir a porta do trenó. Entretanto, o pior de tudo era que o cavalheiro o havia pegado de surpresa e ele não teve tempo de esconder-se dele para que pudesse continuar esperando por Klamm sem incômodos, e ele também não teve a presença de espírito para permanecer no trenó, fechar a porta, e esperar por Klamm deitado sobre as peles, ou pelo menos ficar ali até que o cavalheiro se aproximasse. É claro, ele não tinha como saber se o próprio Klamm poderia não aparecer mais, pois, nesse caso, teria sido muito melhor encontrá-lo do lado de fora do trenó. Sim, havia muito para pensar em tudo isso, mas não agora, pois sua aventura particular tinha acabado.

– Venha comigo – disse o cavalheiro, não em um tom mandatório; a sensação de ordem não vinha de suas palavras, mas no gesto breve e intencionalmente indiferente que as acompanhava.

– Estou esperando uma pessoa – disse K., só por princípio, não esperando por algum sucesso.

– Venha comigo – repetiu o cavalheiro, irredutível, como se para mostrar que ele nunca havia duvidado de que K. estivesse esperando por alguém.

– Mas, assim, perderei o homem que estou esperando – disse K., encolhendo os ombros. Apesar do que havia acontecido, ele sentiu que algo havia sido conquistado, algo que ele só havia possuído aparentemente, claro, mas não precisava abrir mão por causa de ninguém.

– Venha ou fique, você irá perdê-lo de qualquer forma – disse o cavalheiro, compartilhando sua opinião bruscamente, mas demonstrando uma paciência interrompida pela linha de pensamento de K.

– Então prefiro esperar aqui e perdê-lo – disse K., como um desafio. Ele não seria retirado de seu lugar por meras palavras daquele jovem.

Sendo assim, o cavalheiro, com uma expressão de superioridade, fechou os olhos por um tempo enquanto inclinava a cabeça para trás, como se retornasse da tolice de K. para seu próprio bom senso, passou a ponta da língua em seus lábios com a boca levemente aberta, e então disse para o condutor:

– Desatrele os cavalos.

O condutor, obedecendo ao cavalheiro, mas olhando feio para K., teve que descer de onde estava em suas peles pesadas, e muito hesitante, como se esperasse não uma mudança de ordens de seu mestre, mas uma mudança de pensamento da parte de K., ele começou a levar os cavalos e o trenó para trás, para a ala lateral, onde certamente estavam os estábulos e a cocheira, atrás de um grande portão. K. se viu sozinho; de um lado, o trenó estava se afastando e, então, no outro lado, estava o jovem, voltando por onde K. havia chegado, embora os dois se movessem muito lentamente, como se para mostrar para K. que ainda estava em suas mãos trazê-los de volta. Talvez ele de fato tivesse aquele poder, mas não teria nenhum proveito para ele; pedir o trenó de volta significava afastamento para si mesmo. Então continuou firme, como o único que reivindicava a ocupação daquele lugar ainda ali, mas era uma vitória infeliz. Ele olhava alternadamente para o cavalheiro e para o condutor, enquanto eles se afastavam. O cavalheiro já havia alcançado a porta por onde K. havia entrado no jardim, e ele olhou para trás mais uma vez. K. pensou tê-lo visto balançar a cabeça por tamanha obstinação. Então se virou com um último movimento breve e determinado e entrou no hall, desaparecendo de uma vez. O condutor ficou no jardim mais algum tempo; ele teria muito trabalho para fazer com o trenó. Precisava abrir o pesado portão para o estábulo, colocar o trenó em seu devido lugar, desatrelar os cavalos e levá-los até sua cocheira, e fez tudo isso muito seriamente, totalmente absorvido em si mesmo, já que não havia nenhuma perspectiva de sair logo. Toda essa atividade intensa, silenciosa, foi feita sem sequer um olhar desconfiado na direção de K. Parecia, para K., mais uma repreensão do que o comportamento do cavalheiro em si. Então, após terminar seu serviço nos estábulos, o condutor atravessou o jardim com seu andar lento e vacilante, abriu o grande portão, e voltou, sempre movendo-se com formalidade e mantendo seus olhos baixos em direção a seu próprio rastro pela neve, trancou-se no estábulo e apagou todas as luzes – por que elas ficariam acesas para alguém agora? –, e a única luz restante saía pela abertura na galeria de madeira, alcançando seus olhos por um momento. Parecia, para K., que todo o contato com ele havia sido cortado, e estava mais sozinho do que nunca. Ele poderia esperar ali, em um local normalmente proibido para ele, pelo tempo que quisesse, e ele também sentiu como se houvesse recebido aquela liberdade com mais esforço do que a maior parte das pessoas poderia suportar, e ninguém poderia tocá-lo ou afastá-lo dali, oras, eles mal tinham o direito de sequer falar com ele. Mas, ao mesmo tempo – e esse sentimento era muito forte –, ele sentiu como se não houvesse nada mais sem sentido e desesperador do que essa liberdade, essa espera, essa invulnerabilidade.

9
A oposição ao interrogatório

Ele se afastou e voltou para dentro do prédio, sem acompanhar o muro dessa vez, mas pela neve. No hall de entrada, ele se encontrou com o senhorio, que o cumprimentou em silêncio e apontou para a porta do bar, e seguiu a direção que lhe foi apontada, porque estava congelando e queria ver outros seres humanos; mas ele ficou muito desapontado quando viu o jovem cavalheiro sentado a uma pequena mesa que provavelmente havia sido colocada ali especialmente para ele, porque normalmente eles sentavam-se em barris. Diante do cavalheiro – uma visão que desanimou K. –, estava a senhoria da Pousada da Ponte. Pepi, parecendo estar orgulhosa com sua cabeça para trás, seu sorriso sempre igual e firme em sua dignidade, com sua trança balançando sempre que ela se virava, estava correndo para lá e para cá, carregando cerveja e uma caneta e tinta, pois o cavalheiro havia espalhado diversos papéis diante de si, e estava comparando o que havia encontrado em um deles a outro na outra ponta da mesa, e depois começou a escrever. Olhando para baixo com toda a sua altura, e com seus lábios levemente relaxados, como se estivesse descansando, a senhoria estava com os olhos fixos no cavalheiro e seus papéis, como se ela já houvesse dito tudo o que precisava dizer, e houvesse sido bem recebida.

– Ah, Sr. Agrimensor – disse o cavalheiro, olhando para cima por um instante quando K. entrou, e então mergulhou em seus papéis novamente.

A senhoria também apenas olhou para K. com uma expressão indiferente, sem demonstrar surpresa. No entanto, Pepi pareceu notar K. apenas quando ele foi até o bar e pediu um conhaque.

K. debruçou-se no balcão, colocou a mão sobre seus olhos, e não prestou atenção em mais nada. Então ele deu um gole em seu conhaque, e o empurrou para longe; não havia como bebê-lo.

– Todos os cavalheiros bebem esse conhaque – disse Pepi brevemente, jogou o restante fora e lavou o pequeno copo, e o devolveu para o armário.

– Os cavalheiros devem ter um conhaque melhor também – disse K.

– Talvez – disse Pepi. – Mas eu não tenho.

K. não tinha uma resposta para isso, e ela voltou a servir o jovem cavalheiro, mas ele não precisava de nada. Ela podia apenas segui-lo para cima e para baixo, tentando, com respeito, olhar os papéis por sobre os ombros dele, mas era apenas por curiosidade boba e aparência, e a senhoria demonstrou sua insatisfação ao franzir os olhos.

No entanto, de repente, a senhoria levantou suas orelhas e olhou para o nada, ouvindo com muita atenção. K. virou-se. Ele não conseguia ouvir nada especial, e mais ninguém parecia ouvir também, mas a senhoria, andando na ponta dos pés, foi até a porta dos fundos, que levava até o jardim, olhou pelo buraco da fechadura e, então, voltou-se para os outros com seus olhos arregalados e sua face corada, dobrou seu dedo e os chamou para irem até lá. Agora eles também se revezavam olhando pelo buraco da fechadura, embora a senhoria ainda tivesse a prioridade. Mas Pepi também teve sua vez de olhar; o cavalheiro, falando relativamente, era o menos interessado. Pepi e o cavalheiro logo voltaram, apenas a senhoria continuou olhando, abaixada, praticamente ajoelhada, quase parecia que ela estava implorando pela fechadura para deixá-la passar, pois não havia mais nada para ver. Quando ela finalmente ficou em pé, passou as mãos pelo rosto, arrumou seu cabelo e respirou fundo, aparentemente obrigada a acostumar seus olhos ao salão e às pessoas novamente, e relutante em fazê-lo, K. perguntou:

– Então Klamm foi embora?

Ele disse isso não para confirmar aquilo que ele já sabia, mas para antecipar um ataque, pois temia estar vulnerável agora. A senhoria passou por ele em silêncio, mas o cavalheiro disse, de sua pequena mesa:

– Sim, com certeza. Assim que você saiu do lugar onde havia montado guarda, Klamm pôde sair. Mas é incrível como ele é um homem sensível. Você percebeu, madame – ele perguntou para a senhoria –, como Klamm olhou ao redor, nervoso?

A senhoria pareceu não perceber, mas o cavalheiro continuou:
– Bem, por sorte não havia mais nada para ver. O condutor já havia coberto os rastros na neve.
– A senhoria aqui não percebeu nada – disse K., mas não com esperança, apenas incomodado pelo comentário do cavalheiro, que pretendia soar tão final e conclusivo.
– Talvez eu não estivesse olhando no buraco da fechadura nesse momento – disse a senhoria de início, demonstrando que estava do lado do cavalheiro, mas queria ser justa com Klamm também. Então acrescentou: – Embora eu não acredite que Klamm seja muito sensível. Ficamos ansiosos com ele, com certeza, tentamos protegê-lo, então começamos a perceber a grande sensibilidade de Klamm. Isso é bom, e com certeza é o que Klamm deseja. Mas não sabemos como as coisas realmente são. Por certo, Klamm nunca irá falar com alguém com quem ele não deseja, não importa quanto trabalho essa pessoa tenha, e o quanto é intrometida, o simples fato de que Klamm nunca irá falar com ela ou conceder-lhe uma entrevista é o bastante. E por que ele não iria querer ver alguém? Bem, isso não pode ser provado, pois ninguém nunca irá fazer esse teste.

O cavalheiro concordou avidamente.
– É claro, em princípio, essa é minha opinião – ele disse. – Se não expliquei dessa forma foi para que o agrimensor aqui pudesse compreender. No entanto, é um fato que, ao sair, Klamm virou-se diversas vezes, olhando ao seu redor.
– Talvez ele estivesse procurando por mim – disse K.
– Talvez – disse o cavalheiro. – Mas essa ideia não passou pela minha cabeça.

Todos riram, Pepi mais alto que todos, embora ela mal entendesse o que estava acontecendo.
– Como estamos todos juntos e alegres agora – disse o cavalheiro –, eu gostaria de pedir a você, Sr. Agrimensor, que me ajudasse a completar meus arquivos, narrando-me alguns fatos.

– Você já escreveu muito aqui – disse K., olhando de longe para os arquivos.
– Sim, é um hábito ruim – disse o cavalheiro, rindo novamente. – Mas talvez não saiba quem eu sou. Sou Momus, o secretário de Klamm no vilarejo.

Com essas palavras, todos no salão ficaram muito sérios; embora a senhoria e Pepi com certeza conhecessem bem o cavalheiro, elas ainda ficavam impressionadas com a menção de seu nome e cargo honrado. Então o cavalheiro mergulhou nos arquivos novamente e começou a escrever, como se já houvesse falado demais até mesmo para que ele próprio pudesse absorver, e quisesse evitar qualquer solenidade extra sugerida em suas palavras, então não havia nada para se escutar no salão além do som de sua caneta.

– O que significa ser secretário no vilarejo? – K. perguntou um pouco depois.

Falando por Momus, que não achou apropriado dar tais explicações após apresentar-se, a senhoria disse:

– O Sr. Momus é secretário de Klamm como qualquer outro secretário de Klamm, mas seu escritório e, se eu não estiver errada, também seu círculo de influência – aqui Momus balançou a cabeça vigorosamente enquanto escrevia, e a senhoria se corrigiu –, bem, somente seu escritório, e não seu círculo de influência oficial, é restrito ao vilarejo. O Sr. Momus lida com todos os trabalhos escritos de Klamm que podem ser necessários no vilarejo, e é o primeiro a receber todas as petições que saem do vilarejo para Klamm.

E K., ainda não muito impressionado por tudo isso, olhou sem expressão para a senhoria, e ela acrescentou, muito desconfortável:

– É assim que tudo é organizado; todos os cavalheiros do castelo possuem seus secretários no vilarejo.

Momus, que na verdade estava escutando com mais atenção do que K., continuou para a senhoria:

– A maioria dos secretários do vilarejo só trabalha para um senhor, mas eu trabalho para dois, Klamm e Vallabene.

– Sim – disse a senhoria, relembrando, e voltando-se para K. – O Sr. Momus trabalha para dois cavalheiros, para Klamm e para Vallabene, então ele é duas vezes secretário no vilarejo.
– Duas vezes... Muito elegante – disse K., balançando a cabeça como alguém faz para uma criança que acabou de receber um elogio e falando com Momus que, agora, inclinado para a frente, olhava para ele. Se houvesse certo desdém naquele aceno, passou despercebido ou realmente pareceu indispensável. Os méritos de um homem do círculo íntimo de Klamm estavam sendo apresentados detalhadamente para K., entre todas as pessoas, julgado indigno até mesmo de correr o risco de ser visto por Klamm, e isso foi feito com a clara intenção de obter o louvor e o reconhecimento de K. Ainda assim, K. não estava no humor para aquilo; havendo tentado com todas as suas forças vislumbrar Klamm, ele não avaliava a posição de um homem como Momus, que sempre poderia ver Klamm particularmente exaltado, e a admiração, ou até mesmo inveja, estava longe de sua mente. A proximidade de Klamm em si não era algo que valesse o esforço; o ponto era que ele, K., somente ele e mais ninguém, estava tentando chegar a Klamm de sua própria maneira, não para permanecer com ele, mas para passar por ele e chegar ao castelo.

Então, olhou para seu relógio e disse:
– Bem, devo ir para casa agora.
Imediatamente, o caminho que trilhavam mudou em favor de Momus.
– Sim, de fato – ele disse. – Seus deveres como zelador da escola o chamam. Mas preciso de você mais um momento. Apenas algumas perguntas rápidas.
– Não estou com vontade – disse K., seguindo em direção à porta.
Momus jogou um arquivo sobre a mesa e levantou-se.
– Em nome de Klamm, eu ordeno que responda minhas perguntas!
– Em nome de Klamm? – repetiu K. – Por quê? Ele está interessado em meus assuntos, afinal?
– Nesse ponto, sim – disse Momus. – Não tenho autoridade para julgar, e suponho que você tenha menos ainda. Vamos deixar isso

para ele. No entanto, eu lhe ordeno, em nome da posição confiada a mim por Klamm, que fique aqui e responda minhas perguntas.
– Sr. Agrimensor – interrompeu a senhoria, juntando-se à conversa. – Eu aconselho a não ir a nenhum lugar. Até agora você tem rejeitado meus conselhos, os conselhos mais bem-intencionados que poderiam ser dados a alguém, da maneira mais ultrajante possível, e eu vim até aqui para ver esse cavalheiro, o Sr. Secretário Momus, não tenho nada a esconder, somente para informar seu escritório de maneira apropriada sobre sua conduta e suas intenções, e para proteger-me de qualquer possibilidade de você se hospedar comigo novamente. Se lhe digo minha opinião neste momento não é para ajudá-lo, e sim para prestar uma pequena assistência ao Sr. Secretário Momus na onerosa tarefa de lidar com um homem como você. Da mesma forma, por conta de minha franqueza, e não posso ser nada além de franca com você, por mais relutante que eu esteja de sequer falar com você, da mesma forma, você pode obter algum benefício de meus comentários, se quiser. Por essa razão, indicarei que o único caminho para levá-lo até Klamm será por meio dos registros do Secretário Momus. No entanto, não quero exagerar; talvez o caminho não conduza mesmo a Klamm, talvez termine muito antes de chegar até ele, tudo depende da boa vontade do Sr. Secretário Momus. Mas, de qualquer forma, esse é o único caminho em direção a Klamm, pelo menos para você. E vai se recusar a falar com o único caminho somente por rebeldia?

– Ah, madame – disse K. – Não é o único caminho para Klamm, e nem vale mais a pena do que qualquer outro. Então, é o Senhor Secretário que decide se o que escolho dizer aqui chega aos ouvidos de Klamm ou não?

– Sim, de fato – disse Momus, abaixando os olhos com orgulho, e olhando para a esquerda e para a direita, onde não havia nada para ser visto. – Por que outro motivo eu seria seu secretário?

– Pronto, você vê, madame – disse K. – Não preciso de um caminho até Klamm, apenas até o Sr. Secretário Momus.

– E eu iria abrir esse caminho para você – disse a senhoria. – Não ofereci a você, ontem à tarde, garantir que seu pedido chegasse a

Klamm? Isso seria feito por meio do Sr. Momus. Mas recusou minha oferta, e não haverá nenhum outro caminho para você, somente aquele. Esteja certo de que, após sua façanha hoje, após sua tentativa de aproximar-se de Klamm, você terá menos chances de sucesso. Mas essa pequena, minúscula, quase inexistente, esperança é toda a esperança que você tem.

– Como pode ser, madame – disse K. –, que no início você tanto tentou manter-me longe de Klamm, e agora você leva meu pedido a sério, e parece considerar-me perdido, por assim dizer, se meus planos falham? Se pôde certa vez me aconselhar a não tentar ver Klamm, e o fez tão honestamente, como pode agora, com a mesma honestidade, incentivar-me a seguir adiante o caminho a Klamm, mesmo admitindo que talvez eu não chegue até ele?

– Incentivar-lhe a seguir adiante? – perguntou a senhoria. – Dizer que suas tentativas são inúteis é incentivá-lo a seguir adiante? Como pode ser tão descarado em impingir a responsabilidade sobre mim dessa forma? Por acaso é a presença do Sr. Secretário Momus que faz você agir assim? Não, Sr. Agrimensor, não o estou incentivando a fazer nada. Posso confessar apenas uma coisa: quando o vi, posso tê-lo superestimado um pouco. Sua rápida conquista de Frieda me assustou; eu não sabia do que mais você seria capaz. Eu queria impedir danos futuros, e pensei que o único modo de fazer isso fosse tentar impedir-lhe por meio de pedidos e ameaças. Mas agora aprendi a pensar sobre todo o assunto com mais calma. Você pode fazer o que quiser. Talvez deixe marcas profundas na neve do jardim, mas esse será o único resultado de suas ações.

– Em minha opinião, as contradições não foram totalmente esclarecidas – disse K. – Mas ficarei satisfeito em dizer isso a você. No entanto, agora, Sr. Secretário, quero que me diga se a senhoria está certa, digo quando ela fala que os registros que você quer que eu o ajude a completar podem resultar em minha entrevista com Klamm. Se esse é o caso, então estou preparado para responder todas as suas perguntas de uma vez. Sim, se o resultado for esse, estou preparado para qualquer coisa.

– Não – disse Momus. – Tal ligação não existe. Meu trabalho é apenas redigir um relato, preciso dos acontecimentos desta tarde para os registros de Klamm sobre o vilarejo. Esse relato já está pronto, há apenas duas ou três lacunas que quero que preencha para garantir que tudo esteja em ordem. Não há nenhum outro motivo, nem nenhum outro pode ser conquistado.

K. olhou diretamente para a senhoria em silêncio.

– Não foi isso que acabei de dizer? Ele é sempre assim, Sr. Secretário. Ele é sempre assim. Falsifica a informação que recebe, depois alega que foi mal informado. Eu tenho dito sempre a ele, digo a ele hoje e sempre direi, que ele não tem a mínima perspectiva de uma entrevista com Klamm e, se não há nenhuma perspectiva disso, então ele não receberá uma nova por meio de seus registros. É possível ser mais clara? Além disso, deixe-me dizer que esses registros são a única conexão realmente oficial que ele pode ter com Klamm. Isso também está bastante claro, acima de qualquer dúvida. Mas, se ele não acredita em mim e continua esperançoso de que poderá ver Klamm, não me pergunte por que, então, em vista da maneira como sua mente funciona, nada pode ajudá-lo, a não ser essa única e real conexão oficial com Klamm, ou seja, esses registros. Isso é tudo o que digo e, qualquer um que falar algo diferente disso, estará distorcendo minhas palavras maliciosamente.

– Se esse é o caso, madame – disse K. –, então devo pedir desculpas a você, e eu a entendi mal, pois pensei, como foi provado errado, que havia compreendido de seus comentários anteriores que de fato havia algum tipo de esperança para mim, ainda que pequena.

– Exatamente – afirmou a senhoria. – É o que eu estava dizendo. Você está distorcendo minhas palavras novamente, só que dessa vez na direção oposta. Em minha opinião, tal esperança realmente existe, e de fato está apenas nesses registros. Mas não funciona simplesmente por você perguntar agressivamente para o Sr. Secretário Momus: "Se eu responder suas perguntas, posso ver Klamm?". Se uma criança fala algo assim, nós damos risada; se um adulto o faz, é um insulto para chegar até Klamm, e o secretário gentilmente encobriu esse insulto com a elegância de sua resposta. No entanto, a esperança sobre a qual falo está no fato de que, por meio desses registros, você tem, ou pode ter, uma ligação com Klamm. Isso já não é esperança o bastante? Se for questionado sobre quais são os méritos que o fazem digno de receber tal esperança, poderia citar alguma coisa? Pode estar certo, nada mais exato pode ser dito sobre essa esperança, e o Sr. Secretário Momus particularmente nunca poderá lhe dar o menor indício de tal coisa em sua função oficial. Como ele mesmo disse, é meramente uma questão de relatar essa tarde, para ter certeza de que tudo está em ordem, e ele não dirá nada além disso, mesmo se questioná-lo sobre isso com meus comentários.

– Muito bem, Sr. Secretário – disse K. – Klamm lerá esses registros?

– Não – disse Momus. – Por que faria isso? Klamm não lê todos os registros, na verdade, ele nunca lê nenhum deles. Normalmente diz: "Ah, não venha me incomodar com seus registros!".

– Sr. Agrimensor – lamentou a senhoria. – Você está realmente me cansando com essas perguntas. É necessário, ou até mesmo proveitoso, que Klamm leia os registros e tenha um relato palavra por palavra sobre os detalhes insignificantes de sua vida? Você não imploraria humildemente para que esses registros fossem mantidos longe de Klamm, ainda que esse pedido fosse tão irracional quanto o primeiro, pois quem pode esconder qualquer coisa de Klamm? Mas que pelo menos seria uma evidência de uma mudança de pensamento em você? E é necessário para aquilo que você chama de esperança? Já não disse a si mesmo que ficaria feliz apenas com a chance de falar diante de Klamm, mesmo se ele nem olhasse para você ou o escutasse? E você não conseguirá pelo menos isso por meio dos registros, e talvez muito mais?

– Muito mais? – perguntou K. – Como?

– Se, ao menos – exclamou a senhoria –, você não quisesse sempre que tudo fosse apresentado para você em uma bandeja, como uma criança! Quem pode responder essas perguntas? Os papéis vão para o registro de Klamm sobre o vilarejo, como já ouviu, e nada mais pode ser dito a respeito. Quero dizer, você sabe a importância dos registros do arquivo do vilarejo do Sr. Secretário Momus? Sabe o que significa para o Sr. Secretário Momus ter de interrogá-lo? É possível, e até provável, que ele mesmo não saiba. Ele senta aqui, silenciosamente fazendo seu trabalho, para garantir, como ele disse, que tudo esteja em ordem. Você deveria lembrar que Klamm o nomeou, que ele trabalha em nome de Klamm, que o que ele faz, ainda que nunca chegue até Klamm, é aprovado por ele desde o início. E como algo pode ser aprovado por Klamm desde o início se não está impregnado em seu próprio espírito? Longe de mim oferecer ao Sr. Secretário Momus uma lisonja ruidosa, ele mesmo desprezaria isso; eu não estou falando sobre sua personalidade individual, e sim de quem ele é quando age com a aprovação de Klamm, como o faz agora. Ele é uma ferramenta nas mãos de Klamm, e se alguém não faz como ele quer, bem, isso é uma pena.

K. não temia as ameaças da senhoria, e estava cansado das expectativas em que ela tentava amarrá-lo. Klamm estava distante; a senhoria já havia comparado Klamm a uma águia, o que pareceu ridículo para K. naquele momento, mas não mais. Ele pensou sobre a distância remota de Klamm, sua residência impenetrável, seu silêncio, talvez interrompido apenas por gritos como K. nunca havia escutado antes. Ele pensou nos olhos penetrantes de Klamm, observando do alto, que não iriam tolerar nenhuma contradição e que não poderiam ser testados também, pensou nos círculos imutáveis pelos quais ele planava, livre de qualquer interferência da vontade de K. lá embaixo, movendo-se por leis inescrutáveis e visível apenas por breves momentos – Klamm e a águia tinham tudo isso em comum. No entanto, era um fato que os registros sobre os quais Momus estava comendo um pretzel salgado naquele momento não tinham nada a ver com tudo aquilo. Ele estava saboreando o pretzel com sua cerveja, espalhando sal e migalhas sobre os papéis.

– Bem, boa noite – disse K. – Eu tenho uma antipatia profunda contra qualquer tipo de questionamento. – E seguiu seu caminho em direção à porta.

– Então ele vai embora? – Momus perguntou para a senhoria quase ansiosamente.

– Ele não se atreveria – disse a senhoria.

O CASTELO

Mas K. não ouviu mais nada; ele já estava no hall de entrada. Estava frio, e soprava um vento muito forte. O senhorio, que parecia estar vigiando no hall através de algum buraco, apareceu por uma porta. Mesmo ali, no hall, o vento estava soprando tanto nas abas de seu fraque que ele precisou segurá-las ao seu redor.

– Então já vai embora, Sr. Agrimensor? – perguntou ele.
– Você está surpreso? – perguntou K.
– Bem, sim – disse o senhorio. – Você não foi interrogado?
– Não – disse K. – Não deixei ninguém me interrogar.
– Por que não? – questionou o senhorio.
– Realmente não sei por que eu deveria me permitir ser questionado – disse K. – Por que eu deveria dar continuidade a uma piada ou a algum capricho oficial? E talvez eu tenha ignorado tudo isso como apenas uma piada ou capricho em outro momento, mas não hoje.
– Bem, não, com certeza – disse o senhorio. Mas ele estava concordando apenas por cortesia, não por convicção. – Bom, preciso abrir o bar para os servos agora – ele acrescentou. – Era pra eles terem começado a servir há muito tempo, eu só não quis interromper a audiência.
– Você pensou que era tão importante assim? – perguntou K.
– Ah, sim – disse o senhorio.
– Então acha que eu não deveria ter me recusado a responder as perguntas? – perguntou K.
– Não – disse o senhorio –, você não deveria.
Como K. não disse mais nada, ele continuou, para consolar K. ou para seguir rapidamente com o trabalho no bar:
– Bem, bem, isso não significa necessariamente que seja o fim do mundo.
– Não, não, com certeza – K. concordou. – O clima não parece indicar isso.
E seguiram seu caminho, rindo.

10
Na estrada

K. desceu os degraus que levavam à pousada, onde o vento soprava forte, e penetrou na escuridão. Estava um clima apavorante. Pensar nisso o fez lembrar do quanto a senhoria havia tentado fazê-lo ceder e ajudar a completar os registros, e como ele havia se mantido firme. É claro que ela não estava fazendo um esforço sincero; secretamente, ela o estava dissuadindo ao mesmo tempo, então, por fim, ele não sabia realmente se havia se mantido firme ou cedido. A natureza dela era feita para intrigas, aparentemente sem trabalhar por algum objetivo, como o vento, seguindo ordens desconhecidas e distantes de alguém que ninguém nunca viu.

Assim que ele deu alguns passos pela estrada, viu algumas luzes agitando-se ao longe. Esse sinal de vida o alegrou, e ele apressou-se em direção às luzes que, por sua vez, moviam-se em direção a ele. Ele não soube por que ficou tão desapontado ao reconhecer os assistentes; no entanto, lá estavam eles, caminhando em sua direção, provavelmente enviados por Frieda, e ele supôs que eram suas as lanternas que o libertaram da escuridão em que o vento soprava ao redor dele. Mesmo assim, ele estava desapontado, pois esperava alguém novo, não aqueles velhos conhecidos que eram um estorvo tão grande para ele. Mas os assistentes não estavam sozinhos; caminhando entre eles, surgiu Barnabé da escuridão.

– Barnabé – exclamou K., oferecendo sua mão. – Vocês estavam vindo me encontrar? – De início, a surpresa desse encontro fez K. esquecer-se de todos os problemas que Barnabé havia lhe causado.

– Sim, de fato eu estava vindo encontrá-lo – disse Barnabé, com seus antigos costumes amigáveis – com uma carta de Klamm.

– Uma carta de Klamm! – disse K., inclinando sua cabeça e retirando a carta das mãos de Barnabé. – Dê-me uma lanterna! – ele disse para os assistentes, que se aproximaram dele pela direita e pela esquerda, e ergueram suas lanternas.

K. precisou dobrar diversas vezes a enorme folha de papel para protegê-la do vento. Então ele leu: "Para o Agrimensor, à Pousada da Ponte. Eu agradeço as pesquisas que tem realizado até agora. O trabalho de seus assistentes também é digno de honra; você sabe como mantê-los ocupados. Não desista de seu zeloso trabalho! Traga uma conclusão feliz para seu trabalho! Qualquer interrupção seria incômoda para mim. Além disso, fique tranquilo, pois a questão sobre sua remuneração será resolvida em breve. Estou vigiando você". K. não retirou os olhos da carta até que os assistentes, que estavam lendo muito mais lentamente do que ele, deram três vivas de alegria para celebrar as boas notícias.

– Acalmem-se – ele disse. E continuou para Barnabé: – Isso é um mal-entendido.

Barnabé não entendeu o que ele quis dizer.

– É um mal-entendido – repetiu K., e todo o cansaço daquela tarde voltou.

O caminho para a escola parecia tão longo, toda a família de Barnabé apareceu com ele, e os assistentes ainda estavam aglomerados com K., tão perto que ele os acotovelou para fora do caminho. Como Frieda podia tê-los enviado para encontrá-lo quando ele já havia pedido que ficassem com ela? Ele teria encontrado o caminho de casa sozinho, e com mais facilidade do que com aquele grupo. Além do mais, um dos assistentes havia enrolado um lenço no pescoço, e suas pontas estavam voando com o vento e batendo no rosto de K. diversas vezes. O outro assistente seguia retirando o lenço do rosto de K. com seus dedos longos, pontudos e ágeis, mas isso não ajudou em nada. Ambos pareciam apreciar esse vai e volta, e estavam todos animados pelo vento e a noite selvagem.

– Vão embora! – gritou K. – Se estavam vindo me encontrar, por que não trouxeram minha bengala? O que vou usar agora para conduzi-los até em casa?

Eles se esconderam atrás de Barnabé, mas eles não estavam com tanto medo a ponto de não colocar suas lanternas sobre os dois ombros de seu protetor, pela direita e pela esquerda. Ele logo os afastou.

— Barnabé — disse K.

K ficava triste por ver que Barnabé não o compreendia e, embora em tempos tranquilos, ele parecesse ser muito inteligente, não era possível contar com sua ajuda em assuntos sérios, somente uma resistência muda, e não havia como resistir a essa resistência também, pois o próprio Barnabé era indefeso, apenas seu sorriso brilhava, mas isso o ajudava pouco, assim como as estrelas no céu contra o vento tempestuoso ali embaixo.

— Olhe o que o cavalheiro diz para mim — disse K., segurando a carta diante de Barnabé. — O cavalheiro foi mal informado. Eu não realizei nenhuma pesquisa, e você pode ver por si mesmo o que meus assistentes realmente valem. Claramente não posso interromper o trabalho que não estou fazendo, e nem mesmo posso aborrecer o cavalheiro, então como posso ter ganhado seu afeto? E sinto que não posso ficar tranquilo com nada.

— Vou passar essa mensagem adiante — disse Barnabé, que não estava olhando para a carta durante todo esse tempo. De qualquer forma, ele não poderia tê-la lido, pois K. a segurava perto demais de seu rosto.

— Ah, sim? — disse K. — Você promete passar adiante o que lhe digo, mas será que posso realmente acreditar em você? Eu preciso tanto de um mensageiro confiável... Agora mais do que nunca! — E K. mordeu os lábios, impaciente.

— Senhor — disse Barnabé, curvando a cabeça levemente, de uma forma que quase tentou K. a acreditar nele novamente. — Senhor, certamente passarei adiante o que você diz, e certamente entregarei aquela última mensagem que me passou.

— O quê? — exclamou K. — Você quer dizer que ainda não a entregou? Não foi até o castelo no dia seguinte?

— Não — disse Barnabé. — Meu querido pai é um homem velho, você mesmo o viu, e temos muito trabalho em casa, precisei ajudá-lo, mas logo irei até o castelo novamente.

— Mas no que está pensando, camarada? — exclamou K., batendo com a mão em sua testa. — Os negócios de Klamm não vêm antes de tudo? Você ocupa a nobre posição de mensageiro, e é assim que a executa? Quem se importa com o trabalho de seu pai? Klamm está esperando por notícias e, em vez disso, você prefere arrumar os estábulos!

– Meu pai é sapateiro – disse Barnabé sem intimidar-se. – Ele tinha pedidos de Brunswick, e eu sou o artífice de meu pai.

– Sapateiro... pedidos... Brunswick – reclamou K., inflexível, como se rejeitasse cada uma dessas palavras para sempre. – E quem aqui precisa de botas para estradas que estão sempre vazias? E por que me importa todas essas coisas sobre sapateiros? Não lhe entreguei uma mensagem para ser destinada ao esquecimento e confusão no banco de um sapateiro, mas, sim, para que pudesse entregá-la imediatamente para o cavalheiro.

Nesse momento, K. acalmou-se um pouco, pois ocorreu a ele que todo esse tempo Klamm provavelmente não havia estado no castelo, e sim na Pousada do Castelo. No entanto, Barnabé levantou sua ira novamente quando começou a recitar a primeira mensagem de K. para mostrar o quanto ele se lembrava dela.

– Tudo bem, isso serve – disse K.

– Não fique nervoso, senhor – disse Barnabé e, como se inconscientemente quisesse punir K., desviou os olhos dele e olhou para baixo, mas era provavelmente por desânimo com a forma com que K. estava gritando.

– Eu não estou nervoso com você – disse K. e, de fato, agora sua raiva havia se virado contra si mesmo. – Não contra você pessoalmente, mas não é algo bom para mim ter apenas um mensageiro assim para meus negócios importantes.

– Bem, veja só – disse Barnabé, e parecia que em sua ansiedade para defender sua honra como mensageiro ele estivesse falando mais do que deveria –, é dessa forma. Klamm não espera mensagens, na verdade, ele fica muito mal-humorado quando as entrego. Ele diz: "Mais mensagens novamente?" e, quando me vê de longe normalmente fica em pé, vai para outra sala e não me recebe. E não é algo estabelecido que devo ir logo entregar cada mensagem... Se fosse algo estabelecido, eu iria logo, mas não é e, se eu nunca fosse até lá com uma mensagem, ninguém iria cobrar. Se levo uma mensagem, faço por minha própria vontade.

– Muito bem – disse K., observando Barnabé e deliberadamente sem olhar para os assistentes, que se revezavam surgindo como se fosse da escuridão atrás dos ombros de Barnabé, e rapidamente agachando-se novamente com um pequeno assobio imitando o vento, como se assustados ao ver K. Eles se distraíram assim por algum tempo.

– Muito bem, não sei como Klamm pode se sentir, mas duvido que você saiba de tudo lá de cima com detalhes e, mesmo se soubesse, não há nada que poderíamos fazer para melhorar as coisas. Mas você pode levar uma mensagem, e é isso que quero que faça. Uma mensagem muito curta. Pode levá-la amanhã e trazer-me a resposta amanhã mesmo, ou pelo menos contar-me como foi recebido? Você pode fazer e fará isso? Seria muito importante para mim. E talvez eu ainda possa ter a chance de agradecê-lo de forma adequada, ou talvez você já tenha um desejo que eu possa atender.

– Certamente entregarei sua mensagem – disse Barnabé.

– E tentará levá-la da melhor maneira possível, para entregá-la para o próprio Klamm, receber a resposta do próprio Klamm e fazer tudo isso amanhã, amanhã de manhã. Você fará isso?

– Farei o meu melhor – disse Barnabé. – Sempre faço.

– Bem, então não discutiremos mais isso – disse K. – Essa é a mensagem: K, o agrimensor, solicita ao chefe-executivo, Gabinete X, que lhe permita falar com ele pessoalmente; ele se compromete desde o princípio a aceitar qualquer condição ligada a tal permissão. Foi forçado a fazer esse pedido porque, até agora, todos os intermediários falharam completamente e, como prova disso, ele gostaria de mencionar que ainda não realizou nenhuma pesquisa e, pelo que o prefeito do vilarejo disse, nunca irá; então, foi com desespero e vergonha que ele leu a última carta do chefe-executivo, e apenas uma entrevista pessoal com o chefe-executivo poderá ajudá-lo aqui. O agrimensor sabe o quanto está pedindo, mas irá fazer tudo o que puder para incomodar o chefe-executivo o menos possível, concordará com qualquer restrição no momento da entrevista e, se for considerado necessário, concordará em utilizar um número estabelecido de palavras. Ele considera que poderá fazê-lo com dez palavras. Com profundo respeito e grande impaciência, aguarda sua decisão. Esquecendo-se de si mesmo, K. havia falado como se estivesse na porta de Klamm falando com seu porteiro.

– Bem, ficou muito mais longa do que eu desejava – ele acrescentou –, mas você deve entregá-la oralmente, eu não escreverei uma carta que apenas seria colocada na jornada sem fim entre os arquivos.

Então K. colocou tudo em um pedaço de papel, apenas para ajudar Barnabé, apoiando o papel nas costas de um dos assistentes, enquanto o outro segurava uma lanterna para ele. No entanto, K. foi capaz de escrevê-la ao ouvi-la sendo ditada por Barnabé, que se lembrava de cada palavra e recitou-as tão meticulosamente quanto um aluno, sem perceber como os assistentes estavam falando tudo errado.

– Sua memória é notável – disse K., entregando-lhe o papel. – Então, por favor, mostre-se notável em outros aspectos também. E quanto a seus próprios desejos? Você não tem nenhum? Vou ser franco, eu ficaria mais tranquilo sobre o destino da mensagem se você de fato quisesse algo em troca.

No início, Barnabé ficou em silêncio, mas depois disse:
– Minhas irmãs mandaram lembranças.
– Suas irmãs – disse K. – Ah, sim! Aquelas moças altas, fortes.
– As duas mandaram lembranças, mas principalmente Amália – disse Barnabé. – E ela também lhe trouxe essa carta do castelo hoje.

Agarrando-se a esse pedaço de informação acima de tudo, K. perguntou:
– E ela não poderia levar minha mensagem até o castelo também? Ou vocês dois não poderiam ir, para tentar a sorte separadamente?
– Amália não pode entrar nos escritórios – disse Barnabé. – Se não fosse assim, tenho certeza de que ela ficaria feliz em fazê-lo.
– Talvez o visite amanhã – disse K. – Mas venha me ver primeiro com a resposta. Eu o esperarei na escola. E mande lembranças minhas para suas irmãs também.

As palavras de K. pareceram deixar Barnabé muito feliz e, depois de cumprimentarem-se, ele tocou levemente nos ombros de K. Como se tudo estivesse de volta à maneira que era quando Barnabé, em toda sua elegância, apareceu pela primeira vez entre os camponeses no bar da pousada, K. sentiu que aquele toque, embora fosse dado com um sorriso, era um sinal de distinção. Ele estava menos aborrecido agora, e permitiu que os assistentes fizessem o que queriam no caminho de volta.

II
Na escola

Ele chegou à escola congelado. Tudo estava escuro, as velas das lamparinas já haviam se apagado, e ele conseguiu entrar em uma das salas de aulas com a ajuda dos assistentes, que conheciam o lugar.

– Seu primeiro trabalho bem feito – ele lhes disse, lembrando-se da carta de Klamm.

Frieda, ainda meio adormecida, falou de um dos cantos da sala:

– Deixem K. dormir! Não o perturbem! – Pois K. ocupava sua mente até mesmo quando ela estava tão tomada pelo sono que não conseguia esperar por ele.

Agora uma lamparina havia sido acesa, embora não pudesse aumentar seu fogo, porque havia pouca parafina. Ainda faltavam muitas coisas em sua nova casa. Havia aquecimento, mas a ampla sala, que também era utilizada como ginásio da escola – os aparelhos de ginástica estavam em todos os lados e pendurados no teto –, já havia consumido toda a madeira para o forno. K. tinha certeza de que já estivera aconchegante e aquecido, mas infelizmente agora já havia se esfriado completamente. Havia um bom suprimento de lenha em um galpão, mas estava trancado e o professor, que permitia que a lenha fosse usada para aquecer as salas somente durante o período de aulas, tinha a chave. Eles poderiam suportar isso se ao menos houvesse camas onde pudessem abrigar-se. No entanto, não havia nada além de um único colchão de palha, coberto por um xale de lã feito por Frieda, esticado de forma muito arrumada; mas não havia edredom, apenas dois cobertores duros e grosseiros, que mal aqueciam. Os assistentes olhavam com cobiça até mesmo para aquele coitado colchão de palha, mas é claro que eles não tinham nenhuma esperança de deitar sobre ele. Frieda olhava ansiosamente para K.; ela já havia demonstrado na Pousada da Ponte que poderia transformar até mesmo o mais miserável quarto em um local apropriado para se viver, mas ela não pôde fazer muita coisa ali, totalmente sem recursos.

– Os aparelhos de ginástica é tudo o que temos para decorar nosso quarto – ela disse, tentando sorrir em meio às lágrimas.

Ela prometeu a K. que iria fazer algo a respeito do que eles mais necessitavam, camas para dormir e combustível para aquecer a sala no dia seguinte, e pediu que ele esperasse pacientemente até lá. Nenhuma palavra, nenhum indício, nenhum olhar em seu rosto sugeria que ela sentia a menor amargura em seu coração em relação a K., embora ele não pudesse deixar de pensar que a havia tirado da Pousada do Castelo e, agora, da Pousada da Ponte. Então K. fez o seu melhor para tentar achar tudo tolerável, o que não era muito difícil para ele, porque sua mente estava com Barnabé, revisando sua mensagem novamente, palavra por palavra, embora não exatamente como ele havia entregado a Barnabé, mas como ele pensou que iria soar para Klamm. No entanto, ao mesmo tempo, ele estava realmente feliz com o café que Frieda havia feito em um queimador a álcool e, inclinando-se sobre o fogão, que agora esfriava, ele observou seus movimentos rápidos e espertos enquanto ela estendia a inevitável toalha branca sobre a mesa do professor, a qual cumpria seu papel como uma mesa, colocava uma xícara de café florida e, ao lado dela, pão e bacon, e até mesmo uma lata de sardinhas. Agora tudo estava pronto. Frieda não havia comido ainda, esperando pela volta de K. Havia duas cadeiras, as quais K. e Frieda colocaram próximas da mesa, enquanto os assistentes sentaram-se sobre um tablado, mas não paravam quietos, até mesmo comendo eles eram um incômodo. Embora eles tivessem sido servidos com boas porções de tudo, e não houvessem terminado o que estava em seus pratos, eles se levantavam de vez em quando para ver se havia o suficiente na mesa para que pudessem repetir. K. não reparou neles, e somente a risada de Frieda atraiu sua atenção para eles. Ele cobriu a mão dela com a sua, afetuosamente, sobre a mesa, e perguntou-lhe por que ela os deixava agir assim, aturando até seus maus hábitos de forma amigável. Dessa forma, ele disse, eles nunca se livrariam dos assistentes, enquanto uma certa quantidade de tratamento mais severo, como aquele comportamento merecia, poderia permitir que ele mantivesse o controle sobre eles, ou, o mais provável e ainda melhor, fazê-los odiar tanto sua função, que enfim fossem embora.

A escola não parecia ser um lugar agradável para se morar; bem, seu tempo ali não seria muito longo, mas, se os assistentes não estivessem por perto e eles dois ficassem sozinhos naquele lugar silencioso, nem se importariam com o que estava faltando. Será que ela não percebeu, ele perguntou, que os assistentes ficavam mais impertinentes a cada dia, como se fossem de fato encorajados pela presença de Frieda e a esperança de que K. não iria atacá-los na frente dela, como se ele fosse capaz de fazer isso. Além disso, poderia existir um modo perfeitamente simples de livrar-se deles de uma vez por todas, sem cerimônia. Talvez Frieda, que conhecia esse lugar tão bem, pudesse saber de alguma coisa. E eles realmente estariam fazendo um favor se os afastassem de alguma forma, pois a vida que eles estavam levando ali não era muito confortável, e eles precisariam abrir mão, pelo menos até certo ponto, da ociosidade de que haviam desfrutado por tanto tempo, porque eles teriam que trabalhar, enquanto Frieda precisava descansar de todos os altos e baixos dos últimos dias, e ele, K., estaria ocupado procurando um modo de escapar do sofrimento da presença deles. Entretanto, se os assistentes fossem embora, ele disse, iria sentir-se tão aliviado, que facilmente poderia assumir as tarefas de um zelador escolar e também de todo o resto.

Frieda, que o ouvia atentamente, acariciou seu braço suavemente, e disse que ela concordava com tudo aquilo, mas que talvez ele se importasse demais com os maus hábitos dos assistentes; eles eram jovens, animados e um pouco simples, colocados a serviço de um desconhecido pela primeira vez, longe da severa disciplina do castelo e, portanto, um pouco surpresos e animados o tempo todo, e nessa linha de pensamento, sim, eles faziam algumas tolices. É claro que era natural irritar-se com isso, mas seria mais sensível apenas rir. Às vezes ela mesmo não conseguia evitar rir deles. Da mesma forma, concordava totalmente com K., ela disse, que seria melhor mandá-los embora, e assim seriam apenas os dois. Ela se aproximou de K. e escondeu seu rosto contra o ombro dele. E, ainda naquela posição, ela disse, em uma voz tão abafada que K. precisou abaixar-se para ouvi-la, que não, ela não sabia de nenhuma forma de livrar-se dos assistentes, e que temia que nenhuma das ideias que K. sugeriu fossem funcionar. Ela disse que, até onde sabia, o próprio K. havia pedido os assistentes e, agora que ele os tinha, precisaria ficar com eles. Podia ser uma boa ideia simplesmente aceitá-los como o casal leve que eram, essa seria a melhor forma de aturá-los, ela disse. K. não ficou feliz com essa resposta. Com um pouco de seriedade e um pouco de brincadeira, ele disse que ela parecia estar associada a eles, ou pelo menos parecia gostar muito deles; bem, eles eram companheiros com uma boa aparência, mas não havia ninguém de quem não era possível livrar-se, se você realmente pensar sobre aquilo, e ele iria provar isso para ela a respeito dos assistentes.

Frieda disse que ela seria muito grata a ele, se conseguisse isso, e prometeu que dali em diante não iria rir deles ou falar qualquer palavra desnecessária com eles. Ela não achava que tinha motivos para rir deles naquele momento, e realmente não era engraçado ser observada por dois homens o tempo todo; sim, ela disse, havia aprendido a vê-los através dos olhos dele. E, então, Frieda pulou levemente quando os assistentes levantaram-se novamente, em parte para ver quanta comida ainda havia, e em parte para descobrir sobre o que eram todos aqueles sussurros.

K. aproveitou esse momento para tirar o pensamento de Frieda dos assistentes; ele aproximou-se dela, e eles terminaram sua refeição bem próximos um do outro. Era hora de dormir, e todos estavam muito cansados; um dos assistentes havia dormido sobre seu jantar, o que divertiu muito o outro, que tentava fazer seu mestre e sua companheira olharem para o rosto estúpido do homem adormecido, mas não conseguiu, pois K. e Frieda estavam sentados acima dele e não responderam. Eles hesitaram em dormir no frio, que estava tornando-se insuportável, e finalmente K. disse que realmente precisavam de algum aquecimento, ou seria impossível dormir. Ele procurou algum tipo de machado. Os assistentes sabiam onde encontrar um, e o trouxeram, e assim foram para o depósito. Sua porta fina logo foi quebrada, e os assistentes, satisfeitos como se nunca houvessem se divertido tanto, começaram a carregar a madeira para dentro da sala de aula, perseguindo-se e empurrando-se. Logo, havia uma grande pilha de lenha, o fogão foi aceso, e todos estavam ao redor dele. Os assistentes receberam um dos cobertores para que pudessem enrolar-se neles, o que foi o bastante, pois eles haviam concordado que um deles deveria permanecer acordado para manter o fogo aceso. Depois de um tempo, os arredores do fogão estavam tão quentes que não precisavam mais de cobertores. A lamparina foi apagada, e K. e Frieda, felizes por estarem aquecidos e quietos, deitaram-se para dormir.

Quando um som acordou K. durante a noite, e em seu primeiro movimento incerto, meio adormecido, ele tateou procurando por Frieda, viu um dos assistentes dormindo ao seu lado. Isso, provavelmente como resultado de seu mau humor por ter sido acordado repentinamente, foi o maior choque que ele teve até aquele momento no vilarejo. Com um grito, ele se levantou e, em uma fúria cega, deu um soco tão forte no assistente que o homem começou a chorar. Logo, todo o assunto foi esclarecido. Frieda havia sido acordada quando um grande animal – ou era isso que parecia para ela –, provavelmente um gato, pulou sobre seu peito e depois fugiu. Ela havia levantado, e estava procurando o animal por toda a sala com uma vela. O assistente aproveitou a oportunidade para desfrutar do colchão de palha por um tempo, e pagou caro por isso. No entanto, Frieda não encontrou nada; talvez ela tenha apenas imaginado tudo aquilo, e agora voltava para K. Em seu caminho, como se houvesse esquecido da conversa daquela noite, ela confortavelmente acariciou o cabelo do assistente choroso enquanto ele estava agachado no chão. K. não falou nada sobre isso, mas disse ao assistente para parar de colocar o combustível no fogão, pois quase toda a lenha da pilha já havia sido queimada, e a sala estava quente demais.

Na manhã seguinte, nenhum deles havia acordado até que o primeiro aluno chegou e ficou em pé ao lado do lugar onde eles dormiam, repleto de curiosidade. Isso foi estranho, pois, como resultado do calor, embora naquele momento ele já houvesse dado lugar ao ar frio novamente, todos eles estavam despidos, em suas roupas íntimas e, quando começaram a vestir-se, a srta. Gisa, a professora-assistente, uma moça loira, alta e linda, com uma certa inflexibilidade em seus modos, apareceu na porta.

Ela obviamente estava preparada para o novo zelador, e o professor provavelmente havia dito a ela como tratá-lo, pois ainda da porta ela disse:

– Eu não posso acreditar nisso. Que bonito! Você tem permissão para dormir na sala de aula, mas é só isso; não é meu dever ensinar as crianças em seu quarto. Um zelador escolar e sua família deitados até a metade da manhã! Que vergonha!

Bem, K. pensou que poderia ter dito uma coisa ou outra sobre isso, particularmente sobre as camas e sobre sua família, enquanto ele e Frieda – os assistentes eram inúteis ali, e estavam deitados no chão olhando para a professora e as crianças – rapidamente juntavam as barras paralelas e o cavalo, e colocavam os cobertores sobre eles, criando, assim, um pequeno lugar onde poderiam ao menos vestir-se longe dos olhos das crianças. Não que tivessem tido um momento de paz; primeiro a professora-assistente ficou aborrecida porque não havia água fresca no lavatório – K. estava pensando em buscar água para ele e Frieda, mas desistiu da ideia por um tempo, para não irritar ainda mais a professora-assistente. No entanto, abandonar essa ideia não ajudou, pois logo houve outro problema. Infelizmente, eles haviam se esquecido de limpar as sobras de seu jantar, e agora a srta. Gisa estava derrubando tudo da mesa do professor com sua régua. Caiu tudo no chão. A professora não iria se importar com o fato de o óleo da sardinha e as sobras de café caírem no chão, e o bule ter se quebrado em diversos pedaços; afinal, o zelador iria limpar tudo. Sem vestir-se completamente, K. e Frieda, apoiados sobre os aparelhos de ginástica, assistiam à destruição de seus poucos itens domésticos. Os assistentes, que claramente não pretendiam se vestir, surgiram de sob os cobertores, para a diversão das crianças. O que mais aborreceu Frieda, é claro, foi a perda de seu bule e, somente quando K., para consolá-la, garantiu que iria até o prefeito do vilarejo para pedir uma reposição, e conseguir um, ela se sentiu melhor o bastante para sair de seu cômodo, ainda vestindo apenas sua camisa e anágua, e recuperar sua toalha de mesa e impedir que ela fosse ainda mais destruída. E conseguiu, embora a professora, ao tentar alarmá-la, continuou batendo na mesa com sua régua, de forma muito irritante.

Quando K. e Frieda vestiram-se, eles precisaram chamar os assistentes, que pareciam estar bem atordoados com os acontecimentos, para se vestirem, dando ordens e empurrando-os, e tiveram que ajudá-los a se vestir também. Então, quando todos estavam prontos, K. compartilhou as próximas tarefas: os assistentes deveriam buscar lenha e aquecer os fogões, indo primeiro para a outra sala de aula, uma fonte de grande perigo, pois o professor provavelmente estava lá naquele momento. Enquanto isso, Frieda iria limpar o chão, e K. iria buscar água e arrumar tudo. Eles ainda não conseguiam pensar em tomar café da manhã. K. queria sair de seu abrigo primeiro, para descobrir como era o temperamento da professora-assistente em geral, e os outros deveriam sair somente depois que ele os chamasse. Um dos motivos para ele tomar essa decisão foi que não queria que a situação piorasse, por causa das tolices dos assistentes, e outro era para poupar Frieda o máximo possível; ela tinha grandes ambições, ele não; ela era sensível, ele não; ela pensava apenas em seus desconfortos do presente, enquanto ele pensava em Barnabé e no futuro. Frieda fez como ele havia dito, e mal tirou seus olhos dele.

Assim que ele saiu da sala, a professora-assistente perguntou, acompanhada pelas risadas das crianças, que pareciam que nunca iriam terminar:

– Ah, vocês dormiram fora, não é?

Quando K. ignorou, pois não era exatamente uma pergunta, e foi até o lavatório, a srta. Gisa perguntou:

– O que fizeram com meu gatinho?

Um gato enorme e gordo estava se esticando no lavatório, e a srta. Gisa examinava uma de suas patas, que estava claramente machucada. Então Frieda estava certa; o gato não havia pulado sobre ela, pois provavelmente não conseguia mais pular, mas subiu nela, assustou-se ao encontrar pessoas na escola, normalmente vazia, e saiu correndo para esconder-se, ferindo-se em sua pressa. K. tentou explicar aquilo para a srta. Gisa com calma, mas ela viu apenas o resultado dos acontecimentos e disse:

– Vocês feriram o meu gatinho, é assim que começaram seu trabalho aqui. Olhe isso! – E ela chamou K. até a mesa, mostrou-lhe a pata e, antes que ele soubesse o que ela ia fazer, ela passou a pata sobre a mão dele, arranhando-o. As garras do gato estavam sem corte, com certeza, mas a srta. Gisa, sem pensar no gato, pressionou-as com tanta força que elas deixaram vergões com sangue. – Agora, continue com o seu trabalho – ela disse, impaciente, debruçando-se sobre o gato novamente.

Frieda, que estava vendo tudo com os assistentes atrás dos aparelhos, gritou ao ver o sangue. K. mostrou a mão para as crianças e disse:

– Pronto, vejam só o que um terrível gato sorrateiro fez comigo.

É claro que ele não queria dizer aquilo para as crianças, cujos gritos e risadas agora estavam tão independentes de todo o resto que não precisavam de mais nada para despertá-los, e nenhuma palavra conseguia atingi-los ou obrigá-los a fazer qualquer coisa. Mas quando a srta. Gisa respondeu essa retaliação apenas com um breve olhar na direção de K. e continuou cuidando do gato, tendo, aparentemente, satisfeito seu primeiro golpe de raiva ao arranhá-lo, K. chamou Frieda e o assistente e eles começaram a trabalhar.

Depois que K. retirou o balde de água suja, buscou água fresca e começou a varrer a sala de aula, um garoto de quase 12 anos levantou-se de um banco, tocou a mão de K. e, com todo o barulho, disse algo que ele não conseguiu entender. Então o barulho parou de repente. K. virou-se. Ali estava o que ele temia a manhã toda. O professor, um homem pequeno como era, estava parado na entrada da porta segurando os assistentes pelo colarinho, um em cada mão. Ele provavelmente os pegou buscando lenha, pois falou nervosamente, em uma voz de trovão, pausando após cada palavra:

– Quem se atreveu a invadir o depósito de madeira? Onde está o homem? Deixe-me esmagá-lo como ele merece!

Frieda levantou-se do chão, que ela estava tentando limpar ao redor dos pés da srta. Gisa, olhou para K., como se pudesse ganhar forças com aquela visão, e disse, com um pouco de sua antiga dignidade em sua voz, admitindo:

– Fui eu, senhor. Eu não conseguia pensar em mais nada para fazer. Se as salas de aula precisavam estar aquecidas esta manhã, precisávamos abrir o depósito, e não me atreveria a ir até você durante a noite para buscar a chave. Meu noivo havia saído para a Pousada do Castelo, era possível que talvez passasse a noite lá, então tive que tomar a decisão sozinha, se agi errado, deve perdoar minha inexperiência. Já fui muito repreendida por meu noivo quando ele viu o que aconteceu. Na verdade, ele até mesmo me proibiu de esquentar as salas mais cedo, porque pensou que o fato de você ter trancado o depósito era porque não as quisesse aquecidas até que você mesmo chegasse. Então, o fato de elas não estarem aquecidas é culpa dele, mas o arrombamento no depósito é minha culpa.

– Quem quebrou a porta? – o professor perguntou para os assistentes, que ainda estavam tentando se livrar de suas garras, mas em vão.

– Aquele homem – ambos disseram e apontaram para K., sem deixar dúvidas sobre o assunto.

Frieda riu, e essa risada pareceu mais convincente do que suas palavras. Então, ela começou a torcer no balde o pano que havia usado para lavar o chão, como se sua explicação fosse o fim do incidente, e o que os assistentes disseram fosse apenas uma piada.

Somente quando estava se ajoelhando novamente para continuar com o trabalho, ela disse:

– Nossos assistentes não passam de crianças e, apesar de sua idade, eles ainda pertencem às carteiras escolares. Eu quebrei a porta com o machado sozinha ontem à noite. Foi muito simples, e não precisei da ajuda dos assistentes. Eles apenas ficariam no caminho. Mas então, durante a noite, meu noivo voltou e saiu para ver o tamanho do dano e repará-lo se possível, e os assistentes foram com ele, provavelmente com medo de ficar aqui sozinhos; eles viram meu noivo trabalhando na porta quebrada, e é por isso que dizem isso agora. Como eu disse, eles são apenas crianças por dentro.

Embora os assistentes continuassem balançando a cabeça enquanto Frieda explicava, apontassem para K. novamente e tentassem fazer Frieda mudar de ideia por meio de mímica, finalmente cederam, aceitaram as palavras de Frieda como uma ordem e não responderam a mais nenhuma pergunta do professor.

– Muito bem, então – o professor disse para eles. – Então vocês estavam mentindo? Ou culparam o zelador da escola só por negligência?

Eles ficaram em silêncio, mas seus tremores e olhares ansiosos pareceram demonstrar que sabiam que eram culpados.

– Então lhes darei uma surra imediatamente – disse o professor, e então mandou uma criança até a outra sala para buscar sua bengala.

Quando ele a levantou, Frieda gritou:

– Não, os assistentes estavam falando a verdade! – E jogou seu pano no balde, desesperada, fazendo a água espirrar. Então ela correu para trás dos aparelhos e se escondeu lá.

– Que bando de mentirosos – disse a srta. Gisa, que havia acabado de fazer um curativo na pata de seu gato, e agora segurava o animal no colo, para o qual ele parecia ser grande demais.

– Então só nos resta o zelador – disse o professor, empurrando os assistentes e virando-se para K., que estava ouvindo, apoiado em sua vassoura o tempo todo. – O zelador, que é covarde o bastante para permitir que outros levem a culpa por seus próprios truques esfarrapados.

– Bem – disse K., percebendo que a intervenção de Frieda havia de fato abrandado a fúria inicial do professor. – Se os assistentes tivessem recebido uma pequena surra, não me incomodaria; eles já se livraram de punições uma dúzia de vezes quando mereciam, então bem que poderiam pagar por isso com uma surra em uma ocasião em que não mereciam. No entanto, há outros motivos pelos quais eu ficaria feliz de evitar uma discussão direta entre mim e você, senhor. E talvez você também ficasse feliz. Mas, já que Frieda me sacrificou em favor dos assistentes – disse K., com uma pausa e, no silêncio, era possível ouvir Frieda chorando atrás dos cobertores –, precisamos esclarecer as coisas.

— Isso é ultrajante — disse a professora-assistente.

— Concordo completamente com você, srta. Gisa — disse o professor. — É claro que você está dispensado como zelador da escola imediatamente por essa vergonhosa negligência de deveres. Eu reservo o direito de decidir qual punição se seguirá, mas agora saia de uma vez por todas, com todos os seus pertences. Será um grande alívio para nós, e enfim poderemos começar as aulas. Então, apresse-se!

— Não vou sair deste lugar — disse K. — Você é meu superior aqui, mas não foi você quem me nomeou para esse cargo, foi o prefeito, e aceito a dispensa somente por ele. E ele também não me nomeou para ter minha casa e para que eu morresse de frio neste lugar, mas, como você mesmo disse, para me manter longe de qualquer ato que eu pudesse cometer em meu desespero. Então, dispensar-me agora iria contrariar diretamente suas intenções e, até que eu ouça isso do próprio prefeito, não irei acreditar. Além disso, será muito melhor para você se eu não concordar com minha demissão impensada.

— Você quer dizer que não vai embora? — perguntou o professor. K. concordou com a cabeça. — Pense com cuidado — disse o professor. — Suas decisões nem sempre são as mais sábias; pense, por exemplo, sobre ontem, quando você se recusou a responder as questões na audiência.

— Por que está mencionando isso agora? — perguntou K.

— Porque senti vontade — disse o professor. — E agora, pela última vez, eu repito: saia daqui!

Mas, quando isso também não teve nenhum efeito, o professor foi até a mesa da srta. Gisa e consultou sua assistente silenciosamente. Ela disse algo sobre a polícia, mas o professor não queria aquilo, e finalmente concordaram. O professor disse para as crianças irem até sua sala, pois elas teriam aulas com o outro grupo de crianças, uma mudança que agradou todas elas. A sala foi esvaziada entre risadas e gritos, com o professor e a assistente logo atrás. A srta. Gisa carregava o livro de presença da classe, com o gato corpulento e totalmente apático sobre ele. O professor preferiria ter deixado o gato para trás, mas uma sugestão sobre isso foi firmemente rejeitada pela srta. Gisa, com uma referência à crueldade de K., e isso concluiu suas ofensas contra K. ao colocar o peso do gato sobre o professor, um fato que provavelmente afetou as últimas palavras deste, enquanto estava na porta.

– A srta. Gisa foi obrigada a deixar esta sala com as crianças porque você é insubmisso e se recusa a ir embora quando o dispenso, e ninguém espera que ela, uma jovem, dê aulas em meio a suas arrumações domésticas sujas. Portanto, você ficará sozinho, e pode fazer o que quiser nesta sala, sem ser perturbado pela aversão de todos os espectadores. Mas não será por muito tempo. Guarde bem o que estou dizendo.

Com isso, bateu a porta.

12
Os assistentes

Assim que todos foram embora, K. disse para os assistentes:
– Vão embora, vocês dois! Surpresos por essa ordem inesperada, eles obedeceram, mas, quando K. trancou a porta, tentaram voltar, e ficaram do lado de fora, lamentando e batendo.
– Vocês estão dispensados! – exclamou K. – Nunca mais os aceitarei novamente a meu serviço.
Eles não ficaram felizes com isso, e esmurraram a porta com suas mãos e pés.
– Deixe-nos voltar, senhor! – eles pediam, como se K. fosse uma terra seca e eles estivessem afundando em um rio próximo. Mas K. estava implacável. Ele esperou pacientemente até que o som desagradável forçasse o professor a interferir, e logo ele o fez.
– Deixe seus assistentes malditos entrarem! – gritou ele.
– Eu já os dispensei – K. respondeu, gritando, o que produziu um efeito colateral não esperado de mostrar ao professor o que acontecia quando se é forte o bastante não apenas para dar um aviso para alguém, mas para também ter certeza de que esse alguém fosse embora.

O professor tentou acalmar os assistentes ao falar gentilmente com eles, falando para esperarem ali – afinal, K. teria que deixá-los entrar novamente. Então ele se afastou. Tudo poderia ter permanecido quieto se K. não tivesse começado a gritar com os assistentes novamente, dizendo que estavam dispensados de uma vez por todas, sem a menor esperança de voltar. Com isso, eles começaram a fazer tanto barulho quanto antes. O professor voltou, mas não conversou mais com eles, apenas os levou para fora da casa, obviamente com a tão temida bengala.

Logo, eles apareceram na janela do ginásio da escola, batendo na vidraça e gritando, mas não era mais possível distinguir suas palavras. Eles não ficaram ali por muito tempo; não conseguiam pular na neve bem o suficiente para expressar sua inquietação. Então correram até a cerca ao redor do jardim da escola, escalaram sua base de pedra, de onde eles tinham uma visão melhor da sala, embora apenas de longe, correram pela base, agarrando-se à cerca, e então pararam novamente e apertaram suas mãos, implorando para K. Eles ficaram assim por um bom tempo, ignorando a futilidade de seus esforços. Como se estivessem cegos, provavelmente continuaram mesmo quando K. fechou as cortinas para livrar-se daquela visão.

Na luz agora fraca da sala, K. foi até os aparelhos de ginástica procurar por Frieda. Sob seus olhos, ela levantou-se, arrumou seu cabelo, secou seu rosto e, em silêncio, colocou café para aquecer. Embora ela já soubesse, K. disse-lhe formalmente que havia dispensado os assistentes. Ela apenas balançou a cabeça. K. sentou-se em um dos bancos e observou seus movimentos cansados. Era sua vivacidade e determinação que levavam beleza para seu corpo magro, e agora aquela beleza não estava mais lá. Alguns dias vivendo com K. haviam sido o suficiente para fazer isso. Seu trabalho no bar da pousada não era fácil, mas ela provavelmente o apreciava mais. Ou era o afastamento do círculo de Klamm o real motivo para seu declínio? Era a proximidade de Klamm que havia feito com que ela parecesse ser tão ridiculamente sedutora, e, seduzido como estava, K. a carregou em seus braços, onde ela agora estava definhando.

– Frieda – disse K.

Ela imediatamente abaixou o moedor de café e aproximou-se de K. no banco.

– Você está aborrecido comigo? – ela perguntou.

– Não – disse K. – Eu acho que você é assim. Estava vivendo feliz na Pousada do Castelo. Eu deveria tê-la deixado lá.

– Sim – disse Frieda, olhando triste para lugar nenhum. – Você deveria ter me deixado lá. Eu não sou digna de viver com você. Livre de mim, talvez possa conquistar tudo o que deseja. É falta de consideração minha fazer você submeter-se a esse professor tirano, aceitar esse trabalho miserável e passar por tantos problemas para conseguir uma entrevista com Klamm. Tudo por mim, e eu retribuo de maneira tão ruim.

– Não, não – disse K., colocando o braço em volta dela, para consolá-la. – Todas essas coisas são detalhes que não me incomodam, e não é só por sua causa que desejo ver Klamm. Penso no quanto você fez por mim! Antes de conhecê-la, eu estava completamente perdido aqui. Ninguém me aceitava e, se eu forçasse minha presença contra as pessoas, elas logo diziam adeus. E se eu pudesse encontrar paz com alguém, teria sido com aqueles a quem virei as costas, ou seja, Barnabé e sua família...

– Você fugiu mesmo deles, não foi? Oh, meu querido! – exclamou Frieda, interrompendo impulsivamente, mas, então, após um "sim" hesitante de K., ela mergulhou em apatia novamente. Mas o próprio K. não sentia mais a determinação necessária para explicar como as coisas se tornaram boas para ele por meio de sua ligação com Frieda.

Ele lentamente retirou o braço de sua cintura, e eles ficaram sentados ali em silêncio, até que Frieda, como se o braço de K. lhe tivesse dado um calor que era essencial para ela, disse:

– Eu não irei suportar mais esta vida aqui. Se quiser ficar comigo, precisamos ir embora, viajar, ir para qualquer lugar, para o sul da França, para a Espanha.

– Eu não posso viajar – disse K. – Vim para este lugar com o objetivo de ficar aqui, e farei isso. – E em um espírito de contradição que ele nem tentou explicar, disse, como para si mesmo: – O que poderia ter me atraído para esta parte do país desolada, a não ser um desejo de ficar aqui?

E acrescentou:

– Mas você deve querer ficar aqui também; é seu país, afinal. No entanto, sente falta de Klamm, e é isso que lhe traz desespero.

– Você acha que sinto falta de Klamm? – perguntou Frieda. – Há uma quantidade excessiva de Klamm aqui, há Klamm demais. Eu quero ir embora para que possa me afastar dele. É de você que eu sentiria falta, não de Klamm. É para o seu bem que quero ir embora, porque não tenho você o bastante aqui, onde todos estão me puxan-

do em direções diferentes. Eu preferiria que meu rosto bonito não estivesse aqui, eu preferiria que meu corpo se sentisse desprezível, contanto que eu pudesse viver em paz com você.
Tudo o que K. reuniu de tudo isso foi um único ponto.
– Klamm ainda está em contato com você, não está? – ele perguntou de uma vez. – Ele quer você de volta?
– Eu não sei nada sobre Klamm – disse Frieda. – Estou falando sobre outras pessoas agora, sobre os assistentes.
– Ah, os assistentes – disse K. surpreso. – Eles a incomodam?
– Você não percebeu? – perguntou Frieda.
– Não – disse K., e tentou pensar em algum detalhe, em vão. – Eles são inoportunos e voluptuosos, mas não, não percebi que eles a incomodavam.
– Não? – disse Frieda. – Você quer dizer que nunca notou que não tinha como tirá-los de nosso quarto na Pousada da Ponte, ou o modo invejoso como observavam o que fazíamos juntos, você não percebeu um dos dois deitados em meu lugar no colchão de palha, não ouviu as coisas que eles acabaram de falar sobre você agora mesmo, esperando afastá-lo, arruiná-lo, para ficar sozinhos comigo? Nunca notou nada disso?

K. olhou para Frieda sem responder. Sem dúvida, suas queixas sobre os assistentes eram justificadas, mas, em vista de sua natureza extremamente ridícula, infantil, inquieta e intemerata, tudo isso podia ser visto a uma luz mais inocente. E a forma com que sempre faziam o máximo para ir para qualquer lugar ao invés de ficar sozinhos com Frieda não contrariava sua acusação? K. falou algo sobre isso.

– Hipocrisia – disse Frieda. – Você não viu além disso? Por que os mandou embora se essa não foi a razão? – E ela foi até a janela, afastou um pouco a cortina, olhou para fora e então chamou K. até onde ela estava.

Os assistentes ainda estavam lá perto das grades; de tempos em tempos, cansados como estavam, ainda reuniam forças para levantar os braços e apontá-los, implorando, para a escola. Um deles havia prendido seu casaco em um prego na cerca, para não precisar segurar-se o tempo todo.

– Coitados! Coitados! – disse Frieda.

– Você perguntou por que os mandei embora? – perguntou K. – Bem, você foi a causa imediata.

– Eu? – perguntou Frieda, sem tirar os olhos da cena do lado de fora.

– Seu tratamento excessivamente amigável com os assistentes – disse K. – Perdoando seus truques, rindo deles, acariciando seus cabelos, sentindo pena deles o tempo todo. Você acabou de chamá-los de "coitados, coitados" novamente, e há pouco tempo estava pronta para me sacrificar para salvar os assistentes de uma surra.

– É exatamente isso – disse Frieda. – É exatamente sobre isso que estou falando, o que me faz infeliz e me afasta de você, embora eu não conheça uma felicidade tão grande do que quando estou com você o tempo todo, sem interrupção, sem fim; mas sinto em meus sonhos que não há um lugar na Terra onde nosso amor possa estar em paz, nem no vilarejo nem em lugar nenhum, e imagino uma cova profunda e estreita, onde estamos deitados abraçando um ao outro apertado, um nos braços do outro. Como se presos, eu enterro meu rosto em você, você enterra seu rosto em mim, e ninguém nunca mais nos verá novamente. Mas aqui... Olhe para os assistentes! Não é para você que eles estão implorando quando juntam suas mãos, é para mim.

– Bem, eu não vejo dessa forma – disse K. – Ainda que você veja.

– De fato eu vejo – disse Frieda quase nervosa. – É isso que falo para você. Por que mais os assistentes estariam atrás de mim? Mesmo sendo enviados de Klamm...

– Enviados de Klamm? – disse K. muito surpreso por essa ideia, embora, na mesma hora, tenha lhe parecido muito natural.

– Sim, enviados de Klamm, com certeza – disse Frieda. – Mas, mesmo que eles sejam, também são rapazes muito tolos, precisam de uma boa surra para ensinar-lhes uma lição. Que jovens feios e sujos eles são, e como odeio o contraste entre seus rostos, pelos quais qualquer pessoa pode pensar que são adultos ou talvez alunos, e seu comportamento tolo, infantil! Você acha que não enxergo isso? Eu tenho vergonha deles. E é isso; eles não me causam aversão, mas tenho vergonha deles. Não posso evitar olhar para eles o tempo todo. Quando preciso ser severa com eles, dou risada. Quando eles deveriam levar uma surra, acaricio seus cabelos. E, quando deito ao seu lado durante a noite, não consigo dormir, e não posso evitar olhar para você e ver um deles dormindo, enrolado em seu cobertor, e o outro ajoelhado diante da porta do fogão, colocando lenha no fogo, enquanto me curvo tanto que quase acordo você. Também não é o gato que me assusta... Não, eu conheço os gatos. E sei como era difícil dormir no bar, onde eu sempre estava sendo perturbada. Não, não é o gato que me assusta, sou eu mesma. E não precisei daquele gato monstruoso para me assustar também, eu pulo com o menor som. Às vezes tenho medo de que você vá acordar e tudo estar terminado entre nós, e novamente pulo, assustada, e acendo a vela para que você *acorde* e possa me proteger.

— Eu não fazia ideia de nada disso — disse K. — Ou, melhor, eu tinha um pequeno pressentimento sobre isso, e é por isso que os afastei. Mas agora foram embora, e talvez tudo fique bem.

— Sim, eles enfim foram embora — disse Frieda, mas seu rosto estava ansioso, e não feliz. — Mas não sabemos quem eles realmente são. Eu os chamo de enviados de Klamm em minha mente, como um jogo, mas talvez sejam de fato. Seus olhos, tão sinceros e brilhantes, às vezes me lembram os de Klamm. Sim, é isso, esses olhos deles me olham como Klamm o fazia. Então não é bem acurado dizer que tenho vergonha deles. Eu queria ter. Sei que, em qualquer outro lugar, em outras pessoas, o mesmo comportamento seria estúpido e repulsivo, mas neles não é. Até assisto seus truques bobos com respeito e admiração. No entanto, se eles são enviados de Klamm, então quem irá nos libertar deles, e será que isso seria algo bom? Você não acha que seria melhor ir atrás deles, para alcançá-los rapidamente, e ficar feliz se eles voltassem?

— Você quer que eu os traga de volta? — perguntou K.

— Não, não — disse Frieda. — Não há nada que eu queira menos. Vê-los entrando aqui novamente, sua satisfação em ver-me, a maneira como iriam pular como crianças, mas esticar seus braços para mim como homens, não poderia suportar nada disso. Mas, novamente, quando penso que, ao permanecer tão implacável com eles, você pode estar rejeitando o acesso do próprio Klamm a você, eu sei que quero protegê-lo das consequências disso de todas as formas que puder. Sim, quando penso nisso, quero trazê-los de volta. Então, rápido, vamos chamá-los de volta. Mas não ligue para mim, o que importa como me sinto? Eu me defenderei pelo tempo que puder, mas, se eu falhar, bem, então falharei sabendo que fiz tudo para o seu bem.

– Você apenas confirma o que penso dos assistentes – disse K. – Eles nunca voltarão com meu consentimento. O fato de eu tê-los expulsado mostra que, em algumas circunstâncias, eles podem ser controlados, além disso, mostra que eles não têm nada a ver com Klamm. Ontem à noite, recebi uma carta de Klamm que prova claramente que ele está completamente desinformado sobre os assistentes e, com isso, podemos concluir que, por sua vez, Klamm é completamente indiferente a eles, pois, se não fosse, ele com certeza saberia os fatos sobre eles com mais precisão. Você pensar que vê Klamm neles não prova nada, porque, sinto muito por dizer isso, ainda está sob a influência da senhoria, então vê Klamm em todos os lugares. Você ainda é mais amante de Klamm do que minha esposa. Às vezes isso me deixa muito triste, e sinto que perdi tudo, é como se eu tivesse acabado de chegar ao vilarejo, não cheio de esperança como eu realmente estava naquele momento, mas ciente de que somente decepções esperam por mim, e eu deveria sofrê-las, uma a uma, até o fim. Mas só sinto isso às vezes – acrescentou K., sorrindo quando viu Frieda afundando sob os efeitos de suas palavras. – E basicamente é bom, porque mostra o quanto você significa para mim. E se me pedir para escolher entre você e os assistentes, bem, os assistentes já perderam. Que ideia! Escolher entre você e eles! Bem, agora finalmente me livrei deles. E quem sabe nós dois não estejamos nos sentindo fracos só porque ainda não tomamos café?

– Isso é possível – disse Frieda, com um sorriso cansado, e começou a trabalhar. K. pegou a vassoura novamente.

13
Hans

Após algum tempo, houve uma leve batida na porta.

– Barnabé! – exclamou K., jogando fora sua vassoura e, em alguns passos, ele já estava à porta.

Frieda olhou para ele surpresa, mais por causa daquele nome do que por qualquer outra coisa. Mas as mãos de K. estavam tão trêmulas que ele não conseguiu abrir logo a fechadura.

– Estou chegando, vou abrir – ele repetia, ao invés de perguntar quem havia batido. Então, ao escancarar a porta, ele não viu Barnabé, e sim o menino que havia tentado falar com ele mais cedo. Não que K. se lembrasse disso com alguma satisfação. – O que está fazendo aqui? – ele perguntou. – As aulas são na sala ao lado.

– É de lá que estou vindo – disse o menino, e olhou tranquilamente para K. com seus grandes olhos castanhos, em pé muito corretamente, com seus braços nas laterais.

– O que você quer, então? Vamos, fale rápido! – disse K., abaixando um pouco, porque o menino falava muito baixo.

– Posso ajudá-los? – perguntou o menino.

– Ele quer nos ajudar – K. disse para Frieda. Então, voltando-se para o menino, ele perguntou: – Qual é o seu nome?

– Hans Brunswick – disse o menino. – Estou na quarta série e meu pai é Otto Brunswick, o mestre sapateiro que vive na rua Madeleine.

– Muito bem, seu nome é Brunswick – disse K., soando mais amigável.

Aconteceu que Hans havia se aborrecido ao ver o arranhão na mão de K. causado pela professora-assistente, e havia decidido ir para o lado de K. Agora ele havia saído da sala de aula ao lado como um desertor, arriscando-se a receber uma punição severa. Tais ideias infantis poderiam tê-lo motivado, mas a seriedade em cumpri-las estava evidente em tudo o que ele fazia. No entanto, de início, a timidez

O CASTELO

o havia impedido, mas logo ele se sentiu tranquilo com K. e Frieda, e quando recebeu um bom café quente ele ficou mais animado e confiante. Também fez perguntas mais ansiosas, que iam diretamente ao ponto, como se ele quisesse saber os fatos mais importantes o mais rápido possível, para que ele pudesse decidir por si mesmo o que era melhor para K. e Frieda. Ele era naturalmente um pouco arrogante, mas isso era misturado com uma inocência infantil, então dava vontade de fazer o que ele dizia, em parte por seriedade, em parte por brincadeira. De qualquer forma, ele ocupou toda a atenção. Eles pararam de trabalhar, e o café da manhã iria demorar muito. Embora Hans estivesse sentado no banco da sala de aula, K. à mesa do professor e Frieda em uma cadeira próxima, parecia que o menino era o próprio professor, testando-os e avaliando suas respostas. Um leve sorriso em seus lábios macios parecia indicar que ele sabia que era tudo um jogo, mas levava tudo muito a sério. Ou talvez não fosse um sorriso, e sim a alegria da infância brincando em seus lábios. Demorou algum tempo até ele admitir ter visto K. antes, no dia em que K. esteve na casa de Lasemann. K. ficou satisfeito.

– Você estava brincando aos pés daquela mulher, não estava? – perguntou K.

– Sim – disse K. – Ela é minha mãe.

E agora ele teve que contar a eles sobre sua mãe, mas o fez com hesitação, e apenas após ser questionado diversas vezes, pois era um menininho que às vezes parecia falar quase como um homem inteligente, energético e perspicaz, particularmente em suas perguntas, e talvez antecipando o que poderia ser no futuro, ou de novo, talvez fosse apenas um truque dos sentidos ao ouvi-lo atentamente. Mas, de repente, sem qualquer transição aparente, ele era novamente um estudante que nem sequer compreendia muitas das questões feitas a ele, e entendia mal o sentido de outras, falava muito baixo por causa de sua negligência infantil, embora sempre tivesse essa falha apontada para ele e, finalmente, como se por provocação, não dizia nada em resposta a muitas questões importantes, totalmente sem embaraço, como um adulto nunca conseguiria. Era como se ele pensasse ser o único que podia fazer perguntas, enquanto as perguntas feitas por outras pessoas quebravam alguma regra e eram uma perda de tempo. Então ele conseguia se sentar quieto por muito tempo, suas costas retas e sua cabeça curvada, seu lábio inferior ressaltado. Frieda apreciava isso, tanto que ela fazia diversas perguntas para ele, esperando que ele adotasse aquela pose silenciosa. E às vezes ela conseguia, mas isso irritava K.

De maneira geral, eles descobriram pouco: sua mãe era muito pobre, mas não ficou claro o que a afligia. A criança que estava no colo do Sr. Brunswick era a irmã de Hans, que se chamava Frieda (Hans não parecia gostar que aquela mulher que o interrogava tivesse o mesmo nome), e todos eles viviam no vilarejo, mas não com Lasemann. Eles apenas estavam visitando sua casa para tomar um banho, porque Lasemann possuía aquela grande banheira, e as crianças pequenas, embora Hans não fosse uma delas, apreciavam tomar banho e brincar nela. Hans falou de seu pai com respeito, ou até medo, mas somente quando eles não estavam falando de sua mãe. Em comparação com ela, seu pai não parecia ser tão importante, e todas as questões sobre sua vida familiar, sempre que eram feitas, não recebiam respostas. Eles descobriram que seu pai era o principal sapateiro do vilarejo, ele não tinha concorrentes, como Hans repetia frequentemente, mesmo em resposta a perguntas bem diferentes. Ora, ele até mesmo empregava outros sapateiros, como o pai de Barnabé, embora, naquele caso, Brunswick fizesse apenas como um favor especial, ou pelo menos foi o sugerido por um orgulhoso aceno de Hans. Isso fez Frieda curvar-se rapidamente e dar-lhe um beijo. Quando questionado se já havia estado no castelo, Hans respondeu somente após muitas repetições e, então, na negativa. E quando perguntaram a mesma coisa sobre sua mãe, ele não respondeu. Finalmente, K. ficou cansado disso, pois não parecia haver nenhum objetivo naquele interrogatório; ele pensou que o menino estava certo, pois tentar arrancar segredos de família de uma criança inocente por rodeios não era algo de que se orgulhar, particularmente, já que eles não haviam descoberto quase nada. Quando K. finalmente perguntou ao menino que tipo de ajuda ele estava oferecendo, não ficou surpreso ao ouvir que Hans apenas pretendia ajudar com o trabalho ali, para que o professor e a srta. Gisa não se irritassem novamente com K. Então, K. explicou que essa ajuda não era necessária, pois o professor era naturalmente mal-humorado, e ninguém poderia protegê-lo disso, por mais que tentasse. Quanto ao trabalho em si, não era muito difícil, e ele estava atrasado naquele dia como resultado de imprevistos. De qualquer forma, o mau temperamento do professor não afetava K. tanto quanto a um menino, ele lidou com aquilo facilmente, disse, estava quase indiferente a ele. Ele também pretendia escapar completamente do professor em breve. No entanto, agradeceu muito a Hans por oferecer sua ajuda, e disse que podia voltar para a outra sala de aula, e esperava que ele não fosse punido. Da mesma forma, K. não enfatizou o fato de que a ajuda que ele não precisava era contra o professor, ele apenas sugeriu mais espontaneamente, deixando aberta a questão de ajuda para outros assuntos. Hans, claramente entendendo sua dica, perguntou se K. precisava de outro tipo de ajuda, dizendo que ele ficaria muito feliz em ajudá-lo e, se ele mesmo não pudesse fazer nada, iria pedir para sua mãe, e assim ele tinha certeza de que tudo iria ficar bem. Quando seu pai estava em qualquer dificuldade, ele sempre pedia ajuda para sua mãe, ele disse. E sua mãe já havia perguntado por K. certa vez. Ela mesma mal saía de casa, visitou Lasemann apenas aquela vez, ele disse, mas ele, Hans, ia sempre lá para brincar com os filhos de Lasemann. Então sua mãe lhe perguntou certa vez se o agrimensor havia ido até lá novamente. Não era uma boa ideia fazer perguntas desnecessárias para sua mãe, pois ela estava fraca e cansada, então ele simplesmente disse que não, que não havia visto o agrimensor novamente, e eles não falaram mais sobre isso. Mas, quando Hans encontrou K. ali na escola, precisou falar com ele para que pudesse falar com sua mãe a respeito. O que sua mãe mais gostava era de ter seus desejos atendidos sem precisar pedi-los abertamente. Em resposta a isso, K. disse, após pensar um tempo, que ele não precisava de ajuda, que tinha tudo o que precisava, mas que era muito gentil de Hans querer ajudá-lo, e ele era grato por suas boas intenções. Afinal, era possível que ele precisasse de algo depois, e então iria procurar Hans; ele sabia o endereço.

Por outro lado, talvez ele, K., pudesse oferecer alguma ajuda. Sentia muito em saber que a mãe de Hans não estava bem, e obviamente ninguém ali sabia qual era seu problema; um caso daqueles, se negligenciado, poderia se transformar de uma leve doença para algo muito pior. K. tinha algum conhecimento médico, e o que era ainda mais valioso, ele tinha experiência em tratar os doentes, e era conhecido por ser bem-sucedido em casos em que os médicos haviam falhado. Em casa, ele disse, era conhecido como "Arruda" por causa de suas curas. De qualquer forma, poderia ver a mãe de Hans e conversar com ela. Talvez ele pudesse aconselhá-la, ele ficaria feliz de fazer isso por Hans. No início, os olhos de Hans se iluminaram com aquela oferta, o que fez K. pressioná-lo ainda mais, mas o resultado não foi satisfatório, pois em resposta a várias perguntas Hans disse, e não parecia se arrepender disso, que nenhum desconhecido podia visitar sua mãe. Ela precisava ser poupada de qualquer esforço e, embora K. mal houvesse trocado sequer uma palavra com ela naquela ocasião, ela ficou vários dias na cama após aquele dia. Hans precisou dizer que aquilo acontecia frequentemente. Na época, seu pai havia ficado muito nervoso com K., e ele com certeza nunca o deixaria visitar sua mãe, pois seu pai quis ir ver K. para puni-lo por seu comportamento, e somente a mãe de Hans o impediu. O mais importante, entretanto, sua mãe nunca quis falar com ninguém, e sua pergunta sobre K. não indicava nenhuma exceção à regra. Pelo contrário, quando ele foi mencionado ela poderia ter expressado um desejo de vê-lo, mas não o fez, o que claramente demonstrava o que ela realmente desejava: ouvir sobre K., mas não falar com ele. Ela não sofria de qualquer doença desconhecida, Hans acrescentou, e algumas vezes dizia que era apenas o ar que ela não conseguia tolerar, mas não queria deixar o vilarejo por causa do pai de Hans e de seus filhos e, de qualquer maneira, seu problema estava melhor do que nunca. Foi isso que K. escutou.

Os poderes intelectuais de Hans aumentaram quando chegou o momento de proteger sua mãe de K., a quem ele disse que gostaria de ajudar. Na verdade, com a ideia de manter K. longe da vista de sua mãe, ele contradisse muito do que havia dito antes, por exemplo, sobre sua doença. Da mesma forma, K. percebeu que Hans ainda estava gentilmente disposto a ajudá-lo, mas, ao pensar em sua mãe, ele se esqueceu de todo o resto, pois qualquer um que quisesse ver sua mãe estava imediatamente barrado. Era K. dessa vez, em outro momento poderia ter sido o pai de Hans. K. pensou que ele iria falar sobre esse assunto, e disse que por certo era muito sensível da parte do pai de Hans querer proteger sua esposa de qualquer tipo de agitação, e se ele, K., imaginasse qualquer coisa relacionada a isso quando a conheceu, ele com certeza não teria se aventurado a falar com ela. Agora ele gostaria de se desculpar por antes com a família, em sua casa. Por outro lado, não conseguia entender por que o pai de Hans, se a causa do problema era tão óbvia quanto Hans disse, impediu a mãe do menino de recuperar-se em ares mais saudáveis; impedir era bem a palavra, pois era pelo bem do pai de Hans e seus filhos que ela não saía do vilarejo. Mas poderia levar as crianças com ela, não precisava ficar muito tempo longe. Até mesmo no Monte do Castelo o ar deveria ser bem diferente. E com certeza o pai de Hans não precisaria temer as despesas de tal viagem. Afinal, ele era o sapateiro mais importante do vilarejo e, certamente, ele ou a mãe de Hans tinha amigos ou contatos no castelo que estariam dispostos a recebê-los. Então, por que não os deixava ir? Ele não deveria subestimar aquela enfermidade, disse K., que a havia visto apenas de passagem, mas, comovido por sua palidez e fraqueza, havia sido tocado a falar com ela. Até mesmo na ocasião ele havia se perguntado pelo pai das crianças, por ter levado sua mulher doente para o ar úmido daquela sala onde tantas pessoas estavam lavando roupas e tomando banho, e sem conseguir abaixar o volume de sua voz. Supôs que o pai de Hans não soubesse sobre o que se tratava, e é claro que sua mãe parecia melhor recentemente, tais doenças vêm e voltam, mas se continuasse sem tratamento poderia voltar mais forte do que nunca, e então nada poderia ser feito. Então, se K. não pudesse falar com a mãe do menino, talvez seria uma boa ideia que ele conversasse com o pai de Hans e apontasse todas essas coisas para ele.

Hans estava ouvindo atentamente, compreendendo quase tudo e muito afetado pela latente ameaça naquilo que não entendia. Mesmo assim, ele disse não, K. não poderia falar com o seu pai, pois ele não gostava de K., e provavelmente o trataria como o professor havia feito. Ele disse isso com um sorriso tímido ao falar de K., e com amargura e tristeza ao mencionar o pai. No entanto, acrescentou que talvez K. pudesse, afinal, falar com a mãe dele, mas somente sem o conhecimento de seu pai. Então Hans pensou por algum tempo, seus olhos fixos, como uma mulher contemplando algo proibido e procurando uma forma de fazê-lo com impunidade, e disse que talvez fosse possível em dois dias, pois seu pai iria para a Pousada do Castelo naquela noite, e então ele, Hans, poderia levar K. para encontrar sua mãe, sempre presumindo que ela aceitasse, o que era pouco provável. Ela nunca fazia nada contra a vontade de seu pai, concordava com tudo o que ele quisesse, ainda que, como Hans podia ver claramente, fosse algo irracional. Na verdade, Hans agora estava recrutando K. para ajudá-lo contra seu pai; era como se ele houvesse se enganado pensando que ele queria ajudar K., enquanto, na realidade, queria descobrir se, já que ninguém na vizinhança havia sido de alguma ajuda para sua mãe, aquele desconhecido que apareceu de repente e que ela já havia mencionado talvez pudesse fazer algo.

 Até aquele momento, não teria sido possível perceber pela aparência e pelas palavras do menino como ele era introvertido e quase astucioso! Só era possível perceber isso por suas últimas declarações, feitas tanto ao acaso quanto intencionalmente. Agora, no curso de toda essa longa conversa com K., ele estava considerando as dificuldades para superar e, mesmo com a maior boa vontade do mundo por parte de Hans, todas elas pareciam ser insuperáveis. Mergulhado em pensamentos, mas ainda buscando ajuda, ele continuava olhando para K., e seus olhos piscavam sem parar. Ele não podia dizer nada para sua mãe antes de seu pai ir embora, ou seu pai descobriria e tudo teria sido em vão; então ele só poderia falar sobre isso depois, mas não de repente, ou de forma abrupta, em consideração à sua mãe, mas aos poucos, em uma oportunidade adequada. Só assim ele poderia fazer sua mãe concordar, e só assim poderia buscar K., mas não seria tarde demais? A ameaça da volta de seu pai já não estaria perto? Sim, afinal era impossível. K., por outro lado, mostrou a ele que não era impossível. Não havia motivos para temer que não houvesse tempo o suficiente; uma breve conversa, um breve encontro, seria o suficiente, e Hans não precisaria ir buscar K., porque K. estaria esperando em algum lugar próximo à casa e, assim que Hans lhe desse um sinal, ele iria logo. Ah, não, disse Hans, K. não deveria esperar perto da casa – novamente ele estava ansioso pela sensibilidade de sua mãe. K. não deveria ir até lá sem o conhecimento de sua mãe, Hans não poderia fazer um acordo secreto com K. que fosse desconhecido para sua mãe; ele teria que buscar K. na escola, e não antes de sua mãe saber e dar permissão. Muito bem, disse K., nesse caso realmente era muito arriscado; poderia acontecer de o pai de Hans encontrá-lo na casa da família e, mesmo se não o encontrasse, a mãe de Hans poderia não permitir que ele fosse até com medo de que isso acontecesse, então tudo falharia por causa do pai do menino. Mas Hans negou isso novamente, então seus argumentos variavam. Muito antes disso, K. havia dito para Hans sair do banco da escola e ir até a mesa do professor, onde ele o segurava entre seus joelhos, acariciando-o de tempos em tempos. Essa proximidade física significava que, apesar da relutância ocasional demonstrada por Hans, eles haviam chegado a um acordo. Finalmente, concordaram com o seguinte plano: primeiro Hans iria contar toda a verdade para sua mãe, acrescentando, para ficar mais fácil de ela concordar, que K. também queria falar com o próprio Brunswick – não sobre ela, mas também sobre outros assuntos. Isso também era verdade, pois, durante a conversa, K. havia se lembrado de que, por mais perigoso e desagradável que Brunswick pudesse ser em outros aspectos, ele não podia ser inimigo de K., pois Brunswick, pelo menos de acordo com o prefeito do vilarejo, havia sido o líder daqueles que queriam que um agrimensor fosse nomeado, ainda que por motivos políticos próprios. Então a chegada de K. ao vilarejo deveria ser bem recebida por Brunswick, embora fosse verdade que, nesse caso, seu cumprimento grosseiro para K. no primeiro dia e a antipatia de que Hans falou eram difíceis de entender. Mas talvez os sentimentos de Brunswick tivessem sido feridos porque K. não o havia procurado em primeiro lugar, ou talvez houvesse algum mal-entendido que poderia ser esclarecido em poucas palavras. E, assim que tudo estivesse feito, K. poderia contar com o apoio de Brunswick contra o professor, na verdade, até mesmo contra o prefeito do vilarejo, e toda a fraude oficial – o que mais poderia ser? – por meio da qual o prefeito do vilarejo e o professor estavam utilizando os serviços de K. para afastá-lo das autoridades do castelo e forçando-o a aceitar o trabalho de zelador escolar poderia ser revelada. Se chegasse ao ponto de uma discussão entre Brunswick e o prefeito do vilarejo a respeito de K., então Brunswick teria K. ao seu lado, K. seria recebido como um convidado na casa de Brunswick, e os poderes de Brunswick estariam à sua disposição em oposição ao prefeito, e quem sabe até onde tudo poderia levá-lo? E ele normalmente estaria ao lado da mulher, de qualquer forma – então brincava com seus sonhos, e esses com ele, enquanto Hans, pensando totalmente em sua mãe, observava o silêncio de K. com preocupação, como você observa um médico perdido em pensamentos tentando encontrar uma solução para tratar um paciente muito doente. Hans concordou com a sugestão de K. de dizer que ele queria falar com Brunswick sobre o cargo de agrimensor, embora apenas porque isso iria proteger sua mãe de seu pai e, de qualquer forma, era apenas uma medida emergencial que ele esperava não precisar adotar. Ele apenas perguntou para K. como iria explicar o horário avançado de sua visita para o seu pai e, finalmente, ficou satisfeito em ouvir, embora ele parecesse um pouco sombrio, que K. diria que sua intolerável posição como zelador escolar e o tratamento humilhante do professor para com ele haviam apagado todo o resto de sua mente em um ato repentino de desespero.

 Quando eles anteciparam todas as eventualidades como essas, quantas puderam pensar, e a possibilidade de sucesso não precisou mais ser totalmente excluída, Hans ficou mais animado, livre do fardo do pensamento, e conversou de uma forma infantil por mais algum tempo, primeiro com K. e depois com Frieda, que estava sentada ali por algum tempo com sua mente em vários assuntos diferentes, e que somente agora começava a juntar-se à conversa novamente. Entre outras coisas, ela perguntou para Hans o que ele queria ser quando crescesse. Ele não precisou pensar por muito tempo e disse que queria ser um homem como K. Quando foi questionado sobre os motivos, ele não conseguiu dar nenhum e, quando perguntaram se ele realmente queria ser um zelador escolar, respondeu que não, com firmeza. Somente mais perguntas puderam esclarecer a forma que sua mente funcionava ao expressar tal desejo. A situação presente de K. não era invejável, de forma alguma, e sim desanimadora e humilhante, o próprio Hans havia visto claramente, e ele não precisava observar outras pessoas para ver isso; ele mesmo quis manter sua mãe longe de K. e de qualquer coisa que ele dissesse. Mesmo assim, foi até K. para pedir ajuda, e ficou feliz quando K. a ofereceu, ele pensou ter visto que outras pessoas também se sentiam assim e, acima de tudo, sua própria mãe havia mencionado K. Essas ideias opostas levaram a crer que K. pudesse estar em uma posição baixa e humilhante naquele momento, mas que, em um futuro quase inimaginável, ele ainda poderia triunfar sobre todos. E esse futuro, por mais que fosse uma ideia boba, e o orgulho de K. sendo reerguido pareciam algo fascinante para Hans. Por esse preço, ele estava pronto a aceitar K. como era agora. A natureza infantil e precoce desse desejo baseava-se no fato de que Hans olhava para K. como se ele fosse um menino mais novo, com um futuro mais longo diante dele do que o seu próprio, um menininho. Foi com uma seriedade quase pesarosa que, pressionado por Frieda, ele falou sobre essas coisas. Mas K. o animou novamente ao dizer que sabia que Hans o invejava por sua linda bengala torcida, que estava sobre a mesa, e com a qual Hans brincava inconscientemente enquanto conversavam. Bem, disse K., ele sabia como confeccionar aquelas bengalas e, se seu plano desse certo, faria para Hans uma ainda melhor. Hans ficou tão satisfeito com a promessa de K. que não ficou muito claro se ele realmente estava pensando aquele tempo todo na bengala ou não. Ele disse um adeus muito animado, apertando a mão de K. com firmeza e dizendo:

– Então, vejo você depois de amanhã.

14
A queixa de Frieda

Hans saiu na hora certa, pois, no momento seguinte, o professor abriu a porta e exclamou, ao ver K. e Frieda sentados quietos à mesa:
– Ah, por favor, perdoem-me por incomodá-los! Mas podem me dizer quando finalmente irão arrumar este lugar? Estamos todos amontoados na outra sala, e as aulas estão sofrendo com isso, enquanto vocês descansam no grande ginásio, e ainda mandaram os assistentes embora para ter mais espaço para si mesmos. Então, por favor, levantem-se e movam-se! – E acrescentou, somente para K.: – E você, companheiro, vá buscar meu almoço na Pousada da Ponte!

Tudo isso foi dito com fúria, no mais alto volume, mas as palavras eram relativamente inofensivas, e até mesmo a referência desrespeitosa a K. como "companheiro". K. estava preparado para fazer logo o que ele havia dito, e somente para sondar o professor ele disse:

– Mas eu fui dispensado.

– Dispensado ou não, vá buscar meu almoço – disse o professor.

– Dispensado ou não; é exatamente o que eu quero saber – disse K.

– Sobre o que está falando? – disse o professor. – Você não aceitou sua demissão.

– Então isso foi o bastante para cancelá-la? – perguntou K.

– Não até onde sei, acredite em mim – disse o professor. – Mas, excepcionalmente, o prefeito do vilarejo não vai saber sobre isso. Então, vá, ou você realmente será expulso.

K. ficou satisfeito; então, nesse meio-tempo, o professor havia falado com o prefeito do vilarejo, ou talvez não houvesse falado com ele, mas simplesmente deduziu qual seria a opinião do prefeito sobre aquilo, e era a favor de K. Então, K. saiu para buscar o almoço, mas o professor o chamou de volta do corredor, talvez porque ele apenas quisesse testar a disposição de K. em servir com esse pedido especial, para que pudesse acrescentar mais detalhes a ele, ou porque ele sentia vontade de dar ordens, e o agradava ver K. correndo de um lado a outro, ocupado, como um garçom às suas ordens. De sua parte, K. sabia que, se ele cedesse demais, se tornaria o escravo e o bode expiatório do professor, mas iria suportar as reclamações do homem até certo ponto, pois, se o professor, como transparecia, não pudesse dispensá-lo de fato, ele por certo podia tornar o trabalho tão desagradável a ponto de ser intolerável. E agora K. estava ainda mais ansioso para manter o emprego do que antes. Sua conversa com Hans havia lhe dado uma nova esperança – uma esperança improvável, ele sabia, e por razão nenhuma, mas uma esperança que não deveria ser desprezada mesmo assim. Isso quase tirou Barnabé de sua mente. Se ele agisse de acordo com ela, e não tinha outra alternativa, então precisava fazer tudo que estava ao seu alcance para não pensar em mais nada, nem alimento, nem hospedagem, nem autoridades do vilarejo, nem Frieda – e, no fundo, tudo isso era sobre Frieda, pois o restante referia-se a ele em relação a ela. Então precisava tentar manter seu emprego, que dava a Frieda um pouco de segurança e, com seus olhos fixos nesse propósito, ele não poderia desistir; teria de suportar mais do professor do que ele faria em outra ocasião. Isso não era tão doloroso; estar equiparado às constantes alfinetadas da vida não era nada perto do que K. buscava, e ele não estava ali para levar uma vida de paz.

Então, embora estivesse pronto para ir diretamente para a pousada, também estava preparado para obedecer à nova ordem de arrumar a sala primeiro, para que a srta. Gisa pudesse voltar com a sua classe. Mas isso precisaria ser feito com rapidez, porque, depois disso, K. teria que ir de qualquer forma buscar o almoço, já que o professor disse estar com muita fome e sede. K. garantiu que ele iria fazer como ordenado. O professor observou por um tempo enquanto K. se apressava para desmontar as "camas", colocar os aparelhos de ginástica de volta para seu lugar e varrer tudo rapidamente, enquanto Frieda lavava e esfregava o tablado. Todo esse trabalho parecia agradar o professor. Ele comentou que havia uma pilha de lenhas ao lado da porta – ele não iria permitir que K. tivesse acesso ao depósito novamente – e então foi embora, ameaçando voltar em breve para ver as crianças.

Depois de algum tempo trabalhando em silêncio, Frieda perguntou por que K. estava obedecendo o professor tão humildemente agora. Ela provavelmente fez essa pergunta para mostrar uma preocupação solidária, mas K., pensando em como Frieda não havia conseguido manter sua promessa original de protegê-lo das ordens do professor e sua violência, respondeu brevemente que agora que ele era um zelador escolar, deveria cumprir bem sua função. Então eles ficaram em silêncio novamente, até que aquelas pequenas palavras lembraram K. que Frieda ficou muito tempo perdida em pensamentos ansiosos, na verdade, quase durante toda a sua conversa com Hans, e agora, enquanto ele carregava a lenha, perguntou diretamente em que ela estava pensando. Ela respondeu, olhando para ele vagarosamente, que não era nada em particular. Estava apenas pensando na senhoria, e em como muito do que ela dizia era verdade. Somente quando K. a pressionou mais, ela respondeu de forma mais completa, e após diversas recusas, mas sem parar o trabalho, que ela estava realizando não por zelo, já que não estava chegando a lugar nenhum, somente para não precisar olhar para K. E ela lhe disse como havia escutado calmamente sua conversa com Hans no início, mas então, sobressaltada por algumas coisas que K. havia dito, ela começou a ouvir com mais atenção e, a partir desse ponto, ela foi incapaz de parar de ouvir a confirmação de um aviso que a senhoria havia dado a ela, embora ela nunca quisesse acreditar. K., nervoso por essas generalizações, mais irritado do que tocado até mesmo pela voz chorosa de Frieda – e acima de tudo, porque lá vinha a senhoria intrometendo-se novamente em sua vida, pelo menos em sua mente, já que ela não teve sucesso pessoalmente –, derrubou no chão a lenha que estava carregando, sentou-se sobre ela e, falando com seriedade, insistiu por uma explicação completa.

– Bem – começou Frieda –, a senhoria sempre tentava fazer-me duvidar de você, desde o início, ela não dizia que você estava mentindo, pelo contrário, dizia que era infantilmente honesto, mas sua natureza era tão diferente da nossa que, mesmo quando você falava

O CASTELO

francamente, não conseguíamos acreditar em você e, sem uma boa amiga como ela para vir em nosso socorro, poderíamos acreditar nisso apenas por experiências amargas. Havia sido da mesma forma até mesmo para ela, apesar de sua visão amigável para a natureza humana. Mas, desde aquela última conversa que ela teve com você na Pousada da Ponte, estou apenas repetindo o que ela disse, ela já sabia de seus truques, você não poderia mais enganá-la, não importa o tanto que tentasse esconder suas intenções. "Não que ele realmente escondesse alguma coisa", ela continuava a dizer. Então acrescentava: "Tente ouvi-lo atentamente em cada oportunidade, não apenas de modo superficial, ouça o que ele realmente está dizendo". Isso foi tudo o que ela disse, mas o que entendi foi mais ou menos isso: você iria me passar uma cantada... Sim, foi esse termo vulgar que ela usou. Simplesmente porque cruzei o seu caminho, você gostou de mim, e pensou, erroneamente, que uma garçonete estava propensa a apaixonar-se por qualquer um que estendesse a mão para ela. Além disso, como a senhoria ouviu do senhorio da Pousada do Castelo, você queria passar a noite lá por alguma razão e, qualquer que fosse essa razão, eu era a única maneira de você conseguir seu objetivo. Tudo isso já seria o bastante para você fazer amor comigo naquela noite, na esperança de que conseguiria mais com isso, e esse mais era Klamm. A senhoria não sabe o que você quer com Klamm, ela apenas diz que estava tão ansioso para conhecer Klamm depois de me conhecer como já estava antes. A única diferença é que, antes, você não tinha esperança de ter uma entrevista, mas, depois, pensou que poderia me usar como uma forma garantida de conseguir ver Klamm rapidamente, ou até mesmo de ter alguma vantagem sobre ele. Imagine como fiquei assustada hoje, no início, apenas momentaneamente, sem razões profundas, quando você disse que, antes de me conhecer, você estava perdido aqui. Essas podem ser as palavras exatas que a senhoria utilizou; ela também disse que somente depois que você me conheceu ficou ainda mais certo de seu propósito. Isso vem como resultado de você acreditar que, em mim, conquistou uma das amantes de Klamm, um penhor a ser recuperado com o mais alto preço. E ela disse que seu único objetivo era negociar com Klamm sobre esse preço. Como você não tinha consideração nenhuma por mim, somente pelo preço, estava pronto para fazer quaisquer concessões referentes a mim, a não ser quanto ao preço. E é por isso que não se importa por eu perder meu emprego na Pousada do Castelo, não se importa em deixar a Pousada da Ponte também, não se importa por eu ter que realizar o trabalho duro como zeladora aqui, você não tem afeto e nem mesmo qualquer tempo para mim. Você me deixa nas mãos dos assistentes, não sente ciúme, eu sou valiosa para você apenas porque era amante de Klamm. Em sua ignorância, você não permite que eu esqueça Klamm para que, por fim, eu não lute muito quando o momento crucial chegar, você também é contra a senhoria, a única pessoa que, veja só, poderia me afastar de você, então discute com ela para ser obrigado a sair da Pousada da Ponte comigo; pois você nunca duvidou que, no que dependesse de mim, eu seria sua posse não importa o que acontecesse. Você imagina que uma entrevista com Klamm é uma questão de um simples acordo, olho por olho. Calcula todas as possibilidades; contanto que consiga a recompensa que deseja, fará qualquer coisa. Se Klamm me quiser, você me entregará a ele; se ele quiser que você fique comigo, você o fará; se ele quiser que me rejeite, você me rejeitará, mas está pronto para ter mais, se for em seu benefício. Fingirá me amar, tentará contrariar sua indiferença ao enfatizar seu próprio valor baixo, envergonhando-o pelo fato de você ser seu sucessor, ou ao dizer para ele sobre minhas confissões de amor a respeito dele, que realmente fiz, pedindo a ele que me aceite novamente, após pagar o preço, é claro. E, se não houver mais o que fazer, então irá implorar em nome do Sr. e da Sra. K. Mas, a senhoria concluiu, se perceber que estava errado em tudo, em suas suposições e em suas expectativas, em sua ideia sobre Klamm e no relacionamento dele comigo, então meus tormentos irão de fato começar, pois, mais do que nunca, eu serei tudo o que você terá, alguém em quem poderá apoiar-se mesmo tendo sido provado sem valor, e me tratará conforme esse pensamento, já que não tem nenhum sentimento por mim, a não ser a sensação de posse.

K. estava ouvindo atentamente, seus lábios fechados. A madeira debaixo dele começou a se mover, então ele quase escorregou e caiu no chão, mas nem deu atenção a isso. Então levantou-se, sentou no tablado, segurou a mão de Frieda, que ela tentava retirar das dele, e disse:

– Eu nem sempre consegui distinguir a opinião da senhoria da sua em tudo o que você disse.

– Foi apenas a opinião da senhoria – disse Frieda. – Eu ouvi tudo isso porque a respeito, mas foi a primeira vez em toda a minha vida em que eu desprezaria completamente a opinião dela. Tudo o que disse me pareceu tão lamentável, tão longe de qualquer entendimento de como as coisas realmente eram entre nós dois. De fato, a verdade parecia ser exatamente o oposto do que ela disse. Eu pensei naquela manhã obscura após nossa primeira noite. Como você se ajoelhou ao meu lado, com um olhar que parecia dizer que tudo estava perdido. E realmente foi assim, por mais que eu tentasse, não ajudei você, fui um obstáculo. Por minha causa, a senhoria se tornou sua inimiga, uma inimiga poderosa e que você ainda subestima. Foi por minha causa, porque você precisava prover para mim, que precisou lutar por seu emprego, discutiu com o prefeito do vilarejo, precisou submeter-se ao prefeito, ficou à mercê dos assistentes e, o pior de tudo, foi por minha causa que ofendeu Klamm. O fato de que continuou querendo encontrá-lo foi apenas uma tentativa inútil de se reconciliar com ele de alguma forma. E eu disse a mim mesma que a senhoria, que deveria saber de tudo isso melhor do que eu, estava apenas tentando me impedir de repreender a mim mesma, por meio de suas insinuações sussurradas. Era um esforço bem-intencionado, mas desnecessário. Meu amor por você teria me ajudado a superar qualquer coisa, e teria finalmente salvado você também, se não aqui no vilarejo, então em outro lugar, pois ele já havia provado seu poder ao salvá-lo de Barnabé e de sua família.

– Então essa era a sua opinião na época – disse K. – E o que mudou desde então?

– Eu não sei – disse Frieda, olhando para a mão de K. segurando as suas. – Talvez nada tenha mudado; quando você está perto de mim e conversa comigo com calma, acho que nada mudou. Mas, na realidade – ela continuou, puxando sua mão, sentada ereta diante dele, chorando abertamente, com seu rosto marcado por lágrimas virado para ele, como se ela não estivesse chorando por causa de si mesma, então não tivesse nada para esconder, como se ela estivesse chorando por causa da traição de K. e a miséria do que estava diante dele. – Na realidade, tudo mudou quando ouvi você conversando com aquele menino. Você começou tão inocente, perguntando sobre a vida dele em casa, sobre isso e aquilo, e aquilo outro, senti como se você estivesse chegando no bar, tão confiante, de coração aberto, querendo encontrar meus olhos de uma forma tão ansiosa, infantil. Não havia diferença entre aquele momento e agora, eu só queria que a senhoria estivesse aqui ouvindo você falar, e eu tentaria me agarrar a essa opinião. Mas então, de repente, não sei como, percebi por que você estava falando com o menino daquele jeito. Suas palavras de simpatia ganharam a confiança dele, que não é entregue facilmente, para que você fosse direto para seu objetivo, que vi cada vez mais claro. Seu objetivo era aquela mulher. Sua aparente preocupação por ela mostrou abertamente que você só estava pensando em seus próprios assuntos. Você está traindo a mulher antes mesmo de conquistá-la. Reconheci não apenas meu passado, mas também meu futuro em suas palavras, como se a senhoria estivesse sentada ao meu lado explicando tudo, e eu estivesse tentando argumentar com ela com todas as minhas forças, mas vendo claramente a inutilidade de tal esforço e, ainda assim, não era eu quem estava sendo enganada naquele momento, era outra mulher. E, quando me recuperei e perguntei a Hans o que ele queria ser, e ele disse que queria ser um homem como você, estava tão devotado a você, ah, que diferença havia entre ele, aquele bom menino de quem você se aproveitou da confiança e eu, naquele momento, no bar da pousada?

– Tudo o que você diz – declarou K., que até agora havia conseguido se recuperar enquanto se acostumava ao seu tom de representação. – Tudo o que você diz tem algum significado, não é falso, apenas hostil. Esses são os pensamentos da senhoria, minha inimiga, ainda que acredite que eles sejam seus, e isso é um consolo para mim. Mas eles são instrutivos; há muito para aprender com a senhoria. Ela não disse tudo isso para mim pessoalmente, embora não tenha me poupado em outras ocasiões; obviamente, entregou a você essa arma, esperando que a usasse em um momento particularmente ruim ou importante para mim. Se estou me aproveitando de sua confiança, então ela também está. Mas por enquanto, pense, Frieda: ainda que tudo fosse da maneira que a senhoria diz, tudo seria muito ruim somente em um caso, ou seja, se você disser que não me ama. Então, e só então, eu realmente teria ganhado seu coração por meio de cálculos e astúcia, para meu benefício. Talvez tivesse sido parte do meu plano fazer você sentir pena de mim, e foi por isso que apareci diante de você de braços dados com Olga, e a senhoria teria esquecido de acrescentar isso à minha lista de más ações. Mas, se esse não for o caso, e nenhuma presa astuta a raptou, e você veio até mim como eu fui até você e então nós nos encontramos, esquecendo de nós mesmos, me diga, Frieda, e então? Então estou apoiando tanto sua causa quanto a minha, não há diferença, e somente uma inimiga como a senhoria pode separar as duas. Isso é verdade de modo geral, e também se aplica a Hans. E, ao julgar minha conversa com Hans, seus doces sentimentos levam você a exagerar muito, pois, se o que eu e Hans queremos não for completamente a mesma coisa, não há um real conflito de interesses. Além disso, nossa própria diferença de opinião não era um segredo para Hans. Se você acha que sim, então subestima aquele cuidadoso menininho e, mesmo se ele não houvesse percebido nada, creio que não haveria nenhum mal para ninguém por causa disso.

– É tão difícil saber o que pensar, K. – disse Frieda, suspirando. – Não desconfio de você e, se captei algo desse tipo da senhoria, ficarei feliz de me livrar dele e implorar a você de joelhos para que me perdoe, o que é, na verdade, o que sempre tenho feito, ainda que eu diga coisas ruins. Mas ainda é verdade que você tem escondido muito de mim. Você vai e volta, e eu não sei para onde, e de onde. Quando Hans bateu à porta, você até disse o nome de Barnabé. Se ao menos uma vez tivesse pronunciado meu nome com tanto carinho, e por algum motivo que não entendo você falou aquele nome terrível!

Se não confia em mim, como posso não sentir desconfiança? E então, fico com a senhoria, e sua conduta parece confirmar tudo o que ela diz. Não em tudo, não alego que confirmou a opinião dela em tudo, pois você espantou os assistentes para o meu bem. Ah, se você ao menos soubesse como tento encontrar uma migalha de algo bom para mim em tudo o que você faz e diz, ainda que isso me atormente.

– Lembre-se, acima de tudo, Frieda – disse K. –, que não estou escondendo absolutamente nada de você. Mas como a senhoria me odeia, fazendo tudo o que pode para afastar você de mim, e que meios desprezíveis ela usa, e você permite, Frieda, como você permite! Diga-me, exatamente em que aspecto estou escondendo algo de você? Sabe que eu quero uma entrevista com Klamm, também sabe que não pode me ajudar a conseguir uma, então preciso tentar sozinho, e você pode ver que até agora não consegui. Eu faço tentativas inúteis, que me humilham o bastante como são, e eu devo humilhar-me duas vezes ao contá-las para você? Devo me gabar por ter esperado em vão, congelado, durante toda a tarde diante da porta do trenó de Klamm? E corro para você, feliz por enfim afastar todos esses pensamentos, e agora ouço todas essas acusações. E sobre Barnabé? Sim, certamente o estou esperando. Ele é o mensageiro de Klamm, mas não fui eu que fiz isso.

– Barnabé de novo – lamentou Frieda. – Eu não acredito que ele seja um bom mensageiro.

– Talvez esteja certa – disse K. –, mas ele é o único mensageiro que foi enviado para mim.

– Isso piora tudo – disse Frieda. – Você deveria ficar mais atento com ele.

– Temo que ele ainda não tenha me dado motivos para ficar atento – disse K., sorrindo. Ele raramente aparece, e o que traz não tem importância nenhuma; somente o fato de vir diretamente de Klamm é o que lhe dá valor.

– Mas veja – disse Frieda –, você não está mais tratando Klamm como seu próprio assunto, e talvez seja isso que mais me preocupa. O seu jeito antes, sempre querendo ver Klamm, me ignorando, já era ruim o bastante, mas agora você parece querer evitar Klamm, o que é muito pior, e algo que até a própria senhoria não previu. De acordo com ela, minha felicidade, precária, mas real como era, terminou no dia em que você finalmente viu que suas expectativas sobre Klamm eram em vão. Mas agora você não está nem mais esperando por um dia assim; de repente um menino aparece, e você começa a conversar com ele sobre sua mãe, como se você estivesse lutando pelo próprio ar que respira.

– Você tem a ideia correta de minha conversa com Hans – disse K. – Sim, foi assim mesmo. Mas será que a sua vida anterior está tão distante de você que (com exceção, é claro, da senhoria, e não há como livrar-se dela) não sabe mais como alguém precisa lutar para chegar a algum lugar, principalmente quando vem tão de baixo? Como devemos usar um método oferecendo algum tipo de esperança? E essa mulher vem do castelo, ela mesma disse isso para mim quando me perdi de meu caminho e visitei a casa de Lasemann em meu primeiro dia aqui. O que seria mais natural do que pedir conselhos para ela, ou até mesmo ajuda? Se a senhoria sabe tudo sobre os obstáculos que afastam as pessoas de Klamm, então aquela mulher provavelmente sabe como encontrá-lo; afinal, ela mesma trilhou esse caminho.

– O caminho para Klamm? – perguntou Frieda.

– Para Klamm, sim, é claro. Para onde mais? – questionou K. Então ele deu um pulo. – Mas agora já é tarde e eu preciso buscar aquele almoço.

Frieda implorou para que ele ficasse, suplicando muito mais do que a situação exigia, como se, somente se ele ficasse, poderia provar todo o consolo que havia dito para ela. Mas K. se lembrou do professor, apontou para a porta, que poderia ser aberta a qualquer momento com um golpe de trovão, e prometeu voltar logo, afirmando que ela não precisaria nem esquentar o fogão, ele mesmo o faria. E finalmente, em silêncio, Frieda concordou. Enquanto K. caminhava com dificuldade pela neve do lado de fora – o caminho deveria ter sido aberto há muito tempo; era estranho como esse trabalho era lento –, ele viu um dos assistentes ainda apoiado na cerca, exausto. Apenas um; onde estaria o outro? Será que K. havia quebrantado o espírito de pelo menos um deles? O assistente remanescente certamente ainda estava disposto a continuar como antes, e era possível ver isso quando, reanimado ao ver K., ele imediatamente começou a esticar os braços e rolar os olhos, implorando. Devo dizer, K. pensou consigo, ele é um modelo de intransigência, mas logo não conseguiu não pensar: ele poderia congelar-se àquela cerca. No entanto, externamente, K. não passava de uma ameaça para o assistente, balançando o punho de um modo calculado, para impedi-lo de qualquer aproximação, e de fato o assistente afastou-se um pouco. Frieda estava abrindo uma janela para arejar a sala antes de o fogão ser aceso, como ela e K. haviam combinado. Com isso, o assistente deixou K. sozinho e foi espiar a janela, atraído de modo irresistível. A expressão dela misturava sentimentos afetuosos pelo assistente e uma súplica inútil quando olhou para K., ela acenou da janela levemente. Não ficou claro se isso era para afastar o assistente, ou se para atraí-lo, mas esse gesto não impediu que ele se aproximasse. Então Frieda rapidamente abriu a janela, mas ficou atrás dela, com sua mão no trinco, sua cabeça de um lado, seus olhos bem abertos, e um sorriso fixado em seus lábios. Será que ela sabia que estava provocando o assistente ao invés de intimidá-lo? Mas K. não olhou mais para trás; ele queria correr o mais rápido que pudesse, para poder voltar logo.

15
Na casa de Amália

Enfim – já estava escuro, quase noite –, K. abriu o caminho pelo jardim, ajuntando a neve e batendo nela firmemente nas laterais do caminho, e agora havia terminado o seu dia de trabalho. Ele estava no portão do jardim, sem ninguém à vista. Ele havia espantado o assistente horas atrás, perseguindo-o por um longo caminho, até que o assistente se escondeu em algum lugar entre os pequenos jardins e cabanas, e não pôde mais ser visto, e não havia aparecido mais desde então. Frieda estava em casa, lavando as roupas e ainda ocupada dando um banho no gato de Gisa. Era um sinal de grande confiança da parte de Gisa dar a Frieda a tarefa de banhar o gato, por mais que para ela fosse algo desagradável e inconveniente, e K. certamente não teria permitido isso se não fosse aconselhável, considerando seu diversos abandonos de trabalho, aproveitar cada oportunidade para ser aceito por Gisa. Ela observava com satisfação enquanto K. levava a pequena banheira de bebês do sótão; a água foi aquecida, e finalmente o gato foi cuidadosamente colocado na banheira.

Então Gisa deixou o gato inteiramente sob a responsabilidade de Frieda, pois Schwarzer, o conhecido de K. em sua primeira noite, havia chegado, cumprimentado K. com uma mistura de timidez – que havia começado naquela noite – e com um enorme desdém oportuno por um zelador escolar, e então foi para a outra sala de aula com Gisa. K. havia sido informado na Pousada da Ponte que Schwarzer, embora fosse filho de um dos guardas do castelo, vivia há muito tempo no vilarejo por amor a Gisa e, por meio de seus contatos, conseguiu que o conselho da cidade o nomeasse como professor-assistente, embora seu trabalho nessa área fosse basicamente assistir a quase todas as aulas dadas pela própria Gisa, sentado no banco da escola com as crianças ou, como preferia, sentado aos pés de Gisa no tablado. Naquele ponto, ele já não atrapalhava; as crianças já haviam se acostumado com ele, talvez com mais facilidade pelo fato de que Schwarzer não gostava de crianças, nem as compreendia, portanto, mal falava com elas. Tudo o que ele havia feito era assumir as aulas de ginástica de Gisa e, de resto, ele estava feliz em ficar perto dela, em viver no ar que ela respirava e no calor de sua presença. Seu maior prazer era sentar-se ao lado de Gisa e corrigir os cadernos dos alunos com ela. Eles estavam ocupados com essa tarefa hoje. Schwarzer levou uma grande pilha de cadernos com ele, o professor também entregou os seus para eles e, enquanto havia luz, K. conseguia vê-los sentados a uma pequena mesa na janela, com as cabeças unidas, sem se mover. Agora tudo o que se via era a luz trêmula de duas velas. Era um amor sério e silencioso que unia o casal. O tom era estabelecido por Gisa, cuja natureza apática algumas vezes era excessiva, mas que não tolerava tal comportamento em outras pessoas em outros momentos, então o alegre Schwarzer precisou adaptar-se a ela, caminhar e falar lentamente e ficar em silêncio por um bom tempo. No entanto, qualquer um podia ver que ele era ricamente recompensado por tudo isso pela presença silenciosa de Gisa. Ainda assim, talvez Gisa não o amasse realmente nem um pouco, pelo menos seus olhos redondos e cinzas, que quase nunca piscavam embora suas pupilas parecessem mexer, nunca respondiam a essas perguntas. Era possível ver que ela tolerava Schwarzer, mas com certeza não entendia a honra de ser amada pelo filho de um dos guardas do castelo, e ela caminhava com seu corpo cheio e sensual da mesma forma, quer os olhos de Schwarzer a seguissem ou não. Schwarzer, por sua vez, fazia sacrifícios constantes por ela ao permanecer no vilarejo; quando os mensageiros vinham de seu pai para levá-lo de volta, como eles normalmente faziam, ele os mandava embora com tal indignação como se ser lembrado por eles sobre o castelo e seu dever como filho fosse uma interrupção severa e irremediável de sua felicidade. No entanto, ele realmente tinha muito tempo livre, pois, em geral, Gisa lhe fazia companhia somente durante as aulas e, enquanto eles corrigiam exercícios, não de forma calculada, mas porque ela apreciava o seu conforto e, portanto, ficar sozinha, mais do que qualquer coisa, e provavelmente era mais feliz quando podia esticar-se no sofá em casa, em completa liberdade ao lado de seu gato, que nunca a incomodava, já que mal podia mover-se. Então Schwarzer ficava à deriva, sem nada para fazer por grande parte do dia, mas ele também apreciava isso, pois sempre lhe dava a oportunidade, uma que ele normalmente aproveitava, de ir até a alameda Lion, onde Gisa morava, subir até o pequeno quarto em seu sótão, ouvir pela porta, que sempre estava trancada, e depois ir embora após não escutar nada dentro do quarto além do mais completo e estranho silêncio. As consequências desse modo de vida apareciam nele de vez em quando, mas nunca na presença de Gisa, somente em ridículos acessos de raiva em momentos em que ele se sentia ferido em seu orgulho oficial, que certamente não combinava bem com sua atual situação. Quando tais incidentes ocorriam, eles normalmente acabavam mal, como K. descobriu por si mesmo.

A única coisa surpreendente era que as pessoas referiam-se a Schwarzer com certo respeito, ao menos na Pousada da Ponte, até em assuntos que não importavam e eram bem ridículos, e o respeito sentido por ele estendia-se a Gisa. Da mesma forma, não era certo que Schwarzer, como um professor-assistente, se sentisse tão superior a K. Na verdade, tal superioridade não existia; um zelador escolar é alguém de grande importância para o corpo docente de uma escola, e certamente para um professor do tipo de Schwarzer; K. não poderia ser desprezado impunemente e, se ele sentia tal desdém, se alguém sente que deve demonstrá-lo por causa de seu próprio *status*, algo apropriado deve ser feito em retribuição. K. gostava de pensar nisso de tempos em tempos, e Schwarzer ainda estava em débito com ele desde aquela primeira noite. A dívida não havia diminuído pelo fato de que os dias seguintes provaram que a maneira como Schwarzer o recebeu estava correta, pois aquela recepção (que ninguém esqueça) pode ter determinado o curso de tudo o que aconteceu em seguida. Por causa de Schwarzer, toda a atenção das autoridades havia sido direcionada para K. naquele momento, quando ele ainda era um completo estranho no vilarejo, sem conhecer ninguém, sem ter para onde ir, esgotado por sua longa jornada a pé, indefeso como estava, deitado em um colchão de palha, à mercê de qualquer ataque das autoridades superiores. Apenas uma noite depois tudo teria sido diferente, mais fácil, e com alguma privacidade. Pelo menos ninguém iria saber nada sobre ele, não teriam nenhuma suspeita, e não teriam hesitado em deixá-lo passar um dia com eles como um artesão viajante. Teriam visto como ele era útil e confiável, e essa notícia teria percorrido a vizinhança, e ele logo iria encontrar um trabalho como criado em algum lugar. É claro que ele não teria desafiado as autoridades. Mas havia uma grande diferença entre ligar para o Escritório Central ou para qualquer pessoa no telefone no meio da noite por sua causa, pedindo para um oficial no Escritório Central tomar uma decisão imediata e, além disso, pedindo que ele fizesse isso com uma humildade aparente, e uma persistência irritante, principalmente quando a pessoa a fazer as perguntas era Schwarzer, que provavelmente não era muito popular lá em cima, e bater na porta do prefeito do vilarejo no dia seguinte.

K. poderia ter ido até lá durante o expediente, poderia ter dito, como a situação exigia, que ele era um desconhecido ali, um viajante que havia encontrado uma cama para passar a noite com um certo morador da cidade, e provavelmente iria embora pela manhã a menos que arrumasse um emprego ali, por mais improvável que isso fosse, trabalharia por apenas alguns dias, naturalmente, não ficaria mais tempo de forma alguma. Isso, ou algo parecido, era como as coisas deveriam ter acontecido se não fosse por Schwarzer. As autoridades teriam olhado para o seu caso da mesma forma, mas em relação ao ramo dos negócios, sem ser incomodados pela impaciência de uma das partes que os pressionava para obter respostas, de quem eles provavelmente não gostavam. Bem, K. não era culpado por nada disso, era culpa de Schwarzer, mas ele era o filho de um guarda do castelo e, à primeira vista, havia se comportado de modo perfeitamente correto, então tudo só poderia cair sobre K. E qual era a razão ridícula para tudo aquilo? Talvez uma pequena mudança no temperamento de Gisa naquele dia houvesse feito Schwarzer sair caminhando à noite, sofrendo de insônia e descontando sua irritação em K. Ao olhar para a história de outra forma, é claro, era possível dizer que K. foi muito responsável pelo comportamento de Schwarzer. Só isso havia tornado possível algo que K. nunca faria por conta própria, nunca teria ousado fazer sozinho e, por sua vez, as autoridades nunca permitiriam: desde o início ele teria falado face a face com essas autoridades, até onde fosse possível, abertamente e sem equívoco. Mas esse era um tipo ruim de compensação; poderia poupar K. de muitas mentiras e segredos, porém também o deixaria quase indefeso, ou pelo menos iria colocá-lo em desvantagem em sua luta, e poderia tê-lo lançado em desespero se ele não tivesse lembrado do equilíbrio desproporcional de poder que havia entre eles e as autoridades. Todas as mentiras e os enganos dos quais ele fosse capaz não poderiam servir para muita coisa contra essa desproporção, teriam sido apenas um fator relativamente pequeno. No entanto, essa era apenas uma ideia elaborada por K. para consolar a si mesmo. Schwarzer ainda estava em dívida com ele, da mesma forma e, se ele havia prejudicado K. no início, poderia ajudá-lo agora, pois K. iria precisar de ajuda no futuro para as pequenas coisas, seus pré-requisitos básicos, e Barnabé parecia ter falhado com ele novamente. Pelo bem de Frieda, K. havia hesitado o dia inteiro em ir até a casa de Barnabé e, para evitar recebê-lo, havia trabalhado do lado de fora e, quando o trabalho terminou, ele ficou lá fora esperando por Barnabé, mas ele não chegou. Agora não havia mais o que fazer a não ser visitar as irmãs, só por pouco tempo; ele simplesmente ficaria em pé na porta para fazer uma pergunta e logo voltaria. Então fincou a pá na neve e saiu.

Ele chegou na casa da família de Barnabé sem fôlego, bateu à porta, empurrou-a e perguntou, sem prestar atenção no estado do cômodo:

– Barnabé ainda não chegou?

Só então percebeu que Olga não estava ali, que novamente as duas pessoas estavam adormecidas sobre a mesa, que estava longe de K. – eles ainda não haviam percebido sua chegada à porta, e viraram seus rostos vagarosamente para olhar em sua direção – e, finalmente, que Amália estava deitada sob alguns tapetes no banco ao lado do fogão e, assustada por ver K., havia se levantado e estava com a mão na testa, para recuperar-se. Se Olga estivesse ali, então logo teria respondido, e K. poderia ir embora novamente, mas, daquela forma, ele precisaria dar pelo menos alguns passos até Amália. Ele lhe ofereceu sua mão, que ela apertou em silêncio, e pediu a ela que impedisse seus pais de se levantarem, o que ela fez com poucas palavras. K. descobriu que Olga estava no jardim cortando madeira, e a exausta Amália – ela não disse por que estava exausta – precisou deitar-se um pouco, e não, Barnabé ainda não havia chegado em casa, mas deveria chegar em breve, pois ele nunca passava a noite no castelo. K. lhe agradeceu pela informação. Agora ele estava livre novamente, mas Amália perguntou se ele não poderia esperar por Olga. Ele disse que sentia muito, mas não tinha tempo naquele momento. Então, Amália perguntou se ele já havia falado com Olga naquele dia. Surpreso, respondeu na negativa e perguntou se havia algo em particular que Olga queria dizer a ele. Amália mordeu o lábio como se estivesse um pouco incomodada, acenou silenciosamente para K., claramente em despedida, e deitou-se novamente. De sua posição, ela o analisou como se estivesse surpresa por ele ainda estar ali. Seu olhar era frio, claro, mais fixo do que nunca, e não era precisamente direcionado ao que ela estava observando, pelo contrário, ele passava quase imperceptível, mas sem nenhuma incerteza, o que era perturbador. Não parecia ser por fraqueza, ou vergonha, ou desonestidade, mas, sim, por um desejo constante de privacidade que dominava todos os outros sentimentos, e talvez ela também só o percebesse dessa forma. K. lembrou-se de que esse olhar havia ocupado sua mente naquela primeira noite, e provavelmente toda a impressão nada atraente sobre a família o havia feito afastar-se dele imediatamente. Sua expressão em si não era feia, mas orgulhosa, e demonstrava uma reserva genuína.

— Você é sempre tão triste, Amália – disse K. – Algo está incomodando você? Não pode me dizer? Nunca vi uma camponesa como você antes. Só hoje, só agora, isso me ocorreu. Você é deste vilarejo? Nasceu aqui?

Amália disse sim, como se K. houvesse feito apenas a última pergunta, e então acrescentou:

– Então você irá esperar por Olga?
– Não sei por que continua me perguntando a mesma coisa – disse K. – Eu não posso ficar mais tempo porque minha noiva está me esperando em casa.

Amália apoiou-se em seus cotovelos; ela disse que não sabia nada sobre sua noiva. K. disse o nome de Frieda. Amália disse que não conhecia. Perguntou se Olga sabia sobre o noivado, e K. disse que achava que sim; afinal, Olga o viu com Frieda, e tais notícias se espalhavam rápido pelo vilarejo. No entanto, Amália garantiu a ele que Olga provavelmente não sabia de nada, e ela ficaria muito infeliz, pois parecia estar apaixonada por K. Ela não havia dito nada sobre isso abertamente, pois era muito reservada, mas ela involuntariamente havia confessado seu amor. K. tinha certeza de que Amália estava errada, e o disse. Amália sorriu, e aquele sorriso, embora fosse triste, iluminou seu rosto sombrio, tornou seu silêncio eloquente e sua estranheza familiar. Era como contar um segredo, um bem até então guardado, que podia ser retirado novamente, mas nunca inteiramente. Amália disse ter certeza de que não estava errada, pois sabia ainda mais, sabia que K. gostava de Olga também, e que suas visitas, sob o pretexto de alguma mensagem ou outra de Barnabé, eram realmente para ver Olga. Mas agora Amália sabia tudo, e ele não precisava ser tão cuidadoso, e poderia ir até lá com mais frequência. Isso era tudo que ela queria falar para ele, acrescentou. K. balançou a cabeça e pensou em seu noivado. Amália não parecia dar muita atenção para esse noivado; a impressão imediata que teve sobre K., que agora estava em pé diante dela, sozinho, era o que importava para ela. Amália apenas perguntou quando K. havia conhecido Frieda; ele estava no vilarejo há apenas poucos dias. K. contou a ela sobre aquela noite na Pousada do Castelo, e Amália disse, brevemente, apenas que ela havia sido contra qualquer pessoa levar K. até lá.

Ela chamou Olga para falar sobre isso, pois sua irmã estava entrando com os braços cheios de lenha, com a pele fresca e corada pelo ar frio, animada e forte, como se a sua usual imobilidade pesada dentro da casa tivesse sido transformada pelo trabalho externo. Ela jogou a lenha no chão, cumprimentou K. sem nenhum embaraço e, imediatamente, perguntou por Frieda. K. lançou um olhar para Amália, mas ela ainda não se considerou contrariada. Um pouco incomodado por isso, K. começou a falar mais sobre Frieda do que normalmente faria, descrevendo as difíceis circunstâncias em que ela estava tentando manter a casa de alguma forma na escola e, na pressa de contar essa história – pois queria ir logo para casa –, ele se perdeu tanto que, enquanto ia embora, convidou as irmãs para irem visitá-lo algum dia. Mas então se assustou e parou, enquanto Amália disse imediatamente, sem dar a ele um tempo para dizer qualquer outra palavra, que aceitava o convite, então Olga precisou concordar, e ela o fez. K., no entanto, ainda ansioso pela sensação de que deveria ir embora rapidamente, e inquieto com o olhar de Amália, não hesitou em dizer que o convite havia sido impensado, que o havia feito apenas por inclinação pessoal e, infelizmente, teria de retirá-lo, já que havia tanta hostilidade, embora por sua parte ele não soubesse o motivo, entre Frieda e Barnabé e sua família.

– Ah, não é hostilidade – disse Amália, levantando-se do banco, deixando cair o tapete atrás de si. – Não é nem de perto tão grande quanto isso, é apenas um caso de seguir a opinião pública. Bem, vá para sua noiva, percebo que está com pressa. E não tenha medo de que possamos ir visitá-lo. Eu disse que iríamos somente como uma piada, com malícia. Mas você pode vir nos ver quando quiser, não há nenhuma dificuldade nisso. Você pode sempre usar as mensagens de Barnabé como desculpa. E vou facilitar sua vida adiantando que, mesmo se Barnabé trouxer uma mensagem do castelo para você, ele não poderá ir até a escola para vê-lo. Ele não pode caminhar tanto, pobre jovem, está esgotado por causa dos trabalhos no castelo. Você mesmo terá que vir buscar sua mensagem.

K. nunca tinha ouvido Amália fazer um discurso tão longo, e não parecia soar como a maneira com que ela sempre falava; havia um tipo de arrogância no que dizia, sentida não apenas por K., mas também, é claro, por sua irmã Olga, que a conhecia bem. Ela foi um pouco mais para o lado, com as mãos no colo, novamente em sua atitude comum, inclinando-se um pouco e com as pernas separadas. Seus olhos estavam fixos em Amália, enquanto Amália olhava apenas para K.

— Isso é tudo um erro – disse K. – Vocês estão muito enganadas se acham que não estou falando sério sobre esperar Barnabé. Conseguir colocar meus negócios com as autoridades em ordem é meu mais estimado, e na verdade meu único, desejo. E Barnabé irá me ajudar a conquistá-lo; grande parte de minha esperança está colocada sobre ele. De fato ele me desapontou muito uma vez, mas foi mais minha culpa do que dele. Aconteceu em minhas primeiras horas aqui. Eu pensei, na época, que conseguiria resolver tudo com uma pequena caminhada noturna, e então guardei rancor dele porque o impossível provou ser de fato impossível. Isso me influenciou até mesmo em relação à sua família e vocês duas, mas acabou. Acho que aprendi minha lição agora. Vocês até... – K. procurou a palavra correta, mas não a encontrou logo, e contentou-se em dizer algo que significava o mesmo: – Vocês podem ser bem mais gentis do que qualquer outra pessoa do vilarejo, até onde os conheço. Mas, Amália, você me deixa desconcertado ao fazer tão pouco, se não apenas do emprego de seu irmão, da importância dele para mim. Talvez não saiba sobre os negócios de Barnabé. Se for assim, tudo bem, deixarei o assunto em paz. Mas talvez você *saiba* sobre eles, de fato, essa é a impressão que tenho, e então é ruim, logo, poderia significar que seu irmão está me enganando.

— Não tenha medo – disse Amália. – Eu não sei de nada, e nada poderia fazer com que eu deixasse alguém me contar seus negócios, nada, nem mesmo minha consideração por você, e faria muita coisa por você, pois, como disse, somos pessoas gentis. Mas os negócios de meu irmão são só dele, e eu não sei nada sobre eles a não ser o que ouço aqui e ali involuntariamente. Por outro lado, Olga pode lhe contar tudo a respeito, porque ela é muito próxima a ele.

E Amália foi embora, primeiro até seus pais, com quem ela teve uma conversa sussurrada, e depois para a cozinha. Ela havia saído sem pedir licença a K., como se soubesse que ele iria ficar mais um bom tempo, e não era necessário despedir-se.

16

K. ficou para trás, parecendo surpreso; Olga riu dele e o levou até o banco ao lado do fogão. Ela parecia estar muito feliz por poder sentar ali sozinha com ele, mas era uma felicidade pacífica, em nada incomodada pelo ciúme. E essa falta de ciúme, e também de qualquer seriedade, fez bem para K. Ele gostava de olhar em seus olhos azuis, que não eram provocantes nem dominadores, apenas tímidos enquanto olhavam para ele e firmavam esse olhar. Era como se os avisos de Frieda e da senhoria não o tornassem mais receptivo a tudo isso, mas mais atento e alerta. E ele riu com Olga quando ela perguntou por que ele havia chamado Amália de gentil. Amália tinha todos os tipos de qualidade, mas a gentileza não era uma delas. Com isso, K. explicou que naturalmente o elogio havia sido para ela, Olga, mas Amália era tão dominadora que ela não só aplicava tudo que era dito em sua presença para si mesma, como também obrigava você a fazer o mesmo por livre e espontânea vontade.

– É verdade – disse Olga, mais séria agora. – Mais verdade do que imagina. Amália é mais nova do que eu, mais nova do que Barnabé também, mas é ela quem toma todas as decisões na família, boas ou más e, de fato, precisa suportar mais do que qualquer um de nós, bem ou mal.

K. achou que ela estava exagerando, pois um pouco antes Amália havia dito que não se interessava pelos negócios de seu irmão. No entanto, Olga sabia tudo a esse respeito.

– Como posso explicar? – disse Olga. – Amália não se importa com Barnabé ou comigo, ela realmente não se importa com ninguém a não ser nossos pais, ela os serve dia e noite, acabou de perguntar o que eles desejam jantar e foi para a cozinha para cozinhar para eles, e obrigou-se a levantar, embora não estivesse se sentindo bem desde de manhã, e estava deitada no banco. Mas, mesmo ela não se importando conosco, somos tão dependentes dela assim como os idosos e, se ela nos desse algum conselho sobre o que fazer, com certeza o seguiríamos, mas ela não faz isso; não somos próximos a ela. Você tem muita experiência com a natureza humana, vem de fora deste lugar, ela não lhe parece particularmente inteligente?

– Ela me parece particularmente infeliz – disse K. – Mas como o seu respeito por ela entra no fato de que, por exemplo, Barnabé carrega mensagens, e Amália reprova seu trabalho e talvez até o despreze?

– Se ele soubesse fazer outra coisa, ele pararia de vez de carregar mensagens. Não é um trabalho que o agrada nem um pouco.

– Ele não é um sapateiro treinado? – perguntou K.

– Sim, com certeza – disse Olga. – Ele faz alguns trabalhos paralelos para Brunswick, e poderia trabalhar dia e noite para receber um bom dinheiro, se quisesse.

– Muito bem, então – disse K. – Ele teria algo para fazer em vez de trabalhar como um mensageiro.

– Em vez de trabalhar como mensageiro? – perguntou Olga espantada. – Por quê? Você acha que ele faz esse trabalho pelo que recebe por ele?

– Talvez – afirmou K. – Mas você estava dizendo agora mesmo que esse trabalho não o satisfaz.

– Não o satisfaz por diversos motivos – disse Olga. – Mas é um trabalho para o castelo, afinal, um tipo de serviço para o castelo, ou pelo menos é o que as pessoas devem pensar.

– O quê? – perguntou K. – Você duvida até mesmo disso?

– Bem – disse Olga. – Na verdade, não. Barnabé vai até os escritórios, conversa com os servos, como se fosse um deles, até ocasionalmente vê um oficial de longe, e recebe muitas cartas importantes para carregar, e até mensagens orais são confiadas a ele para entregá-las. Isso é muito importante, e ele pode orgulhar-se do que já conquistou com tão pouca idade.

K. concordou. Não havia em sua mente nenhum pensamento sobre ir embora para casa.

– Ele possui seu próprio uniforme também? – perguntou K.

– Você se refere ao paletó? – disse Olga. – Não, Amália fez para ele ainda antes de ele ser um mensageiro. Mas você está prestes a tocar em um ponto sensível. Por muito tempo, ele desejou ter um, bem, não um uniforme, porque não há tal coisa no castelo, mas um terno oficial, e prometeram para ele, mas eles são muito lentos com essas coisas no castelo, e o pior é que você nunca sabe o que significa essa demora. Pode significar que o assunto está sendo analisado nos canais oficiais, mas, novamente, pode significar que o processo oficial nem começou, e que, por exemplo, eles querem testar mais Barnabé. Finalmente, pode significar que o caso já passou pelos canais oficiais, e Barnabé nunca receberá esse terno. Não há como descobrir em mais detalhes, ou só depois de muito tempo. Temos um ditado aqui, talvez você já o conheça, "decisões oficiais são esquivas como jovens garotas".

– Essa é uma boa observação – disse K., e ele parecia mais sério do que Olga. – Uma boa observação, e tais decisões podem ter outras características em comum com jovens garotas.

– Talvez – disse Olga –, embora eu não saiba o que você quer dizer. Talvez disse isso como um elogio. No entanto, quanto ao terno oficial, essa é apenas uma das preocupações de Barnabé e, como todos nós compartilhamos nossas preocupações, ela é minha também. Nós nos perguntamos, em vão: por que ele não recebe um terno oficial? Mas, novamente, nada disso é simples. Os oficiais, por exemplo, parecem não usar uma veste oficial; até onde sabemos, e pelo que Barnabé nos conta, os oficiais usam roupas comuns, embora sejam muito elegantes. E você viu Klamm. Mas é claro que Barnabé não é um oficial, nem mesmo um oficial do mais baixo grau, e não finge ser um. No entanto, até mesmo os servos mais importantes, não que consigamos vê-los no vilarejo, não têm roupas oficiais, de acordo com Barnabé, o que você pode pensar ser um conforto diante de tudo, mas um conforto enganoso, pois Barnabé é um servo mais importante? Não, por mais que eu o ame não posso dizer isso, ele não é um servo importante, e o mero fato de vir para o vilarejo e até mesmo morar aqui prova isso; os servos mais importantes são ainda mais reservados que os oficiais, talvez agindo corretamente,

O CASTELO

talvez na verdade ocupem funções mais altas do que muitos dos oficiais, e há algo a ser dito a esse respeito, pois eles trabalham menos. De acordo com Barnabé, é uma bela visão ver todos aqueles homens altos e fortes caminhando tranquilamente pelo corredor. Barnabé sempre caminha cuidadosamente perto deles. Resumindo, não pode haver dúvidas sobre Barnabé ser um servo superior. Então, ele poderia ser um dos servos inferiores, mas eles, sim, têm ternos oficiais, pelo menos quando vêm até o vilarejo. Não é exatamente um uniforme, pois sempre há algumas diferenças entre eles, mas, de qualquer forma, é possível identificar os servos do castelo por causa de suas roupas. Você já viu esses homens na Pousada do Castelo. O que causa mais impacto sobre essas roupas é que elas normalmente são bem ajustadas ao corpo. Nenhum fazendeiro ou artesão poderia usar uma roupa assim. Bem, Barnabé não tem um terno, o que não é nada vergonhoso ou humilhante, que poderia ser usado, mas nos faz duvidar de tudo, principalmente quando nos sentimos deprimidos e, às vezes, na verdade, diversas vezes, Barnabé e eu nos sentimos deprimidos. Então pensamos: o que Barnabé faz é um serviço para o castelo? Ele certamente entra nos escritórios, mas os escritórios são realmente o castelo? E mesmo se o castelo tem escritórios, Barnabé pode entrar neles? Ele entra nos escritórios, sim, mas essa é apenas uma parte do todo, pois existem barreiras, e ainda mais escritórios além delas. Ele não é exatamente proibido de seguir, mas não pode ir mais além se encontrar seus superiores e, quando eles o encontram, o mandam embora. Além disso, as pessoas estão sempre sendo vigiadas lá, ou pelo menos é o que acham. E, mesmo se ele fosse mais adiante, que bem isso poderia fazer se não tinha nenhuma função oficial lá e era um intruso? Você não deve imaginar essas barreiras como linhas divisórias distintas; Barnabé sempre me lembra disso. Existem barreiras nos escritórios em que ele entra também; existem barreiras que ele pode ultrapassar, e elas não são diferentes daquelas que ele nunca cruzou, então podemos deduzir com esse cenário que, além dessas últimas barreiras, existem escritórios de um tipo essencialmente diferente daqueles onde Barnabé já esteve. Nós pensamos assim somente nesses momentos de tristeza. Então as dúvidas continuam, e não há como afastá-las. Barnabé fala com os oficiais, Barnabé recebe mensagens. Mas que tipo de oficiais e que tipo de mensagens? Bem, ele diz ter sido designado para Klamm, e o próprio Klamm lhe dá trabalho para fazer. Bem, esse seria um grande feito, pois até mesmo os servos superiores não chegam tão longe, na verdade, é quase importante demais, e esse é o motivo da preocupação. Imagine só, ser designado para Klamm, e falar com ele pessoalmente! Mas isso é realmente tudo o que parece? Bem, sim, é; mas por que Barnabé duvida que o oficial descrito como Klamm seja realmente Klamm?

– Olga – interrompeu K. – Você está brincando? Como pode haver qualquer dúvida sobre a aparência de Klamm? Todos sabem como ele é; eu mesmo o vi.

– Ah, certamente não estou brincando, K. – disse Olga. – Isso não é uma brincadeira, é minha pior ansiedade. Mas não estou falando tudo isso para aliviar meu coração e talvez angustiar o seu, estou contando tudo isso porque você estava perguntando sobre Barnabé, Amália me disse para contar para você, e eu também acho que será útil que saiba mais. Também estou fazendo isso pelo bem de Barnabé, para que não espere demais dele, para que ele não o desaponte, quando ele mesmo sofreria esse desapontamento. Ele é muito sensível; por exemplo, não dormiu a noite passada porque você estava descontente com ele ontem à noite, e parece que você disse que era muito difícil ter "apenas um mensageiro assim" como Barnabé. Essas palavras o mantiveram acordado, embora eu não ache que você tenha reparado nisso, pois mensageiros precisam ter o controle de si mesmos. Mas ele não tem paz, nem mesmo com você. Como vê, tenho certeza de que não acha que está pedindo demais dele; certamente tem uma ideia em sua cabeça sobre o trabalho de um mensageiro, e julga seus pedidos por essas ideias. Mas, no castelo, eles têm outras ideias sobre o trabalho de um mensageiro. Ideias que não podem ser ajustadas às suas, mesmo se Barnabé se sacrificasse completamente por seu trabalho, o que temo que às vezes está inclinado a fazer. Precisamos conviver com isso, não podemos nos opor, quanto à questão de que se o que ele faz é de fato o trabalho de um mensageiro. Para você, é claro, ele não pode demonstrar nenhuma dúvida. Da forma como ele vê, ao fazer isso, estaria diminuindo sua própria existência, ofendendo severamente as leis que ainda pensa que o governam, e ele não conversa livremente nem mesmo comigo. Preciso persuadi-lo e afastar suas dúvidas com beijos e, mesmo assim, ele não irá admitir que *são* dúvidas. Há um pouco de Amália nele. E é claro que ele não me conta nada disso, embora eu seja sua única confidente. Mas às vezes falamos sobre Klamm. Eu mesma nunca vi Klamm, sabe, Frieda não gosta muito de mim, e nunca permitia que eu o visse, mas é claro que sua aparência é bem conhecida no vilarejo, algumas pessoas já o viram, todas já ouviram falar dele, e parece que uma imagem de Klamm foi construída com rumores e certos aspectos mais profundos que a distorcem, ainda assim, em geral, está provavelmente correta. Mas é somente um esboço. De resto, ela ainda pode mudar, talvez não tanto quanto a própria aparência de Klamm. Dizem que ele fica diferente quando vem para o vilarejo e quando vai embora, diferente antes e depois de beber uma cerveja, diferente dormindo e acordado, diferente sozinho e em conversas, e é bem compreensível, com tudo isso, que seja totalmente diferente lá no castelo. Mesmo no vilarejo, diversas diferenças foram relatadas: diferenças de tamanho, postura, figura, barba; e somente quando descrevem suas roupas é que os relatos correspondem; ele sempre usa a mesma roupa: um casaco preto com pontas longas. É claro que essas diferenças não são resultado de um truque de mágica, mas são tão simples de compreender, geradas pelo humor do momento, o grau de excitação, as nuances contínuas de esperança e desespero sentidas por aqueles que são privilegiados em ver Klamm e, novamente, em geral, eles têm apenas um relance dele. Estou lhe contando isso como Barnabé já explicou para mim diversas vezes, e alguém que não é pessoal e diretamente afetado por isso pode descansar sua mente nesse pensamento. Mas nós não podemos e, se ele realmente conversa com Klamm, é uma questão de vida e morte para Barnabé.

– É o mesmo para mim – disse K., e eles se aproximaram no banco ao lado do fogão.

K. havia de fato sido afetado por todas aquelas informações perturbadoras de Olga, mas sentia uma compensação considerável encontrar pessoas ali que, pelo menos aparentemente, tinham a mesma experiência que ele, para que pudesse se aliar a elas, chegando a um acordo em muitos pontos, e não só em alguns, como com Frieda. Ele estava de fato abandonando qualquer esperança de sucesso por meio de uma mensagem trazida por Barnabé, mas quanto mais terrível fosse o tempo de Barnabé lá em cima, mais próximo ele poderia ficar dele ali embaixo. K. nunca teria pensado que qualquer um dos aldeões poderia fazer tamanho empenho infeliz como Barnabé e sua irmã faziam. Por certo, isso ainda não havia sido totalmente esclarecido, e poderia alterar tudo para seu oposto; não poderia permitir-se sair do caminho pela natureza de Olga, que era certamente inocente, para acreditar na honestidade de Barnabé também.

– Barnabé conhece as histórias sobre a aparência de K. – Olga continuou. – E reuniu e comparou muitas delas, talvez demais, e ele mesmo certa vez viu Klamm pela janela de uma carruagem, ou pensou tê-lo visto, então estava muito preparado para saber quem ele era e, ainda assim, quem consegue explicar isso?, quando ele foi até um escritório no castelo e um oficial foi apontado entre muitos, e foi dito que aquele era Klamm, ele não o reconheceu e, por muito tempo depois, ainda não conseguia se acostumar à ideia de que o oficial fosse Klamm. Mas, se perguntar para Barnabé em quais aspectos aquele homem era diferente da ideia comum sobre Klamm, ele não saberia responder, ou sua resposta iria descrever o oficial no castelo, mas essa descrição corresponde exatamente à descrição de Klamm que nós conhecemos. "Muito bem, Barnabé", pergunto a ele, "por que você duvida, por que atormentar-se?" Daí, com muita dificuldade, ele começa a enumerar traços distintos do oficial do castelo, embora pareça estar inventando ao invés de relatá-los; além disso, eles parecem ser tão superficiais: uma forma especial de balançar a cabeça, por exemplo, ou simplesmente seu colete desabotoado, e não é possível levá-lo a sério. Para mim, o que parece ser mais importante é a maneira com que Klamm trata Barnabé. Normalmente, Barnabé é levado para uma grande sala que é um escritório, mas não o de Klamm, o escritório não pertence a ninguém. Em toda a sua extensão, essa sala é dividida em duas partes por uma mesa onde as pessoas ficam, uma parte é estreita, onde duas pessoas quase se esbarram, e essa é a área dos oficiais, e uma parte, ampla, é um espaço para membros do público, os espectadores, os servos, os mensageiros. Sobre a mesa, ficam livros abertos, um do lado do outro, com oficiais lendo a maioria deles, em pé. Mas eles nem sempre ficam no mesmo livro, e eles não trocam os livros, pelo contrário, mudam de lugar, e o que mais surpreendeu Barnabé é a maneira como precisam se espremer para conseguir mudar de lugar, já que o espaço é tão apertado. Diante da mesa e quase ao lado dela, há mesas mais baixas onde sentam-se os clérigos, tomando notas quando os oficiais desejam. O modo como tudo é feito sempre surpreendeu Barnabé. Não há nenhuma ordem expressa de um oficial, e a observação não é feita em voz alta, você mal percebe que estão ditando alguma coisa. É mais como se o oficial estivesse lendo como antes, mas sussurra enquanto o faz, e o clérigo está ouvindo. Normalmente, o oficial dita tão silenciosamente que o clérigo, sentando, não consegue escutá-lo. Então, precisa pular para entender o que está sendo ditado, sentar de novo, rapidamente, escrever, pular novamente, e assim por diante. Como isso é estranho, incompreensível! É claro, Barnabé tem muito tempo para observar isso, pois ele permanece na área de observação por horas, às vezes dias, antes que o olhar de Klamm pouse sobre ele. E, mesmo se Klamm o vê, e Barnabé se prepara, nada é garantido ainda, pois Klamm pode voltar para o livro e esquecer-se dele, o que normalmente acontece. Mas que tipo de serviço de mensagens é tão pouco importante? Meu coração sofre quando Barnabé me diz pela manhã que está indo para o castelo. A jornada provavelmente será inútil, o dia provavelmente será perdido, e a esperança provavelmente terá sido em vão. Qual é o objetivo disso? E aqui embaixo, o serviço de sapateiro se acumula, ninguém sabe fazer, e Brunswick cobra que ele seja feito e entregue.

– Muito bem – disse K. – Então Barnabé tem que esperar um longo tempo antes de receber algo para fazer. Isso é compreensível, parece haver um número excessivo de empregados ali, nem todos recebem tarefas para fazer todos os dias. Você não deveria reclamar, pode acontecer com qualquer um. Afinal, Barnabé tem um trabalho para fazer; ele já me entregou duas cartas.

— É possível — disse Olga — que estejamos errados em reclamar, particularmente eu, já que sei de tudo isso apenas por ouvir e, como uma garota, não compreendo tão bem quanto Barnabé, que não me conta tudo de forma alguma. Mas agora deixe-me falar sobre as cartas, por exemplo, essas cartas que foram trazidas para você. Barnabé não as recebe diretamente de Klamm, ele as recebe dos clérigos. Em um dia qualquer, em um horário qualquer — esse é um dos motivos por que, por mais simples que possa parecer, esse trabalho é tão cansativo, pois Barnabé precisa estar atento o tempo todo —, os clérigos se lembram dele e fazem um sinal para que se aproxime. Não parece ser obra de Klamm; ele está quieto, lendo o seu livro, e às vezes está limpando seu pincenê quando Barnabé chega, embora ele faça isso normalmente, e então talvez olhe para ele, supondo que possa enxergar sem o seu pincenê, o que Barnabé duvida. Os olhos de Klamm ficam fechados, e ele parece estar dormindo, e limpando seu pincenê em um sonho. Enquanto isso, o clérigo escolhe uma carta para você entre os muitos arquivos e papéis guardados sobre a mesa, mas não é uma carta que acabou de ser escrita, a julgar pela aparência do envelope, é uma carta que estava lá há muito tempo. Mas, se é uma carta antiga, por que Barnabé teve de esperar tanto tempo? E você também, provavelmente. Por fim, a carta também, porque agora provavelmente já se tornou datada. Tudo isso faz com que Barnabé tenha a reputação de um mensageiro ruim, lento. No entanto, o clérigo dá de ombros, entrega a carta a Barnabé e diz: "De Klamm, para K." e, com isso, Barnabé é dispensado. Vez ou outra, Barnabé chega sem fôlego, com a carta que havia recebido sobre sua pele, embaixo de sua camisa, e nos sentamos no banco aqui, como você e eu estamos sentados agora, ele me conta como foi, e analisamos cada detalhe, desvendando o que ele conquistou. Então concluímos que é muito pouco, e até esse pouco é questionável, e Barnabé coloca a carta de lado, sem vontade de entregá-la, então começa seu trabalho de sapateiro e passa a noite sentado em seu banquinho. É assim que é, K., esses são meus segredos, e agora suponho que não ficará mais surpreso que Amália, que acha que pode viver sem eles.

— Mas e a carta? – perguntou K.

— A carta? – disse Olga. – Bem, depois de um tempo, quando já pressionei Barnabé o bastante, e enquanto isso podem ter se passado dias e semanas, ele pega a carta e vai entregá-la. Ele é muito dependente de mim com tais detalhes, porque, assim que supero a primeira impressão do que me diz, posso entender o que ele não consegue fazer, provavelmente porque sabe mais a respeito do assunto. E fico perguntando, por exemplo: "O que você realmente quer, Barnabé? Com que tipo de carreira sonha, qual é sua ambição? Você quer chegar a nos abandonar, me abandonar, completamente? Esse é o seu objetivo? Acho que eu deveria acreditar nisso, não é mesmo? Porque, de outra forma, não haveria como entender por que você está tão insatisfeito com tudo que já conquistou. Olhe ao seu redor, veja se seus vizinhos estão tão bem. Com certeza, a situação deles é diferente da nossa, e eles não têm motivos para procurar um modo de vida melhor, mas mesmo sem fazer essa comparação, qualquer um pode ver que tudo está indo muito bem para você. Há obstáculos, há fatores incertos, há desapontamentos, mas isso apenas significa, como já sabíamos, que ninguém lhe dá nada de graça, você precisa lutar por cada coisa sozinho, mais uma razão para ter orgulho e não ficar cabisbaixo. E está lutando por nós também, certo? Isso não significa nada para você? Não lhe dá novas forças? E o fato de que eu me sinto orgulhosa, quase arrogante, por saber que tenho um irmão como você não lhe dá um senso de segurança? É verdade que me desaponta, não pelo que conquistou no castelo, mas pelo que eu conquistei por você. Você pode ir até o castelo, é um visitante constante nos escritórios, passa dias inteiros na mesma sala que Klamm, é um mensageiro publicamente reconhecido, leva mensagens importantes, você é tudo isso, pode fazer todas essas coisas, e então desce e, em vez de nos abraçarmos, chorando de felicidade, toda a sua coragem parece abandoná-lo ao me ver, você duvida de tudo, nada além dos sapatos parece animá-lo, e não faz nada com a carta que garante o nosso futuro". É assim que falo com ele e, depois de repetir isso por dias sem fim, ele suspira, pega a carta, e sai. Mas provavelmente não é por influência de meus comentários, pois ele está subindo para o castelo novamente, para onde mais?, e ele não se atreveria a ir lá sem cumprir suas tarefas antes.

– Bem, você está certa em tudo o que diz para ele – disse K. – Resumiu tudo muito bem. Como você pensa claramente!

– Não – disse Olga –, você está enganado, e talvez eu esteja enganando Barnabé. Afinal, o que ele conquistou? Ele pode entrar em um escritório, mas não parece nem ser um escritório real, e sim mais uma antessala para os escritórios, talvez nem isso, talvez apenas uma sala onde ficam todos os que estão proibidos de entrar nos escritórios de verdade. Ele fala com Klamm, mas é realmente Klamm? Não é mais provável que seja alguém que parece Klamm? E tenta ser ainda mais como ele, e então imita os modos sonolentos, adormecidos de Klamm? Essa parte da natureza dele é mais fácil de imitar, muitos tentam copiá-la, embora eles deixem o resto dele em paz. E um homem como Klamm, com tanta demanda, embora seja tão difícil estar em sua presença, facilmente toma formas diferentes na mente das pessoas. Por exemplo, Klamm tem um secretário no vilarejo chamado Momus. Ah, então você o conhece? Ele também mantém distância, mas já o vi diversas vezes. Um jovem forte, não é? E ele provavelmente não se parece nem um pouco com Klamm. Ainda assim, é possível encontrar pessoas no vilarejo que poderiam jurar que Momus é Klamm, e que realmente há uma semelhança entre os dois, mas Barnabé sempre duvidou disso. E há muita coisa para apoiar suas dúvidas. Será que Klamm irá forçar seu caminho em uma sala comum, entre outros oficiais, com um lápis atrás de sua orelha? É muito improvável. Barnabé tem um hábito levemente infantil de dizer, às vezes, mas isso é quando ele está em um humor mais confiante: "O oficial se parece muito com Klamm; se ele estivesse sentado em um escritório próprio, a uma mesa própria, e seu nome estivesse na porta, bem, então eu não teria dúvidas". Infantil, mas sensível. E seria ainda mais sensível se, entretanto, quando Barnabé estivesse lá em cima, ele perguntasse para diversas pessoas como as coisas realmente são. Afinal, pelo que ele diz, há muitas pessoas naquela sala. E o que eles diriam não seria muito mais confiável do que as informações de um homem que lhe mostrou Klamm sem ser solicitado? Com tantas pessoas lá em cima, eles devem ter alguns pontos de referência de algum tipo, ao menos pontos de comparação deveriam surgir pelo grande número deles. Essa ideia não é minha, Barnabé pensou sobre isso, mas ele não tem coragem de colocá-la em prática; ele não se atreve a falar com alguém com medo de perder seu trabalho por infringir alguma regra desconhecida sem intenção. Isso mostra como ele é inseguro. Sua insegurança, digna de pena como é, mostra sua posição mais claramente do que qualquer descrição. Como tudo lá deve parecer incerto e ameaçador se ele não ousa nem abrir a boca para fazer uma pergunta inocente! Quando penso nisso, me sinto culpada por deixá-lo sozinho naquelas salas desconhecidas, onde acontecem coisas que até ele, que não é covarde, e sim imprudente, provavelmente treme de medo por estar lá.

– Agora acho que você chegou ao ponto crucial – disse K. – E é isso mesmo. Por tudo o que disse, acho que agora vejo a situação claramente, Barnabé é jovem demais para essas responsabilidades. É impossível levar tudo o que ele diz a sério. Se está com muito medo quando entra nos escritórios, bem, não consegue observar nada e, se é forçado a falar sobre isso aqui, é a mesma coisa, você só vai ouvir contos de fadas confusos. Eu não estou surpreso. O temor pelas autoridades é algo inato para vocês aqui, e isso também é repetido a vocês durante toda a sua vida, de todas as maneiras, de todos os lados, e se adaptam a isso da melhor maneira possível. Não estou dizendo nada contra isso a princípio; se as autoridades são boas, porque as pessoas não podem respeitá-las? Mas um jovem mal-informado como Barnabé, que nunca esteve muito longe do vilarejo, não deveria ser enviado para o castelo esperando-se que ele voltasse com relatos fidedignos e, então, tudo o que ele diz é estudado como uma revelação, com a felicidade de todos dependendo de sua interpretação. Nada pode estar mais desencaminhado. Por certo eu, como você, me permiti ser levado por ele, coloquei minhas esperanças sobre ele e sofri com o desapontamento, mas esperança e desapontamento en-

contrados apenas nas palavras dele, as quais se pode dizer que não tinham nenhum fundamento.
Olga não respondeu.
– Não será fácil para mim – disse K. – estremecer sua confiança em seu irmão, pois eu vejo o quanto o ama e o que espera dele. Mas eu preciso fazê-lo, também pelo bem de seu amor e suas expectativas. Ouça: algo, e eu não sei o que é, impede vocês de ainda reconhecerem completamente o que Barnabé de fato não conquistou, mas que foi dado a ele. Barnabé pode entrar nos escritórios, ou em uma antessala se você preferir, bem, se é uma antessala, há portas que levam mais adiante, barreiras que podem ser ultrapassadas se você souber o que fazer. Para mim, por exemplo, essa antessala é completamente inacessível, pelo menos por enquanto. Eu não sei com quem Barnabé conversa lá, talvez esse clérigo seja o mais inferior dos servos, mas até mesmo se ele for um dos mais inferiores, ele pode ir até o que está acima dele e, se não puder, pode dar pelo menos seu próprio nome, e se ele não puder falar seu nome, então irá indicar alguém que *possa* falar seu nome. O suposto Klamm pode não ter nada em comum com o verdadeiro, a similaridade pode estar visível apenas para Barnabé, cujos olhos estão cegos com empolgação, o homem pode ser o mais inferior dos oficiais, ele pode nem ser um oficial, mas tem algum trabalho para realizar naquela mesa, está lendo algo em seu grande livro, sussurra uma coisa ou outra para o clérigo, está pensando em uma coisa ou outra quando, após um longo tempo, seu olho vê Barnabé e, ainda que nada aconteça desse jeito, e o homem não é ninguém e o que ele faz não significa nada, alguém o nomeou para estar ali, e essa pessoa o fez com alguma intenção. Visto isso, direi que sim, há algo aí, algo está sendo oferecido para Barnabé, pelo menos uma coisa ou outra, e Barnabé é o único culpado por não conseguir ir além da dúvida, do medo e da falta de esperança. Ao dizer isso, estou utilizando o pior cenário, o que é bem improvável. Pois nós temos as cartas em nossas mãos, não que eu confie muito nelas, mas confio mais nelas do que no que Barnabé diz. Mesmo se são velhas, inúteis, escolhidas entre uma pilha de outras cartas igualmente inúteis, com a mesma função que

canários em feiras, escolhendo a sorte das pessoas aleatoriamente, mesmo se for assim, pelo menos essas cartas têm algo a ver com o meu trabalho. Elas obviamente são para mim, se talvez não para o meu próprio uso, como o prefeito do vilarejo e sua esposa demonstraram, elas foram escritas pelo próprio Klamm, novamente de acordo com o prefeito do vilarejo, elas têm uma importância pessoal e bem obscura, ainda que significante.

– Realmente foi isso que o prefeito disse? – perguntou Olga.

– Sim, ele disse – respondeu K.

– Ah, vou contar para Barnabé! – disse Olga rapidamente. – Isso irá encorajá-lo.

– Ele não precisa de encorajamento – disse K. – Encorajá-lo significa dizer que ele está certo, apenas precisa continuar como estava, mas, dessa forma, ele nunca irá chegar a lugar nenhum. Você pode encorajar alguém com seus olhos vendados a enxergar através daquela venda o quanto quiser, ele ainda não enxergará nada. Ele não conseguirá enxergar até que a venda seja removida. Barnabé precisa de ajuda, não de encorajamento. Pense nisso: lá em cima estão as autoridades em toda a sua grandeza inimaginável, achei que tivesse compreendido a ideia sobre elas antes de vir aqui, mas como isso foi tolo! Bem, lá em cima estão as autoridades, e Barnabé entra em contato com elas, sozinho, uma visão de dar dó. Isso já é muita honra para ele, se não passar o resto de sua vida isolado, à deriva, em algum canto escuro dos escritórios.

– Oh, K. – exclamou Olga. – Não pense que subestimamos o fardo pesado da tarefa que Barnabé assumiu. Não falhamos em nosso respeito às autoridades. Você mesmo disse.

– Mas é um respeito mal direcionado – disse K. – Um respeito que desonra seu objeto. Será que ainda é digno de ser chamado respeito se Barnabé faz mau uso do privilégio de entrar naquela sala e passar vários dias lá, ou se ele desce até aqui suspeitando e diminuindo aqueles diante de quem ele estava tremendo? Ou se, em desespero ou cansaço, ele falha em entregar as cartas de uma vez, e não volta logo com as mensagens confiadas a ele? Eu não chamo isso mais de respeito. Mas a culpa disso vai mais além, ela recai sobre você também, Olga, e não posso poupá-la. Embora pense que tem respeito pelas autoridades, você envia Barnabé, com toda a sua juventude, fraqueza e isolamento, até o castelo, ou pelo menos não impede que ele vá.

— Quanto às suas repreensões — disse Olga —, já as lancei contra mim durante muito tempo. Eu não sou culpada por enviar Barnabé para o castelo. Não o enviei, ele foi por sua própria vontade, mas talvez devesse tê-lo impedido de voltar, de todas as formas possíveis, por persuasão, astúcia ou força. Sim, eu deveria tê-lo mantido longe disso, mas, se hoje fosse o dia de minha decisão, se eu pudesse sentir a miséria de Barnabé e de nossa família antes como sinto agora, se Barnabé tivesse que se afastar de mim novamente e partir, gentil e sorrindo, ciente de toda a responsabilidade e perigo, mesmo assim, eu não o impediria, apesar de tudo o que temos passado desde então, e penso que você mesmo não conseguiria agir de outra forma em meu lugar. Você não conhece nossa situação miserável, então nos entende mal, particularmente Barnabé. Nós tínhamos mais esperança do que temos agora, mas mesmo naquela época nossa esperança não era grande, apenas nossa miséria, e assim permaneceu. Frieda não lhe contou sobre nós?

— Ela apenas fez alguns comentários vagos — disse K. — Nada definido, mas até mesmo o nome de sua família a incomoda.

— E a senhoria também não disse nada?

— Não, nada.

— Ninguém mais?

— Ninguém.

— Bem, é claro que não. Como alguém poderia dizer alguma coisa? Todos sabem alguma coisa sobre nós, ou a verdade, que até certo ponto está disponível a eles, ou pelo menos algum tipo de rumor que ouviram ou, mais comumente, que eles mesmos inventaram, e pensam mais em nós do que é realmente necessário, mas ninguém contará a história correta. Eles têm medo de colocar tudo em palavras. E estão certos. É difícil digerir tudo, até mesmo para contar-lhe, K., afinal, não é possível que, após ouvir tudo, você também vá embora e não queira mais saber nada sobre nós, por mais que não seja afetado pessoalmente? Então teremos perdido você, e agora, eu confesso, você significa mais para mim do que todo o trabalho que Barnabé realizou para o castelo até agora. E ainda assim, essa contradição tem me incomodado a noite inteira, e ainda assim, você precisa saber tudo, senão você não será capaz de entender nossa situação, ainda será injusto com Barnabé, o que particularmente me deixaria muito triste, não chegaríamos ao acordo que precisamos, e você não poderia nos ajudar, nem nós aceitarmos sua ajuda, por mais que ela seja extraoficial. Mas ainda há uma pergunta. Você quer saber o que é?

– Por que está perguntando isso? – questionou K. – Se necessário, sim, quero saber. Mas por que está perguntando?

– Por costume – disse Olga. – Você será atraído para nossos assuntos com toda a inocência, e será tão culpado quanto Barnabé.

– Vamos, conte-me – disse K. – Não tenho medo. Sua ansiedade feminina o faz parecer pior do que realmente é.

17
O segredo de Amália

– Julgue por si mesmo – disse Olga. – A propósito, é muito simples, então talvez você não entenda logo a grande importância que pode ter. Há um oficial no castelo chamado Sortini.
– Ah, já ouvi falar dele – disse K. – Ele teve algo a ver com minha nomeação.
– Eu acho que não – respondeu Olga. – Sortini mal aparece em público. Você não está confundindo ele com Sordini, escrito com "d"?
– Você está certa – disse K. – Era Sordini.
– Sim – disse Olga. – Sordini é muito conhecido, ele é um dos mais dedicados oficiais, e há muitas histórias sobre ele. Sortini, pelo contrário, é extremamente reservado, e um desconhecido para a maioria de nós. Faz mais de três anos que o vi pela primeira e última vez, no dia 3 de julho, em um festival da brigada de incêndio. O castelo colaborou com as festividades ao doar um novo carro de bombeiros. Sortini supostamente estava envolvido nos negócios da brigada de incêndio, ou talvez estivesse apenas substituindo alguém... Os oficiais normalmente substituem uns aos outros, então é difícil saber por certo qual deles é responsável pelo quê. De qualquer forma, Sortini participou da apresentação do novo carro de bombeiros, e é claro que outras pessoas do castelo também participaram, oficiais e seus servos, e Sortini, como cabia a sua personalidade, ficou atrás. Ele é um cavalheiro pequeno, fraco e atencioso, e todos que o viam percebiam o franzir de suas sobrancelhas, notável por causa das marcas, e havia muitas, embora ele não tivesse mais de 40 anos, espalhando-se sobre sua testa até a linha de seu nariz. Nunca vi nada igual. Bem, então chegou o dia do festival da brigada de incêndio. Nós, quero dizer, Amália e eu, estávamos ansiosas pela vinda dele havia semanas. Já havíamos preparado nossa melhor roupa de domingo, e o vestido de Amália em particular era muito fino, com sua

blusa branca, armada na frente com camadas e camadas de renda. Nossa mãe havia emprestado para Amália toda sua renda. Eu fiquei com inveja naquela época e chorei metade da noite antes da festa. Somente quando a senhoria da Pousada da Ponte veio procurar por nós na manhã seguinte...
– A senhoria da Pousada da Ponte? – perguntou K.
– Sim – disse Olga. – Ela era uma grande amiga nossa, então passou aqui e precisou admitir que Amália tinha uma vantagem sobre mim e, para me animar, ela me emprestou seu colar de granadas. Quando estávamos prontas para sair, e Amália estava em pé, diante de mim, todos nós a admirávamos, e nosso pai disse: "Amália irá encontrar um namorado hoje, guardem minhas palavras", e então, não sei por que, retirei meu colar, mesmo gostando dele, e o coloquei ao redor do pescoço de Amália. Eu não estava mais com inveja. Havia reconhecido seu triunfo, e pensei que todos estavam certos em adorá-la. Talvez estivéssemos surpresos por ela estar diferente do comum, porque ela não era muito bonita, mas aquele olhar escuro dela, que ela mantém desde então, passava sobre nós e, por instinto, sentíamos vontade de nos curvarmos a ela, e quase o fizemos. Todos perceberam, incluindo Lasemann e sua esposa, que vieram nos buscar.
– Lasemann? – perguntou K.
– Sim, Lasemann – respondeu Olga. – Nós éramos muito respeitados naquela época e, na verdade, a festa não poderia começar sem nós, porque nosso pai era o Instrutor Número Três da brigada de incêndio.
– Seu pai ainda era robusto nessa época? – perguntou K.
– Meu pai? – questionou Olga, como se não entendesse a pergunta completamente. – Ora, há três anos ele ainda era relativamente jovem. Por exemplo, durante um incêndio na Pousada do Castelo, ele carregou um dos oficiais em suas costas, correndo, um homem pesado, chamado Galater. Eu mesma estava lá... Não havia um risco real de um grande incêndio, era apenas a lenha seca atrás do fogão que começou a queimar, só isso, mas Galater ficou com medo e gritou da janela por ajuda. Então a brigada de incêndio foi até lá, e meu pai precisou carregá-lo ainda que o fogo já estivesse apagado.

Bem, Galater não se move com facilidade, então ele precisa tomar cuidado em certos casos. Estou contando isso apenas por causa de meu pai. Mas, com certeza, não se passaram mais de três anos desde esse dia, e agora olhe como ele fica sentado aqui.

Somente então K. percebeu que Amália estava de volta à sala, mas ela estava um pouco distante deles, à mesa com seus pais, onde dava comida para sua mãe, que não conseguia mover seus braços com artrite, e conversando com seu pai, pedindo que ele esperasse pacientemente por sua refeição, que ela logo o alimentaria também. Mas o que ela dizia não tinha efeito nenhum, pois seu pai, esperando ansiosamente por sua sopa, superou sua própria fraqueza física, e tentou tomar a sopa com sua colher, às vezes direto do prato, e resmungou quando não conseguiu fazer nenhum dos dois, pois a colher se esvaziava muito antes de alcançar sua boca e, quando ele tentava com o prato, seu bigode mergulhava na sopa, e isso espirrava sopa por todo lugar, menos na boca do velho homem.

– Foi isso que três anos fizeram a ele? – perguntou K., mas ele ainda sentia repugnância, e não pena, por aqueles senhores sentados no canto da mesa da família.

– Três anos – disse Olga, devagar. – Ou melhor, apenas algumas horas em uma festa. O festival foi realizado em um campo fora do vilarejo, perto do rio. Já havia uma multidão ali quando nós chegamos, e muitas pessoas dos vilarejos vizinhos também foram, o barulho era muito desorientador. Antes de tudo, claro, meu pai nos levou para ver o novo carro dos bombeiros, e ele sorriu com satisfação ao vê-lo. Um novo carro de bombeiros fazia dele um homem feliz; ele começou a tocá-lo e a explicar tudo para nós, não permitia que alguém contradissesse, ou até mesmo parecesse indiferente a ele e, se quisesse mostrar algo embaixo do carro, então todos nós tínhamos que nos abaixar, e quase rastejar, para ver. Barnabé, que estava relutante em fazer isso, recebeu um tapa. Somente Amália não deu atenção para o carro de bombeiros, mas permaneceu em pé, com a postura correta, em seu lindo vestido, e ninguém ousava dizer nada para ela. Às vezes, eu ia até ela e segurava o seu braço, mas ela ainda não dizia nada. Até hoje não consigo explicar como conseguimos ficar lá por tanto tempo ao lado do carro de bombeiros e, somente quando nosso pai se afastou dele, percebemos Sortini, que obviamente estava atrás do carro todo esse tempo, apoiado em uma alavanca que o operava. Havia um barulho muito alto, não apenas os que normalmente escutamos nas festas, porque o castelo também havia mandado algumas trombetas para a brigada de incêndio, instrumentos especiais em que era possível tocar as músicas mais altas com pouca dificuldade e esforço, até uma criança conseguia fazê-lo. Ao ouvir esse som, parecia que os turcos estavam nos atacando, e ninguém conseguia se acostumar a ele. Todos nós pulávamos cada vez que as trombetas soavam. E, como elas eram novas, todos queriam tocar um pouco e, por se tratar de um festival público, todos tinham a chance de fazer isso. Havia alguns desses tocadores de trombeta perto de nós, talvez atraídos pela visão de Amália, e era difícil pensar direito com aquele barulho. Nós só conseguíamos prestar atenção no carro de bombeiros, como nosso pai havia ordenado, e foi por isso que não notamos Sortini, que não conhecíamos antes, por um período tão longo.

— Lá está Sortini — Lasemann sussurrou para o meu pai.

Eu estava perto deles. Nosso pai fez uma reverência e acenou energicamente para que nos curvássemos também. Sem nunca tê-lo conhecido, nosso pai havia sempre respeitado Sortini como um especialista da brigada de incêndio, e já havia mencionado o nome dele diversas vezes em casa, então, vê-lo pessoalmente era uma grande surpresa, e significava muito para nós. No entanto, Sortini não nos deu atenção, não era de sua personalidade prestar atenção em ninguém e, na verdade, a maioria dos oficiais parecia indiferente a todos que eles encontravam em público. Além disso, ele estava cansado; somente o seu dever oficial o segurava ali, e não é sempre o pior dos oficiais que considera essas obrigações de representar o castelo uma provação terrível. Já que estavam lá, outros oficiais e seus servos se misturavam às pessoas, mas Sortini permaneceu atrás do carro dos bombeiros, seu silêncio afastando qualquer um que tentasse se aproximar dele com um pedido ou comentário elogioso. Então ele apenas notou-nos depois que nós o notamos. Só depois que fizemos uma reverência e meu pai começou a pedir desculpas por nossa causa que ele olhou em nossa direção, cansado, para cada um de nós, como se pudesse apenas suspirar por ver uma pessoa ao lado da outra... Até chegar em Amália, e seus olhos pararam sobre ela. Ele precisou olhar para cima, pois ela era muito mais alta do que ele. Então ele moveu-se, surpreso, e subiu pelo mastro do carro de bombeiros para se aproximar dela. Nós nos confundimos no início e, guiados pelo nosso pai, todos tentamos nos aproximar dele, mas ele levantou sua mão para nos afastar e nos mandou embora. E isso foi tudo. Nós provocamos Amália, dizendo que ela realmente havia encontrado um namorado e, bobos, fizemos piadas a tarde inteira, mas Amália estava mais silenciosa do que nunca. "Ela está apaixonada por Sortini", disse Brunswick, que é sempre muito grosseiro e não compreendia naturezas como a de Amália, mas dessa vez quase concordamos com ele. Juntos, todos queríamos nos divertir naquele dia e, todos nós, com exceção de Amália, estávamos embriagados com o vinho doce do castelo quando chegamos em casa depois da meia-noite.

– E quanto a Sortini? – perguntou K.

– Ah, sim, Sortini – respondeu Olga. – Eu vi Sortini de passagem diversas vezes durante a festividade, sentado no carro dos bombeiros com seus braços cruzados à frente do peito, e ele ficou lá até que a carruagem do castelo chegou para buscá-lo. Ele não ficou para ver o treino da brigada de incêndio, em que nosso pai destacou-se mais do que qualquer outro de sua idade, esperando que Sortini estivesse assistindo.

– E vocês não ouviram mais falar sobre ele? – perguntou K. – Pareciam ter muita admiração por Sortini.

– Admiração, sim – disse Olga. – E sim, nós ouvimos falar mais sobre ele. Na manhã seguinte, fomos acordados de nosso sono embriagado por um choro de Amália. O resto da família voltou a dormir, mas eu já estava bem acordada, e corri até Amália onde ela estava, na janela, segurando uma carta que um homem havia acabado de entregar. O homem estava esperando por uma resposta. Amália havia lido a carta, era muito breve, e a segurava em sua mão, que estava solta na lateral de seu corpo. Eu sempre a amava tanto quando ela estava cansada daquele jeito! Eu me ajoelhei ao lado dela e li a carta. Assim que terminei, Amália pegou-a de volta e olhou para mim, mas ela não conseguia lê-la novamente. Ela a rasgou, jogou os pedaços de papel no rosto do homem que aguardava do lado de fora e fechou a janela. Essa manhã crucial foi o ponto crítico. Eu digo que era crucial, mas todos os momentos da tarde anterior haviam sido cruciais também.

– E o que dizia a carta? – perguntou K.

– Ah, sim, ainda não lhe contei – disse Olga. – Bem, a carta era de Sortini, endereçada à "garota com o colar de granada". Não posso reproduzir o conteúdo, mas ele ordenava que ela fosse até ele na Pousada do Castelo, e logo, Sortini disse, pois ele teria que sair em meia hora. A carta havia sido escrita em uma linguagem extremamente vulgar, usando palavras que eu nunca havia ouvido falar antes, apenas conseguia imaginar o que elas significavam por causa do contexto. Qualquer um que não conhecesse Amália e lesse aquela carta teria pensado que ela havia sido desonrada, pelo fato de que, como alguém seria capaz de falar com ela daquela forma, se nenhum homem nunca havia tocado nela? E não era uma carta de amor, não havia sequer uma palavra afetuosa; com certeza, Sortini havia ficado nervoso ao perceber que apenas a visão de Amália o tinha afetado tanto, e tirado sua mente dos negócios. Nós deduzimos, depois, que Sortini provavelmente deveria ter voltado para o castelo na noite do festival, mas havia ficado no vilarejo por causa de Amália e, sentindo-se enfurecido com ela por não ter conseguido esquecê-la durante a noite, ele escreveu a carta. No início, só era possível sentir-se indignado com sua linguagem e seu tom a sangue-frio, mas então suas duras ameaças provocariam medo em qualquer um, menos em Amália. Ela, no entanto, continuou indignada; não sabia o que era ter medo por ela ou por outras pessoas. E, enquanto eu voltava para a cama, repetindo a última frase da carta, não concluída, para mim mesma: "É melhor você vir até aqui, senão...!", Amália ficou onde estava, no banco ao lado da janela, olhando para fora como se esperasse mais mensageiros, e estava preparada para tratar todos eles como havia tratado o primeiro.

— Então os oficiais são assim — disse K., sua voz hesitante. — E pensar que existem pessoas assim entre eles! E o que seu pai fez? Espero que ele tenha reclamado de Sortini severamente no departamento certo, isso se ele não decidiu ir direto até a Pousada do Castelo, o caminho mais seguro e mais rápido. A pior parte não foi o insulto à Amália, que poderia facilmente ser corrigido; eu não sei por que vocês dão tanta atenção a isso, mas como Sortini realmente pôde ter desgraçado tanto Amália para sempre ao escrever essa carta? Pelo que diz, alguém pode supor que ele o tenha feito, mas isso é impossível: teria sido fácil tirar satisfação por Amália, e o incidente seria esquecido em poucos dias, então não foi Amália a quem Sortini desgraçou, e sim a si mesmo. Eu rechaço Sortini, a ele e à ideia de que alguém possa usar tão mal seu poder. Bem, esse abuso de poder falhou aqui, porque suas intenções foram demonstradas claramente, foram totalmente claras, completamente transparentes, e ele encontrou uma oponente mais forte que ele em Amália, mas em milhares de outros casos em que as circunstâncias foram um pouco menos favoráveis, ele poderia ter sido bem-sucedido e nunca seria revelado, nem mesmo pela vítima do abuso.

— Silêncio — disse Olga. — Amália está olhando para nós.

Amália havia terminado de alimentar seus pais, e agora estava ocupada tirando a roupa de sua mãe; ela havia desamarrado a saia e colocado os braços de sua mãe em volta de seu pescoço, erguido e retirado a saia, e sentado novamente. Seu pai, ainda se queixando e protestando porque ela estava cuidando primeiro da mãe, obviamente apenas porque a mulher era ainda mais indefesa do que ele, tentou tirar sua própria roupa, talvez para punir sua filha porque ele pensava que ela estava ociosa, mas, mesmo assim, ele começou com a parte mais importante e fácil de retirar de suas roupas: os chinelos soltos e de tamanho maior que estavam dançando em seus pés. Mas ele não conseguiu retirá-los; precisou desistir, ofegante, e sentou-se novamente, cansado, em sua cadeira.

— Você não entende qual foi o ponto crucial — disse Olga. — Pode estar certo em tudo o que diz, mas o ponto crucial foi que

Amália não foi até a Pousada do Castelo. Por si só, a maneira com a qual ela tratou o mensageiro poderia ser ignorada, poderia ter sido encoberta. Mas porque ela não foi até a pousada, nossa família foi condenada, então a maneira como ela tratou o mensageiro também se tornou imperdoável e, na verdade, foi usada para um estrago público.

– O quê? – exclamou K., mas ele imediatamente abaixou sua voz quando Olga levantou as mãos, implorando. – Você, a própria irmã, não pode estar dizendo que Amália deveria ter obedecido as ordens de Sortini e ido até a Pousada do Castelo?

– Não – disse Olga. – Claro que não, como pode pensar isso? Não conheço ninguém que seja tão correta quanto Amália em tudo o que ela faz. Se ela tivesse ido até a Pousada do Castelo, também pensaria da mesma forma; mas sua recusa foi heroica. Quanto a mim, admito que, honestamente, se eu tivesse recebido aquela carta, teria ido. Eu não conseguiria suportar o peso das consequências, apenas Amália conseguiria. Havia muitas alternativas; outra garota poderia ter arrumado sua aparência, linda, por exemplo, garantindo que demorasse algum tempo, e então ela iria até a Pousada do Castelo para descobrir que Sortini já havia ido embora, talvez ele tivesse saído logo após enviar a mensagem, o que de fato era bem provável, pois a irritação dos cavalheiros não dura muito tempo. Mas Amália não fez isso, nem nada parecido, ela se sentiu profundamente insultada e devolveu uma resposta muito direta. Se ao menos tivesse fingido obedecer, se ao menos tivesse cruzado o terreno da Pousada do Castelo naquele dia, um desastre poderia ter sido evitado. Temos muitos advogados inteligentes aqui que sabem fazer o que quiserem com quase nada, mas, nesse caso, até mesmo esse "nada" não estava disponível; pelo contrário, fomos deixados com a desonra da carta de Sortini e o insulto contra seu mensageiro.

– Mas qual desastre? – perguntou K. – E que tipo de advogados? Certamente Amália não foi acusada, ou mesmo punida pelo comportamento criminoso de Sortini?

— Ah, sim, ela foi — disse Olga. — É claro que não após um julgamento, e não foi punida diretamente, mas de outra forma, ela e toda nossa família. E agora suponho que você esteja começando a entender quão severa foi essa punição. Parece para você como algo injusto e monstruoso, mas essa não é a opinião geral do vilarejo; sua visão sobre o assunto é bondosa para conosco, e nos consola, ou pelo menos o faria, se ela não surgisse a partir de concepções erradas. Posso facilmente provar-lhe, e me perdoe por mencionar Frieda aqui, mas com exceção desse resultado final, o relacionamento entre Frieda e Klamm era muito parecido com o relacionamento entre Amália e Sortini. Isso pode chocá-lo no início, mas você descobrirá que estou certa. E não é uma questão de hábito, os sentimentos não ficam cegos por causa do hábito quando é simplesmente uma questão de julgamento; é preciso abandonar essas concepções erradas.

— Não, Olga — disse K. — Eu não sei por que você quer arrastar Frieda para tudo isso, não foi assim com ela, então por favor não confunda dois casos tão opostos. Mas continue com sua história.

— Por favor — disse Olga. — Não fique ofendido se eu sustentar minha comparação. Você ainda tem algumas ideias erradas a respeito de Frieda também, se acha que precisa defendê-la contra uma comparação. Ela não precisa ser defendida, e nem elogiada. Se comparo os dois casos, não digo que eles são iguais, eles são como preto e branco um diante do outro, e o de Frieda é branco. Na pior consequência, as pessoas podem rir de Frieda, como eu, por falta de educação, fiz no bar... Eu me arrependi muito depois. Mas até mesmo aqueles que riem dela, seja por malícia ou inveja, bem, eles ainda podem rir. Mas Amália só pode ser desprezada por aqueles que não são seus parentes de sangue. E é por isso que eles são, como você disse, casos fundamentalmente diferentes, mas ao mesmo tempo, similares.

— Eles não são similares — disse K., balançando a cabeça, com indignação. Deixe Frieda fora disso. Frieda nunca recebeu uma carta afetuosa de Klamm tal como a Amália recebeu de Sortini, e Frie-

da realmente amava Klamm. Qualquer um que tiver dúvidas pode perguntar para ela; ela ainda o ama.
— E essas são diferenças tão grandes assim? — perguntou Olga.
— Você acha que Klamm não poderia ter escrito uma carta para Frieda nos mesmos termos? É assim que os cavalheiros se comportam quando saem de suas mesas; eles ficam doentes quando descansam, e em sua distração podem falar coisas muito grosseiras, não todos eles, mas muitos. Na mente de Sortini, sua carta para Amália pode ter sido escrita sem qualquer atenção ao que ele estava colocando no papel. O que sabemos da mente dos cavalheiros? Você mesmo não ouviu o tom com que Klamm falou com Frieda? Ou não lhe contaram isso? Todos sabem que Klamm é muito rude; ouvi dizer que ele fica sem falar nada durante horas, e então, de repente, fala algo tão rude que faz você tremer. Não ouvimos falar nada disso sobre Sortini, mas novamente, não somos seus conhecidos. Tudo o que realmente sabemos sobre ele é que seu nome parece muito com o de Sordini e, se não fosse essa similaridade entre os nomes, nós provavelmente não saberíamos nada a respeito dele. Ele provavelmente também é confundido com Sordini como um especialista na brigada de incêndio, pois Sordini é o verdadeiro especialista, mas ele usa essa similaridade entre seus nomes para substituí-lo, para que ele mesmo possa fazer seu trabalho sem ser notado. Bem, quando um homem tão desacostumado aos costumes do mundo, como Sortini, apaixona-se repentinamente por uma menina do vilarejo, naturalmente não é como o artesão do carpinteiro ao lado se apaixonando por uma garota. E precisamos lembrar que há uma grande diferença entre um oficial e a filha de um sapateiro, uma distância que precisa ser quebrada de alguma forma. Sortini tentou isso a seu modo, alguém poderia tentar de outra forma. Sim, dizem que todos nós pertencemos ao castelo e não há nenhuma distância, nenhum espaço a ser preenchido, e de maneira comum isso pode ser verdade, mas infelizmente nós tivemos a oportunidade de ver que chega um ponto em que isso não existe. De qualquer forma, tudo isso foi para facilitar seu entendimento sobre o comportamento de Sortini e vê-lo como menos monstruoso. Na

verdade, se comparado a Klamm, é mais fácil de entender e muito mais difícil de suportar, até mesmo para alguém envolvido tão de perto. Quando Klamm escreve uma carta afetuosa, ela é mais embaraçosa do que a mais grosseira carta que Sortini poderia redigir. Não me entenda mal, não estou julgando Klamm, estou apenas fazendo a comparação, já que você nunca ouviu nada a respeito. Mas Klamm age como um comandante militar com as mulheres, ele ordena que elas vão até ele, não permanece com nenhuma delas por muito tempo, então ordena que ela vá embora novamente da mesma forma. Klamm nem sequer se daria ao trabalho de escrever uma carta. E, se compararmos, é algo tão monstruoso que Sortini, que é tão reservado, sobre cujos relacionamentos com mulheres nunca ouvimos falar, para dizer o mínimo, certo dia, se sente para escrever uma carta de próprio punho, oficial, ainda que seja uma carta desprezível? E se não há nenhuma diferença entre isso e os favores de Klamm, mas justamente o oposto, então o amor de Frieda irá criar uma? O relacionamento entre as mulheres e os oficiais, acredite em mim, é muito difícil de julgar, ou talvez seja muito fácil. Nunca falta amor neste lugar. O amor dos oficiais sempre é correspondido. Nesse aspecto, não é um elogio dizer que uma garota, e eu não estou falando sobre Frieda, é claro, entregou-se para um oficial apenas por amor. Ela o amou e entregou-se a ele, sim, mas não há nada de louvável nisso. No entanto, você poderá dizer que Amália não amava Sortini. Bem, ela não o amava, ou talvez o amasse, afinal, quem pode dizer? Nem a própria Amália. Como ela pode pensar que o amava se o rejeitou com tanta firmeza? Provavelmente nenhum oficial foi rejeitado dessa forma antes. Barnabé disse que ela ainda treme às vezes com a mesma emoção de quando fechou a janela há três anos. Isso também é verdade, então não é necessário perguntar-lhe; ela rompeu com Sortini e isso é tudo o que ela sabe, não tem ideia se o amava ou não. Mas nós sabemos que as mulheres não conseguem evitar se apaixonar pelos oficiais quando eles as procuram, de fato, elas amam os oficiais antes mesmo disso, por mais que possam negar, e Sortini não apenas olhou para Amália, ele pulou sobre o carro para vê-la, pulou sobre o carro com suas pernas oficiais, duras por ficar sentado, trabalhando em sua mesa. Mas Amália é uma exceção, você pode dizer. Sim, ela é, mostrou isso quando se recusou a ir até Sortini, isso foi excepcional. No entanto, dizer que ela não amava Sortini seria quase excepcional demais, seria quase além de qualquer entendimento. Nós certamente estávamos cegos naquela tarde, mas o fato de que pensamos que vimos algo sobre o estado enamorado de Amália, mesmo através da névoa diante de nossos olhos, mostrou que tínhamos alguma ideia. Bem, junte tudo isso, e então qual é a diferença entre Frieda e Amália? Só que Frieda fez o que Amália não faria.

– Talvez – disse K. – Mas, para mim, a principal diferença é que Frieda é minha noiva, enquanto Amália me importa apenas por ser a irmã de Barnabé, que é um mensageiro do castelo, e talvez seu destino esteja ligado ao emprego de Barnabé. Se um oficial tivesse feito uma injustiça tão grande quanto a que me pareceu inicialmente em sua história, isso teria pesado muito para mim, mas, mesmo assim, mais como um escândalo público do que por causa do sofrimento de Amália. Agora, após a sua história, o cenário de fato muda para um que eu não entendo totalmente, mas é você que está contando a história e fazendo-a parecer plausível, então ficarei feliz se abandonarmos esse assunto completamente, eu não sou bombeiro, o que Sortini importa para mim? No entanto, Frieda importa para mim, e é estranho para mim que você, em quem confiei plenamente e gostaria de continuar confiando, continue a atacar Frieda por meio de Amália, tentando me fazer desconfiar dela. Eu não acho que esteja fazendo isso de propósito, quanto menos por malícia, ou eu teria ido embora há muito tempo. Então você não está fazendo isso de propósito, as circunstâncias a fizeram agir assim, por amor a Amália tenta elevá-la sobre todas as outras mulheres e, como não consegue encontrar nada que seja louvável o bastante para seu propósito, você recorre ao recurso de diminuir outras mulheres. O que Amália fez é notável, mas quanto mais me fala a respeito, menos é possível dizer se foi algo grande ou pequeno, sábio ou tolo, heroico ou covarde. Amália guarda suas razões para si, e ninguém nunca irá descobri-las. Frieda, por outro lado, não fez nada notável, apenas seguiu seu coração. Isso é claro para todos que olham para a situação da perspectiva correta, qualquer um pode ver isso, não há espaço para fofoca. No entanto, eu não quero diminuir Amália nem defender Frieda, só quero deixar meus sentimentos por Frieda claros para você, e dizer que qualquer ataque contra Frieda também é um ataque contra mim. Eu vim para cá por minha própria vontade e fiquei aqui por minha própria vontade, mas tudo o que aconteceu depois disso, e sobretudo todas as minhas perspectivas de futuro – por mais obscuras que sejam, elas ainda existem –, tudo isso devo a Frieda, não há como discutir isso. É verdade que fui indicado aqui como um agrimensor, mas isso era apenas de aparência, as pessoas estavam brincando comigo, levando-me de um lugar a outro, e ainda estão brincando comigo hoje, mas agora estou mais envolvido, já me desenvolvi muito, por assim dizer, e isso em si já é algo. Por mais que sejam insignificantes, tenho um lar, uma posição e um trabalho de verdade; eu tenho uma noiva que, quando preciso resolver outras coisas, faz meu trabalho por mim, irei me casar com ela e me tornarei um membro dessa comunidade e, além da relação oficial com Klamm, tenho uma ligação pessoal com ele, embora até agora admito não tê-la explorado. Isso não é alguma coisa? E quando visito você, quem é que está recebendo? A quem confia a história da sua família? De quem espera ter a oportunidade de algum tipo de ajuda, ainda que seja uma chance bem, bem pequena? Não é do agrimensor que há uma semana foi expulso da casa de Lasemann pelo próprio anfitrião e Brunswick, não, você espera obtê-la com um homem que já tem certo poder, mas devo esse poder a Frieda, que é tão modesta que, se você tentasse perguntar-lhe sobre isso, ela diria não saber de nada. E ainda assim me parece que Frieda em sua inocência já fez mais do que Amália em toda a sua arrogância, porque veja só, eu tenho a impressão de que você está procurando ajuda para Amália. E de quem? Ninguém além de Frieda.

— Eu realmente falei tão mal assim de Frieda? — perguntou Olga.

— Não tive a intenção, e não acho que falei, mas é possível, em nossa situação, estamos contra o mundo e se começarmos a reclamar de nosso destino nos deixamos levar, e mal sabemos para onde. E você está certo, há uma grande diferença entre nós e Frieda, e é bom enfatizar isso logo. Há três anos, éramos meninas respeitadas, e Frieda era uma órfã que trabalhava como leiteira na Pousada da Ponte; passávamos por ela sem olhar, éramos muito arrogantes, mas havíamos sido criadas dessa forma. No entanto, naquela noite da Pousada do Castelo, você viu o atual estado das coisas: Frieda com o chicote em sua mão, e eu entre os criados. Mas é ainda pior. Frieda pode nos desprezar, ela está no direito dela, e é inevitável dadas as circunstâncias. Entretanto, quem não nos despreza? Aqueles que decidiram nos desprezar formam a maioria da sociedade. Você conhece a sucessora de Frieda? Seu nome é Pepi. Eu a conheci somente ontem à noite; ela era uma arrumadeira. Com certeza me despreza mais do que Frieda. Ela me viu pela janela enquanto ia buscar cerveja, correu para a porta e a trancou. Eu precisei passar muito tempo implorando para que ela abrisse a porta e, antes de me deixar entrar, ela me fez prometer que lhe daria o laço em meu cabelo. Mas, quando o entreguei, ela o jogou no chão. Bem, ela pode me desprezar, pois, em parte, sou dependente de sua boa vontade, e ela é a garçonete da Pousada do Castelo, embora apenas temporariamente, e ela com certeza não tem as qualificações para uma função permanente lá. Você precisa apenas ouvir como o senhorio fala com Pepi, e comparar com o tom que ele costumava adotar com Frieda. Mas isso não impede que Pepi despreze Amália também; Amália, com apenas um relance daqueles olhos já seria o bastante para fazer a pequena Pepi, com todas as suas tranças e laços, sair correndo do salão, mais rápido do que ela poderia ir por conta própria, com aquelas pequenas pernas gordas. Ontem a ouvi dizer coisas tão terríveis sobre Amália que finalmente os hóspedes ficaram do meu lado, embora da mesma maneira que você viu por si mesmo.

— Como você está fragilizada — disse K. — Eu estava apenas sendo justo com Frieda, não queria criticar você, como parece achar. Sua

família parece muito especial para mim também. Não escondi isso, mas como essa qualidade pode despertar desdém, eu não entendo.
– Ah, ok – disse Olga. – Temo que você ainda não tenha compreendido. Não percebe que o comportamento de Amália em relação a Sortini foi o que criou esse desdém em primeiro lugar?
– Isso realmente seria estranho – disse K. – Amália pode ser admirada ou condenada por seu comportamento, mas por que desdenhada? E se as pessoas realmente desprezam Amália, por algum sentimento que não compreendo, por que isso seria estendido a todos vocês, sua inocente família? É realmente muito ruim o fato de Pepi desprezar você e, se algum dia eu voltar para a Pousada do Castelo, vou chamar a atenção dela.
– Mas, K. – disse Olga. – Se você tentasse mudar a mente de todos que nos desprezam, teria muito trabalho árduo, porque tudo começa com o castelo. Eu ainda me lembro do final da manhã daquele mesmo dia. Brunswick, que era nosso assistente na época, veio para cá, como de costume; nosso pai havia lhe dado trabalho para fazer e o mandado para casa, e estávamos sentados para o almoço. Todos estavam muito animados, menos Amália e eu; nosso pai continuava falando sobre as festividades do dia anterior. Ele tinha vários planos para a brigada de incêndio. O castelo tem sua própria brigada de incêndio, e havia enviado um destacamento para a festa. Houve muita discussão entre os bombeiros do castelo, os cavalheiros do castelo tinham visto tudo o que os próprios bombeiros podiam fazer, e o resultado estava muito a nosso favor; houve uma conversa sobre a necessidade de reorganizar a brigada de incêndio do castelo, e alguns instrutores do vilarejo seriam chamados, alguns deles estavam sendo considerados, e nosso pai esperava ser escolhido. Ele estava falando sobre isso naquele momento e, como tinha um hábito agradável de falar muito durante as refeições, ele estava sentado ali, com os braços apoiados sobre a mesa, e olhava para fora e para o céu, pela janela aberta; seu rosto era tão jovem, tão feliz e esperançoso... Nunca mais o veria assim. Então Amália disse, com um ar de quem sabia mais de alguma coisa, que nunca havíamos visto antes, que não deveríamos con-

fiar nos cavalheiros quando eles diziam tais coisas; os cavalheiros gostavam de falar algo agradável em determinadas ocasiões, mas significava muito pouco ou até mesmo nada. Logo que era dito já era esquecido para sempre, mas, na vez seguinte, as pessoas caíam em seus truques novamente. Nossa mãe a reprovou por falar essas coisas, e nosso pai apenas riu daquele seu ar de experiência, mas então logo parou, parecia estar procurando por algo que só agora percebeu que estava faltando, mas tudo estava ali, então ele contou que Brunswick havia falado algo sobre um mensageiro e uma carta rasgada. Ele perguntou se nós sabíamos alguma coisa a respeito, para quem era a carta ou sobre o que, o que havia acontecido? Nós duas não dissemos nada. Barnabé, jovem como um cordeirinho na época, disse algo tolo ou ousado, falamos sobre outras coisas, e o assunto foi esquecido.

18
A punição de Amália

– Mas, logo depois, começaram a vir perguntas de todos os lados sobre a tal carta. Amigos e inimigos queriam nos ver, conhecidos e estranhos, mas ninguém ficava por muito tempo. Nossos melhores amigos tinham mais pressa em se despedir do que qualquer outra pessoa. Lasemann, normalmente lento e solene em seus modos, entrou aqui como se quisesse apenas examinar o tamanho da sala, olhou o lugar, e pronto. Parecia uma brincadeira terrível de crianças quando Lasemann fugiu, e meu pai pediu licença para os outros visitantes e o perseguiu até a porta da frente da casa, onde desistiu. Brunswick veio e disse para meu pai que ele queria começar seu próprio negócio, ele disse isso diretamente, era um sujeito inteligente, sabia como aproveitar o momento. Clientes entraram no depósito de meu pai para buscar as botas que haviam levado para conserto e as levaram embora. No início, meu pai tentou fazê-los mudar de ideia, e nós o apoiamos da melhor forma que pudemos, mas depois ele desistiu e, em silêncio, os ajudou a procurar. Todas as linhas no livro de pedidos foram riscadas, o estoque de couro que ficou conosco foi devolvido, dívidas foram pagas, tudo aconteceu sem nenhuma discussão.

As pessoas ficaram felizes por poder cortar suas ligações conosco rapidamente e por completo; eles poderiam sofrer com a perda, mas isso não era uma grande preocupação. E, finalmente, como qualquer um poderia ter previsto, logo veio Seemann, o capitão da brigada de incêndio. Eu ainda vejo a cena diante de mim: Seemann, tão alto e forte, mas ligeiramente encurvado e tuberculoso, sempre sério, ele não conseguia rir nunca, em pé na frente do meu pai, a quem ele admirava, e para quem, em particular, tinha defendido a possibilidade de uma nomeação como chefe dos bombeiros, agora tinha que lhe dizer que a Associação estava dispensando-o e solicitando que ele devolvesse o diploma. As pessoas em nossa casa pararam o que estavam fazendo e se reuniram em um círculo ao redor dos dois homens. Seemann não conseguiu dizer uma palavra, ele apenas tocou no ombro de meu pai, como se empurrasse as palavras que ele deveria dizer mas não encontrava. Ao fazê-lo, ele começou a rir, provavelmente na esperança de acalmar a si mesmo e aos outros, mas, como não conseguia rir, ninguém nunca o ouviu rir, ninguém percebeu que ele *estava* rindo. Desde então, meu pai tem estado muito cansado e desesperado para conseguir ajudar Seemann. Na verdade, ele parece cansado demais até para entender o que está acontecendo. Nós estávamos todos igualmente desesperados, mas, como éramos jovens, não conseguíamos acreditar em tamanho desastre, continuávamos pensando que, com todos esses visitantes chegando, alguém finalmente chegaria para parar o processo e fazer tudo voltar para o que era antes. Seemann, pensávamos tolamente, era quem faria isso. Esperamos por palavras claras saírem por entre seu ataque de riso. Qual era o motivo para a risada naquela injustiça estúpida contra nós? Oh, chefe dos bombeiros, chefe dos bombeiros, fale para essas pessoas, pensamos, nos colocamos ao redor dele, mas isso só o fez girar e girar de um jeito engraçado. No entanto, ele por fim começou... Não a fazer o que esperávamos secretamente, mas a falar, afinal, em resposta às expressões de encorajamento ou de raiva das outras pessoas. Ainda tínhamos alguma esperança. Ele começou elogiando meu pai, chamou-o de adorno para o serviço de bombeiros, um exemplo incomparável para a próxima geração, um membro indispensável da brigada de incêndio, cuja partida era como um golpe pesado. Não havia nada de errado com isso; se ele tivesse terminado por aí! Mas ele continuou. Se, no entanto, a Associação de Serviços para Incêndios tivesse decidido pedir ao nosso pai que renunciasse ao seu cargo, ainda que temporariamente, todos deveriam saber quão graves eram os motivos que forçaram a Associação a agir dessa forma. As festividades do dia anterior, disse ele, não teriam sido tão boas sem as brilhantes conquistas de nosso pai, mas essas mesmas conquistas haviam atraído certo grau de atenção oficial em particular, e agora havia um holofote sobre a Associação, e ela deveria ser mais cuidadosa com sua reputação pura do que antes. E então houve um insulto ao mensageiro, e a Associação de Serviços para Incêndios não teve outra saída, e ele, Seemann, havia assumido a onerosa tarefa de comunicar-lhe. Ele esperava que nosso pai não dificultasse ainda mais as coisas para ele. Seemann estava tão feliz por terminar sua tarefa que nem se preocupava mais com nada; ele apontou para o diploma pendurado na parede e dobrou o dedo. Nosso pai concordou com a cabeça e foi retirá-lo dali, mas suas mãos tremiam tanto que ele não conseguia retirá-lo do prego, então eu subi em uma cadeira para ajudá-lo. E, a partir daquele momento, estava tudo acabado; ele nem sequer tirou o diploma da moldura, e entregou tudo como estava para Seemann. Então, ele sentou-se em um canto, não se moveu e não falou mais com ninguém. Tivemos que lidar com todas aquelas pessoas da melhor maneira que conseguimos.

– E onde você vê a influência do castelo nisso? – perguntou K.

– Não parece estar envolvido em nada ainda. O que me contou até agora foi apenas a ansiedade irracional das pessoas, a alegria com a miséria de seu próximo, amizades falsas... Coisas com as quais nos deparamos todos os dias, e certa mesquinhez da parte de seu pai também (ou pelo menos é o que pareceu para mim), afinal, o que era esse diploma? A confirmação de suas habilidades, e ele ainda as tinha, isso o tornava ainda mais indispensável, e ele poderia muito bem ter dificultado as coisas para o chefe dos bombeiros ao atirar o diploma no chão a seus pés assim que o homem abriu sua boca. Mas de forma característica, como vejo, você não mencionou Amália; Amália, a dona da culpa, provavelmente estava calma, em pé, observando toda a destruição.

– Não, não – disse Olga. – Não era culpa de ninguém, ninguém poderia agir de qualquer outra forma, era tudo influência do castelo.

– A influência do castelo – repetiu Amália. Ela tinha entrado do quintal, despercebida; seus pais já estavam na cama há algum tempo. – Você está contando algumas histórias sobre o castelo? Vocês ainda estão sentados juntos? Ainda que você quisesse ir embora logo, K., e agora são quase dez horas. Essas histórias não o incomodam? Há pessoas aqui que se alimentam de histórias assim; eles se sentam juntos como vocês dois estão sentados aqui e importunam uns aos outros com fofocas. Mas você não me parece ser um deles.

– Sim, eu sou – disse K. – Eu com certeza sou um deles, e não me impressiono com aqueles que não se importam com tais histórias e as deixam para os outros.
– Ah, bem – disse Amália. – As pessoas têm interesses de diversos tipos. Certa vez ouvi falar sobre um jovem que estava ocupado pensando sobre o castelo dia e noite, ele negligenciava todo o resto, as pessoas temiam por sua sanidade porque toda a sua mente estava lá em cima no castelo. No entanto, no final, ele não estava pensando no castelo, apenas na filha de uma mulher que lavava os pratos nos escritórios de lá. Ele conseguiu sua garota, e tudo ficou bem de novo.
– Acho que eu iria gostar desse homem – disse K.
– Duvido que fosse gostar desse homem – disse Amália. – Mas talvez gostasse de sua esposa. Agora, não irei perturbá-los, vou para a cama, e preciso apagar a luz por causa dos meus pais; eles adormecem logo, mas seu sono profundo dura apenas uma hora e, depois disso, o menor raio de luz os perturba. Boa noite.
E de fato, o quarto logo ficou escuro. Amália provavelmente havia feito uma cama para si em algum lugar no chão ao lado da cama de seus pais.
– Quem é aquele jovem de quem ela estava falando? – perguntou K.
– Não sei – disse Olga. – Talvez Brunswick, embora não pareça; talvez seja outra pessoa. Nem sempre é fácil entender exatamente o que Amália quer dizer, não é possível distinguir se ela está falando sério ou ironicamente. Ela normalmente fala sério, mas também pode ser irônica.
– Deixe as interpretações para lá! – exclamou K. – Como passou a depender tanto dela? Você também se sentia assim antes da tragédia, ou somente depois? E nunca quis ser independente dela? Então, novamente, você tem algum motivo especial para depender dela? Ela é a mais nova, e deveria obedecer você. Culpada ou inocente, ela trouxe desgraça para a sua família. Ao invés de pedir perdão para cada um de vocês todos os dias, sua cabeça permanece mais alta do que de todos, não se importa com nada, a não ser seus pais, e espero que ela sinta pena deles, não quer saber de nada, como ela disse, e quando finalmente conversa com algum de vocês, "normalmente

fala sério, mas também pode ser irônica". Ou será por causa de sua beleza, que às vezes você menciona, que ela comanda todos vocês? Bem, vocês três são muito parecidos, mas o que a distingue de você e de Barnabé não é a favor dela, não mesmo. Mesmo quando a vi pela primeira vez, seu olhar nulo, sem amor, me assustou. E embora ela seja a mais nova, não é possível afirmar isso com base em sua aparência. Ela tem o olhar daquelas mulheres que quase não envelhecem, mas que nunca foram realmente jovens. Você a vê todos os dias, não percebe como o semblante dela é duro. É por isso que, quando paro para pensar sobre isso, não consigo levar a sério nem mesmo o sentimento de Sortini por ela. Talvez ele só quisesse puni-la com aquela carta, e não atraí-la para si.

– Eu não quero falar sobre Sortini – disse Olga. – Tudo é possível para os cavalheiros do castelo, quer estejamos falando sobre a garota mais bonita ou a mais feia. Mas, quanto ao resto, você está muito enganado a respeito de Amália. Olha, não tenho nenhum motivo para trazê-lo para o lado de Amália, e se mesmo assim estou tentando fazer isso, é somente para o seu próprio bem. De uma forma ou de outra, Amália foi a causa de nossa desgraça, isso é certo, mas até mesmo meu pai, que foi o mais afetado pelo acontecido, e nunca conseguiu controlar sua língua muito bem, certamente não em casa, até mesmo o meu pai nunca disse uma palavra para repreender Amália, nem nos piores dias. E não porque ele aprovava o que Amália fez; como ele, que reverenciava Sortini, poderia aprovar? Ele não conseguia nem entender, teria sacrificado a si mesmo e tudo o que tinha por Sortini, embora não da maneira que teve que fazê-lo, não à sombra da provável ira de Sortini. Eu digo provável porque nunca mais ouvimos falar sobre ele; se ele era reservado antes, desde aquele dia, poderia nem mais existir. E você tinha que ter visto Amália naquela época. Todos nós sabíamos que ela não seria realmente punida. Todos nos isolavam, tanto aqui quanto no castelo. Mas, embora percebêssemos que os aldeões se afastavam de nós, não havia nenhum sinal do castelo. Nós não percebíamos nenhuma atenção especial do castelo antes, como poderíamos notar qualquer mudança agora? Esse estado de calma era o pior de tudo, não o isolamento dos aldeões, nem de longe, eles não haviam feito aquilo por convicção. Talvez não tivessem nada sério contra nós, seu desdém não havia atingido a situação atual, eles agiam apenas por medo, e agora estavam esperando para ver o que aconteceria em seguida. Nós ainda não estávamos passando necessidade. Todos que nos deviam algum dinheiro já haviam nos pagado, no balanço final a vantagem era nossa, e quanto ao que nos faltava de alimentos, alguns contatos nos ajudaram secretamente. Isso foi fácil, pois era época de colheita, embora nós mesmos não tivéssemos um campo, e ninguém permitia que trabalhássemos. Então, pela primeira vez em toda nossa vida, quase fomos condenados ao ócio. Então nos sentávamos juntos atrás das janelas fechadas no calor de julho e agosto. E nada aconteceu. Nenhum convite, nenhuma notícia, nenhuma visita, nada.

– Bem – disse K. – Já que nada aconteceu, e vocês não esperavam nenhuma punição, do que tinham medo? Como vocês são estranhos!

– Como posso explicar isso para você? – disse Olga. – Nós não tínhamos medo de nada no futuro, apenas sofríamos com o presente; nós estávamos em meio à nossa punição. Os aldeões estavam esperando que voltássemos para eles, que meu pai reabrisse sua oficina, que Amália, cujas agulhas costuravam lindos vestidos, embora apenas para as pessoas mais finas, começasse a aceitar pedidos novamente, todos eles estavam arrependidos pelo que haviam feito. Quando uma família muito estimada é repentinamente excluída da vida do vilarejo por completo, todos sofrem de alguma forma; eles apenas pensaram que faziam seu dever ao nos isolar, e nós teríamos feito o mesmo se estivéssemos no lugar deles. Eles não sabiam exatamente o que havia acontecido, somente que o mensageiro havia retornado para a Pousada do Castelo com a mão cheia de pedaços de papel; Frieda o viu sair e voltar, trocou algumas palavras com ele, e imediatamente passou o que havia descoberto, mas de novo, não por hostilidade contra nós, apenas porque esse era seu dever, como seria o dever de qualquer um na mesma situação. Então, uma solução feliz para tudo isso teria sido, como posso dizer, o resultado mais benéfico para todos aqui. Se tivéssemos aparecido de repente com a notícia de que tudo estava bem de novo, que havia sido apenas um mal-entendido que já estava totalmente esclarecido, ou, de novo, que, sim, uma ofensa havia sido cometida, mas que já haviam se acertado, ou – até mesmo isso teria deixado as pessoas daqui satisfeitas – que por meio de nossos contatos no castelo havíamos conseguido obter perdão para tudo, bem, então certamente teríamos sido aceitos de volta, recebidos de braços abertos, com beijos e abraços, as pessoas teriam organizado festas; eu já vi esse tipo de coisa acontecer diversas vezes em outros casos. Mas não precisaríamos nem mesmo de notícias como essas; se nós mesmos tivéssemos chegado a um acordo e oferecido a nós mesmos, recuperado nossos antigos contatos sem falar mais nada sobre a carta, já teria sido o suficiente. Todos iriam parar de mencionar o assunto, pois, além de medo, era principalmente a vergonha que os separou de nós, eles simplesmente não queriam ter que ouvir falar sobre aquilo, conversar, pensar ou sentir que isso os afetava de alguma forma. Se Frieda mencionou isso, ela não o fez por prazer, mas em defesa de si mesma e de todos ao seu redor, para alertar a comunidade para o fato de que algo havia acontecido, e do qual eles deveriam manter distância cuidadosamente. Nós, como família, não estávamos no centro do assunto, apenas o incidente em si, e éramos citados só porque estávamos envolvidos no incidente. Então, se tivéssemos simplesmente saído a público, deixando o passado para trás, mostrando por meio de nosso comportamento que já tínhamos superado tudo, e aparentássemos, por assim dizer, não nos importar mais, e as pessoas em geral tivessem sido convencidas de que o assunto, independentemente de sua natureza, não seria mais mencionado, tudo teria ficado bem, nós teríamos encontrado pessoas solícitas novamente; mesmo se não tivéssemos esquecido o incidente completamente, elas teriam entendido, teriam nos ajudado a esquecê-lo. Em vez disso, ficamos em casa. Eu não sei o que estávamos esperando, talvez a decisão de Amália, pois na época da tragédia, na mesma manhã, ela havia tomado as rédeas como chefe da família e as segurou com firmeza, sem fazer nenhuma mudança, sem dar ordens, sem fazer nenhum pedido. Ela o fez quase completamente em silêncio. O restante de nós, é claro, tinha muito que discutir; nós sussurrávamos de manhã até a noite, e às vezes meu pai me chamava, assustado, e eu passava o restante da noite ao lado de sua cama. Ou, às vezes, nós nos sentávamos juntos, eu e Barnabé, que entendia muito pouco sobre tudo o que estava acontecendo e continuava exigindo explicações, sempre as mesmas explicações; ele percebeu que os anos despreocupados que estavam diante de outros meninos de sua idade não seriam mais para ele, então nos sentamos juntos, K., assim como você e eu estamos agora, e nos esquecemos de que a noite estava caindo e a manhã estava vindo novamente. Minha mãe era a mais frágil de todos nós, provavelmente porque ela não sofria apenas nossa aflição em comum, mas o sofrimento de cada um também. E ficamos horrorizados em ver nela algumas mudanças como imaginávamos que estavam guardadas para toda a nossa família. Seu lugar favorito era o canto de um sofá, nós não o temos mais, está na enorme sala de estar de Brunswick, mas ela se sentava ali e... Bem, não sabíamos ao certo o que ela estava fazendo... Ela cochilava ou tinha longas conversas consigo mesma, como o movimento de seus lábios parecia indicar. Era natural continuarmos discutindo o conteúdo da carta, olhando para ele de formas diferentes, analisando seus detalhes conhecidos e possibilidades desconhecidas, competindo para pensar maneiras de concluir o assunto de forma feliz. Sim, isso era natural e inevitável, mas não era uma boa ideia; isso nos mergulhou cada vez mais naquilo de que queríamos escapar. E que utilidade tinham nossas ideias, ainda que fossem excelentes? Nenhuma delas poderia ser colocada em prática sem Amália, eram apenas preliminares, tornadas inúteis pelo fato de que elas não atingiam Amália em nada e, mesmo se atingissem, não encontravam nada além de silêncio. Bem, felizmente, entendo Amália melhor agora do que antes. Ela suportou mais do que qualquer um de nós, é incrível o quanto ela suportou, e ainda vive aqui conosco. Nossa mãe talvez tenha suportado a aflição de todos nós, e suportou porque ela sofreu seu ataque completo, e então não conseguiu aguentar por muito tempo; não podemos dizer que ela o carrega até hoje, e mesmo antes sua mente já estava confusa. Mas Amália não apenas suportou nossa aflição, ela também teve a lucidez de ver como realmente era; enquanto nós víamos apenas as consequências, ela via a razão; nós esperávamos alguma forma de melhorar, não importa qual fosse; ela sabia que tudo estava decidido, nós precisávamos sussurrar, ela só precisava ficar em silêncio. Ela enfrentou a verdade e viveu, e continuou com sua vida na época como faz agora. Como nós estamos melhores, em toda a nossa miséria, do que Amália. Nós tivemos que sair de nossa casa, é claro, e Brunswick se mudou; nós recebemos este casebre e trouxemos nossos pertences para cá em um carrinho de mão, fazendo várias viagens. Barnabé e eu o puxamos, nosso pai e Amália empurravam atrás. Nossa mãe, que trouxemos para cá antes de tudo, estava lá para nos receber, sentada em um caixote e gemendo silenciosamente o tempo todo. Mas me lembro de que nós mesmos, durante essas trabalhosas viagens, que também eram muito humilhantes, pois encontrávamos diversas vezes com pessoas vindo da colheita, que ficavam em silêncio e olhavam para outro lado enquanto passávamos, eu me lembro de que nós, Barnabé e eu, não conseguíamos deixar de falar sobre nossas ansiedades e planos até mesmo nessas viagens, e às vezes parávamos no meio do trajeto durante as conversas e lembrávamos de nosso dever somente quando nosso pai nos chamava. Mas nenhuma das nossas conversas mudou nada em nossa vida, com exceção de que agora começamos a sentir os efeitos da privação. Paramos de receber os valores enviados por nossos contatos, nossas reservas financeiras foram quase totalmente utilizadas, e aquele desprezo antigo por nós, como você viu, começou a ser sentido. As pessoas notaram que não tínhamos forças para nos livrarmos do incidente com a carta, e tinham pena de nós por causa disso. Eles não subestimavam nosso triste destino, mas ao mesmo tempo não sabiam exatamente como era. Se tivéssemos superado, eles iriam nos respeitar por fazê-lo, mas, como não conseguimos, finalmente nos isolaram permanentemente. Eles sabiam que, em todas as probabilidades, não teriam aguentado o teste melhor do que nós, mas isso só fez ser mais necessário que eles cortassem qualquer contato conosco. Eles já não se referiam a nós como seres humanos, o nome de nossa família não era mencionado, se eles precisavam dizer algo a nosso respeito éramos chamados apenas de "a família de Barnabé", que era o mais inocente de todos nós. Até mesmo este casebre caiu em descrédito e, se você for honesto consigo mesmo vai admitir que, quando pisou aqui, também pensou que o desprezo geral era justificado. Depois, quando as pessoas começaram a vir nos ver novamente, elas torciam o nariz para coisas totalmente sem importância, por exemplo, a pequena lamparina pendurada em cima da mesa. Onde mais poderíamos pendurá-la se não fosse sobre a mesa? Mas, para eles, parecia intolerável. No entanto, se pendurássemos a lâmpada em qualquer outro lugar, eles não gostavam da mesma forma. Tudo o que éramos, tudo o que tínhamos, era tratado com o mesmo desprezo.

19
Petição

– E o que estávamos fazendo enquanto isso? A pior coisa que podíamos ter feito, algo pelo que poderíamos ser desprezados com mais justiça do que fomos por nossa real ofensa... Nós traímos Amália, quebramos sua regra de silêncio, não podíamos continuar a viver daquela maneira, sem qualquer esperança, então começamos a enviar petições e a importunar o castelo, cada um de sua própria forma, com pedidos de perdão. É claro que sabíamos que não estávamos em posição de tentar consertar o estrago, e também sabíamos que a única ligação que tínhamos com o castelo que poderia nos oferecer alguma esperança, a ligação com Sortini, o oficial que gostava de nosso pai, estava além de nosso alcance por causa do que havia acontecido, mas, mesmo assim, começamos a trabalhar. Nosso pai começou a realizar visitas inúteis ao prefeito do vilarejo, aos secretários, aos advogados, os clérigos, que normalmente se recusavam a vê-lo e, se por acaso ou astúcia ele conseguisse entrar lá, como ficávamos felizes com essas notícias, então seu caso era enviado rapidamente, mas nunca recebia nenhuma resposta. Era muito fácil responder-lhe, tudo era sempre tão fácil para o castelo. O que ele queria?, eles perguntavam. O que havia acontecido com ele? Por que ele queria perdão? Quando alguém do castelo havia levantado um dedo sequer contra ele, e se houvesse, quem era? Ele com certeza estava pobre, havia perdido seus clientes, e assim por diante, mas esses incidentes eram comuns na vida, as vicissitudes da sua atividade comercial e do mercado, e o castelo deveria cuidar de tudo? Ele realmente cuidou de tudo, mas não poderia simplesmente interferir nos processos dessa forma, para atender aos interesses de um único homem. Eles deveriam enviar seus oficiais para correr atrás dos clientes de meu pai, para levá-los à força? Mas meu pai protestou, nós discutimos todos esses detalhes em casa, tanto antes quanto depois de sua visita, encolhidos em um canto como se nos escondêssemos de Amália, que notava tudo, mas nos deixava sozinhos, mas, dizia meu pai, ele não estava reclamando sobre sua pobreza, ele poderia facilmente recuperar tudo que havia perdido, era apenas um incidente, se ao menos ele fosse perdoado. Mas pelo que deveria ser perdoado?, eles respondiam. Até aquele momento ninguém havia reportado nenhum incidente, pelo menos não constava dos registros, nem nos registros disponíveis para os advogados, então, consequentemente, e até onde podia ser descoberto, ele não havia sido acusado de nada, e não havia processos em andamento. Será que ele poderia pelo menos mencionar uma ordem oficial contra ele? Ele não podia. Havia ocorrido qualquer intervenção de uma agência oficial? Meu pai não tinha conhecimento. Bem, se ele não sabia de nada disso, nada havia acontecido, então o que ele queria? Pelo que deveria ser perdoado? No máximo pela maneira com que ele estava perturbando os escritórios sem motivo, embora isso fosse imperdoável. Nosso pai não desistiu, ele ainda era um homem forte, e o ócio forçado o deixava com muito tempo livre. "Vou recuperar a honra de Amália, não vai demorar muito", ele dizia para mim e para Barnabé várias vezes ao dia, mas só sussurrando, para que Amália não fosse capaz de escutá-lo, ainda que isso fosse dito apenas pelo bem de Amália, pois na verdade ele não estava tão preocupado em recuperar sua honra quanto em ser perdoado. Mas, para ser perdoado, ele primeiro precisaria admitir sua culpa, e até isso foi negado a ele nos escritórios. Ele começou a pensar, e isto mostrou que sua mente já estava falhando, que eles estavam mantendo sua atitude errada em segredo porque ele não havia pagado dinheiro suficiente. Até agora ele tinha pagado apenas os impostos normais, e eles eram altos o bastante, pelo menos para pessoas em nossa posição. Mas agora achava que deveria pagar mais, o que certamente estava errado; em nossos escritórios aqui eles aceitam subornos, em prol de uma vida tranquila e para evitar conversas desnecessárias, mas nunca se chega a lugar nenhum dessa forma. No entanto, se era isso que nosso pai queria, então não iríamos aborrecê-lo. Nós vendemos o que ainda tínhamos, a maioria era de itens que não poderíamos pagar, para conseguir para o nosso pai os recursos para que ele fizesse suas investigações, e por um longo tempo, tivemos a satisfação, todas as manhãs, de saber que quando ele saía de casa, pelo menos ele tinha algumas moedas em seu bolso. Nós mesmos passávamos fome o dia todo, porque a única coisa que ainda podíamos fazer com o dinheiro era manter nosso pai em certo estado de esperança alegre. Isso, no entanto, não era muito uma vantagem. No caminho, ele atormentava a si mesmo, e um período que, sem o dinheiro logo chegaria ao fim que merecia, arrastou-se tanto... Como não havia realmente nada a ser obtido em troca dos pagamentos extras, às vezes, um clérigo fingia fazer alguma coisa, prometendo conduzir interrogatórios, indicando que já haviam encontrado algumas pistas, e que elas seriam acompanhadas, não como dever, mas como um favor para o nosso pai. E, ao invés de duvidar, ele se tornou cada vez mais crédulo. Ele trazia essas promessas obviamente vazias para casa, como se estivesse restaurando todas as bênçãos para nossa casa, e era doloroso vê-lo tentar nos fazer entender, sempre pelas costas de Amália, com um sorriso torto e olhos arregalados, apontando para Amália, que, como resultado de seus esforços, a salvação dela, que iria surpreender mais a própria Amália, estava muito próxima, mas que tudo ainda era um segredo, e ninguém deveria dizer nada. E com certeza isso teria durado muito mais tempo se, no final, não estivéssemos completamente incapazes de conseguir mais dinheiro para o meu pai. É verdade que, naquele momento, após muitas súplicas, Brunswick havia empregado Barnabé como seu assistente, mas somente se ele buscasse o trabalho a ser feito na escuridão da noite e, assim que estivesse pronto, o devolvesse também na escuridão... Devemos admitir que Brunswick estava correndo um certo risco em seu negócio por nossa causa também, embora em troca pagasse muito pouco para Barnabé, e o trabalho de Barnabé é impecável... Mas seus salários eram o bastante apenas para nos impedir de morrer de fome. Com grande consideração por nosso pai, e após prepará-lo para isso de todas as maneiras possíveis, nós dissemos a ele que não poderíamos mais sustentá-lo financeiramente, mas ele aceitou tranquilamente. Sua mente estava incapaz de ver

O CASTELO

como seus esforços haviam sido em vão, mas ao mesmo tempo ele estava esgotado pelas constantes decepções. Ele disse, e não falava tão claramente como antes, mas disse isso quase distintamente, que só precisava de mais um pouco de dinheiro, porque estava para descobrir algo até o dia seguinte, e agora tudo havia sido em vão, nós havíamos falhado por causa do dinheiro, e assim por diante, mas o tom que usou demonstrava que ele mesmo não acreditava naquilo. E de repente já estava fazendo novos planos. Como ele não havia conseguido provar que era culpado de alguma coisa, e como resultado não pôde conseguir nada com os oficiais, ele deveria começar a apelar e abordar os oficiais pessoalmente. Deveria haver alguém entre eles com o coração gentil e solidário, que, é claro, eles não podiam revelar em seu trabalho, mas talvez pudessem demonstrar alguma compaixão fora do horário de expediente, se pegos de surpresa no momento certo.

Aqui, K., que até agora estava ouvindo Olga mergulhado em seus pensamentos, interrompeu sua história com a pergunta:

– E você não acha que ele estava certo?

É claro que o resto da história lhe daria a resposta, mas ele queria saber logo.

– Não – disse Olga. – Não pode existir essa questão de empatia ou nada do tipo. Jovens e inexperientes como éramos, já sabíamos disso, e nosso pai também, é claro, mas ele havia se esquecido disso, assim como havia esquecido quase tudo. Seu plano era ficar na estrada próxima ao castelo, onde passavam as carruagens dos oficiais e, de alguma forma ou outra, apresentar sua petição por perdão. Para ser sincera, não fazia nenhum sentido, mesmo se o impossível acontecesse e sua petição realmente chegasse aos ouvidos de algum oficial. Um único oficial pode perdoar alguém? No máximo, deve ser um assunto para as todas as autoridades, mas mesmo as autoridades como um todo provavelmente não poderiam perdoá-lo, apenas julgá-lo. De qualquer forma, será que um oficial poderia formar a ideia de um caso a partir do que nosso pai, aquele homem pobre, cansado e velho, iria murmurar, ainda que ele saísse de sua carruagem e dedicasse algum tempo para o assunto?

Os oficiais são homens muito bem-educados, mas apenas de uma maneira unilateral; em seu próprio departamento, um oficial poderá ver uma linha de pensamentos por trás de uma única palavra, mas é possível passar horas a fio explicando assuntos de outro departamento para ele e, embora concorde educadamente, não está entendendo nada. É claro que isso é perfeitamente natural, ele precisa pensar nas pequenas questões oficiais que afetam a si mesmo, pequenas coisas com as quais um oficial irá lidar apenas dando de ombros, só é preciso compreender isso por completo, e então terá muito com o que ocupar sua mente por toda a vida e não ficar sem ideias. Mas ainda que nosso pai alcançasse um oficial responsável por nosso caso, esse oficial não poderia ter feito nada sem os arquivos, principalmente na estrada, ele não poderia perdoar nada, poderia apenas agir como um oficial e, sendo assim, iria apenas indicar os meios responsáveis, mas nosso pai já havia falhado em conseguir qualquer coisa por meio desses canais. Quão longe nosso pai deve ter ido para pensar que ele poderia chegar a algum lugar com esse plano! Se qualquer oportunidade desse tipo fosse remotamente possível, a estrada próxima ao castelo estaria repleta de pedintes, mas, como é impossível, e o ensino mais básico irá mostrar isso, não havia sequer uma alma na estrada. Talvez isso tenha encorajado meu pai em suas esperanças, pois ele retirava suas forças de todo e qualquer lugar. E ele precisava muito disso naquele momento; uma mente sã não poderia se perder em considerações tão elevadas, e deveria reconhecer a impossibilidade até mesmo nos aspectos mais superficiais da questão. Quando os oficiais iam para o vilarejo ou voltavam para o castelo, eles não estavam em uma excursão, havia trabalho esperando por eles tanto no vilarejo quanto no castelo. Por isso passavam por ali tão rapidamente. Também não ocorria a eles que deveriam olhar pela janela da carruagem em busca de pedintes do lado de fora, porque, de qualquer forma, suas carruagens estavam repletas de arquivos para estudar ao longo do caminho.

– Ah – disse K. – Mas eu já vi o interior de um trenó oficial que não tinha nenhum arquivo dentro dele.

O CASTELO

Um mundo tão vasto e incrível foi aberto para ele com a história de Olga que ele não poderia abster-se de contribuir com sua própria experiência, convencendo-se, assim, de forma mais clara, de sua existência, e também de si mesmo.

– Pode ser verdade – disse Olga –, então isso é muito pior. Significa que o oficial tem negócios tão importantes para resolver que os arquivos são longos demais, ou valiosos demais para serem levados com ele, e tais oficiais viajam a galope. De qualquer forma, eles não teriam tempo para o meu pai. Além do mais, existem vários caminhos para o castelo. Às vezes, um está na moda, e a maioria dos funcionários segue por ele, às vezes, por outro, que então fica lotado com o trânsito. Ninguém jamais descobriu as regras que governam essa mudança. Às vezes, todos eles vão estar na estrada às oito da manhã e, então, meia hora depois, vão estar todos em outra estrada, dez minutos depois usarão uma terceira, e meia hora depois, poderão voltar para a primeira, e essa estrada será usada o dia inteiro, mas a cada momento há uma possibilidade de mudança. É fato que todos os caminhos do castelo se encontram perto do vilarejo, mas lá todas as carruagens estão correndo, embora sua velocidade seja um pouco mais moderada perto do castelo. E assim como a ordem em que as vias são usadas pelas carruagens é irregular, e ninguém consegue desvendá-la, também é com o número de carruagens. Há dias em que não se vê uma carruagem e, em seguida, poderemos ver multidões delas novamente. E imagine o nosso pai enfrentando tudo isso. Em seu melhor terno, que em breve seria seu único terno, ele sai de casa todas as manhãs, acompanhado por nossas bênçãos e desejos de boa sorte. Leva consigo um pequeno emblema da brigada de incêndio, que ele estava errado em guardar, e o coloca quando está fora do vilarejo, porque tem medo de usá-lo ali, ainda que seja tão pequeno que mal é possível enxergá-lo a dois passos de distância, mas o nosso pai realmente acha que irá identificá-lo para os oficiais quando eles passarem. Não muito longe da entrada do castelo há um mercado pertencente a um homem chamado Bertuch, que abastece o castelo com legumes, e nosso pai escolheu um lugar para ficar ali na estreita base de pedra da cerca do jardim. Bertuch permitiu que ele ficasse ali porque havia sido amigo de nosso pai, e era um de seus clientes mais fiéis também; um de seus pés é um pouco manco e ele achava que apenas nosso pai poderia fazer uma bota que lhe coubesse. Então nosso pai ficava lá dia após dia; era um outono sombrio, chuvoso, mas ele não se importava com o clima; sua mão estava na maçaneta todas as manhãs na hora marcada, e ele se despedia de nós, e à noite voltava para casa molhado, inclinando-se mais a cada dia, até lançar-se em um canto. No início, ele nos contava sobre as pequenas coisas que haviam acontecido, por exemplo, como por piedade, e em nome dos velhos tempos, Bertuch tinha jogado um cobertor por cima da cerca para ele, ou como ele pensou ter reconhecido este ou aquele oficial em uma carruagem que passava, ou mais uma vez como um condutor o reconhecia de vez em quando e acenava levemente com o seu chicote, em tom de brincadeira. Mais tarde, ele parou de nos contar essas coisas, obviamente, já sem esperar conseguir alguma coisa, mas considerava que era seu dever, sua triste vocação, subir e passar o dia lá. Foi nessa época que suas dores reumáticas começaram, o inverno estava chegando, a neve caía, o inverno começa cedo por aqui, bem, então ele se sentava às vezes sobre as pedras molhadas pela chuva, às vezes na neve. À noite ele gemia de dor, nas manhãs às vezes ele não tinha certeza se deveria sair, mas superava seus sentimentos e saía de qualquer maneira. Nossa mãe se agarrava a ele e não queria deixá-lo ir, e ele, provavelmente com medo de que seus membros já não o obedecessem mais, permitia que ela fosse com ele, e então ela se tornou uma mártir para a dor também. Nós fomos muitas vezes até lá com eles, levávamos comida ou apenas íamos vê-los ou tentar convencê-los a voltar para casa... Quantas vezes os encontramos lá, abraçados em seu banco estreito, com apenas um cobertor fino sobre eles, que mal os cobria, e nada ao redor deles a não ser a neve cinzenta e muita neblina, sem ver sequer um ser humano ou uma carruagem o dia todo! Que visão terrível, K., que visão terrível! Até que uma manhã nosso pai não conseguiu tirar as pernas duras da cama. Ele estava desesperado, em uma fantasia febril pensou ter visto uma carruagem parando no mercado de Bertuch naquele momento, e um oficial saindo, procurando ao longo da cerca por nosso pai e, em seguida, balançando a cabeça com uma expressão irritada, voltando para a carruagem. Com isso, nosso pai soltou tantos gritos que era como se ele quisesse atrair a atenção do oficial passando por todo o caminho até lá em cima, explicando como ele não pôde evitar sua ausência. E foi uma longa ausência, pois ele nunca mais voltou lá. Precisou ficar na cama por semanas. Amália assumiu os cuidados com ele, o seu tratamento, tudo, e ela o faz até hoje, com apenas algumas pausas. Ela conhece sobre ervas medicinais para aliviar sua dor, ela quase não precisa dormir, nunca está assustada, não teme nada, nunca é impaciente, fez todo o trabalho para os nossos pais. Enquanto nós, incapazes de fazer qualquer coisa para ajudar, perambulávamos inutilmente, ela permaneceu fria e calma em todos os sentidos. Mas, quando o pior já tinha passado, e nosso pai conseguiu sair da cama novamente, com cuidado, e apoiado dos dois lados, Amália imediatamente se afastou e o deixou sob nossos cuidados.

20
Os planos de Olga

— Então precisávamos encontrar alguma ocupação para o nosso pai que ele ainda conseguisse realizar, algo que pelo menos o fizesse acreditar que ajudava a suavizar a culpa de nossa família. Encontrar algo assim não foi fácil, basicamente tudo o que eu pensava era quase tão útil quanto ficar sentado ao lado do mercado de Bertuch, mas cheguei a algo que deu um pouco de esperança até para mim. Onde havia uma conversa nos escritórios entre os clérigos ou em algum outro lugar sobre a nossa culpa, somente o insulto ao mensageiro de Sortini era mencionado, e ninguém se atrevia a ir além disso. Bem, eu disse para mim mesma, se a opinião pública, ainda que apenas superficialmente, parecia saber apenas sobre o insulto ao mensageiro, tudo poderia ser resolvido, de novo, ainda que só superficialmente, se nós mesmos fôssemos falar com o mensageiro. Nenhuma queixa havia sido registrada, eles explicaram, então nenhum escritório estava investigando o caso e, portanto, o mensageiro era livre para se reconciliar conosco por vontade própria, e isso era tudo. Nada disso tinha qualquer significado importante, era apenas por aparência e mais nada, mas iria agradar nosso pai, e talvez as pessoas que buscavam informações que o haviam incomodado tanto podcriam ser deixadas de lado, o que seria muito gratificante para ele. Em primeiro lugar, é claro, o mensageiro precisava ser encontrado. Quando contei para o nosso pai sobre o meu plano, ele ficou muito irritado de início, porque sempre havia sido muito teimoso, em parte porque pensou, e essa noção havia se desenvolvido durante a sua doença, que tínhamos impedido o seu sucesso o tempo todo, primeiro ao cortar nosso apoio financeiro e, em seguida, mantendo-o na cama, e em parte porque ele não era mais capaz de absorver novas ideias. Eu não tinha terminado de contar tudo antes de ele rejeitar o meu plano; em sua opinião, ele deveria ir esperar do lado de fora do mercado de Bertuch e, já que não estava em condições de ir até lá diariamente sozinho, deveríamos levá-lo no carrinho de mão. Mas eu insisti e, aos poucos, ele aceitou a ideia. O que o incomodava era apenas o fato de que precisaria confiar completamente em mim, pois só eu tinha visto o mensageiro, e nosso pai não o conhecia. Com certeza, todos os criados do castelo se parecem, e até mesmo eu não estava absolutamente segura de que iria reconhecê-lo. Então começamos indo até a Pousada do Castelo e olhando ao redor entre os criados de lá. O homem era um servo de Sortini, e Sortini não veio mais para o vilarejo, mas os cavalheiros muitas vezes compartilhavam e trocavam de servos, então poderíamos encontrá-lo no grupo, servindo outro cavalheiro, e se não conseguíssemos encontrar o próprio mensageiro de Sortini, então poderíamos obter notícias sobre ele com os outros. Mas, para isso, teríamos de ir até a Pousada do Castelo todas as noites, e não éramos bem-vindos em nenhum lugar, e certamente não em um lugar como aquele. E não poderíamos nos passar por clientes pagantes. No entanto, descobrimos que poderíamos ser úteis lá, afinal; você provavelmente sabe como os servos incomodavam Frieda. A maioria deles era bastante tranquila, mas mimados e um pouco tapados por sempre realizarem apenas tarefas leves. "Que você fique bem como um servo", dizem os oficiais quando desejam algo bom uns para os outros e, com certeza, no que se refere a viver bem, os servos são os verdadeiros mestres no castelo. Eles apreciam isso também, e são tranquilos e dignos no castelo, onde vivem de acordo com suas regras, como já me garantiram diversas vezes. Aqui embaixo também encontramos vestígios dessa atitude entre os servos, mas apenas vestígios, pois, de resto, é como se eles se transformassem pelo fato de que as leis do castelo não se aplicam tanto a eles aqui no vilarejo, onde são como um grupo selvagem, sem regras, não governados pelos regulamentos do castelo, mas por seus próprios desejos insaciáveis. Seu comportamento desavergonhado não tem limites, e é uma sorte para o vilarejo que eles só possam sair da Pousada do Castelo quando ordenados. No entanto, na própria Pousada do Castelo, nós tentamos conversar com eles; Frieda considerava isso muito difícil, então ela ficou extremamente feliz por poder contar comigo para acalmar os servos. Eu passo a noite com os servos nos estábulos, pelo menos duas vezes por semana, há mais de dois anos. Antes, quando meu pai ainda conseguia, ia até a Pousada do Castelo comigo, ele dormia em algum lugar no bar, esperando que eu lhe trouxesse alguma notícia no início da manhã. Mas não havia muito para contar. Até hoje não encontramos o tal mensageiro, embora tenhamos sido informados de que ele ainda está a serviço de Sortini, que o considera muito e, quando Sortini se retirou para os escritórios mais remotos, dizem que ele foi junto. Em geral, os servos estavam sem vê-lo há tanto tempo quanto nós e, se um deles alegava tê-lo visto, era provavelmente um erro. Então era provável que meu plano falhasse e, mesmo que não tenha falhado completamente, não encontramos o mensageiro e, infelizmente, meu pai se desgastou ao ir a pé até a Pousada do Castelo e passar a noite lá, e talvez até por sua empatia por mim, e até hoje ele continua assim, e ele está na condição em que você o viu por quase dois anos, embora talvez esteja melhor que minha mãe, cuja morte esperamos para qualquer dia agora. Apenas os poderes sobre-humanos de Amália a mantêm longe. Mas o que consegui fazer na Pousada do Castelo foi criar certa ligação com o castelo; por favor, não me despreze se eu disser que não me arrependo do que fiz. Você talvez esteja pensando: que tipo de ligação próxima com o castelo pode ser essa? E você está certo, não é uma conexão próxima. Eu conheço muitos servos, os servos de quase todos os cavalheiros que vieram até o vilarejo nos últimos anos e, se eu algum dia entrasse no castelo, não me sentiria uma desconhecida por lá. Por certo, conheço os servos apenas como são no vilarejo; no castelo eles são muito diferentes e, provavelmente, não se dignam a reconhecer ninguém, certamente não alguém com quem eles dormiram no vilarejo, ainda que tenham jurado milhares de vezes nos estábulos que ficariam muito felizes em me ver novamente no castelo. Tenho experiência suficiente para saber que essas promessas não significam quase nada. Mas esse não é o ponto principal. Não é apenas pelos servos que tenho ligações com o castelo; pode ser que, e espero que seja, alguém lá em cima esteja me observando e o que eu faço, e a administração de um grupo tão grande de servos deve ser uma parte muito importante e onerosa do trabalho oficial, e quem está me observando lá de cima pode me julgar mais brandamente do que os outros. Talvez perceba que eu estou lutando por nossa família e continuando o trabalho de nosso pai, ainda que de uma forma patética. Se você olhar dessa maneira, então talvez eu também seja perdoada por tirar dinheiro dos servos para usá-lo em benefício de nossa família. E tenho conseguido outra coisa também, embora você talvez seja mais um que me culpe por isso. Ouvi os servos falarem muito sobre como as pessoas podem entrar no serviço ao castelo sem passar pelo tedioso processo de aceitação pública, que pode durar anos. Então, eles não são funcionários reconhecidos oficialmente, e trabalham de maneira encoberta e são semioficiais. Não têm nem direitos nem deveres, e o fato de que eles não têm deveres é a pior parte, mas de fato têm uma vantagem, estão perto de tudo, podem ver boas oportunidades e usá-las. Você não é um empregado se é um deles, mas pode encontrar algum trabalho por acaso se não há nenhum funcionário à disposição; alguém chama, você vai correndo lá para cima e está empregado, o que não estava um minuto antes. Mas quando surge tal oportunidade? Às vezes rapidamente, você mal chegou, mal olhou ao seu redor, quando a oportunidade aparece, nem todos têm a presença de espírito para aceitá-la de uma vez, mas, novamente, essa oportunidade pode não aparecer por mais tempo do que demora o processo de aceitação pública, e um funcionário semioficial não pode ser reconhecido publicamente no sentido comum. Há muito para se pensar aqui, mas ninguém menciona o fato de que uma seleção muito meticulosa está envolvida no processo de aceitação pública, e qualquer membro de uma família que parece de alguma forma ter má reputação é descartado logo no início (supondo que tal pessoa se candidate). Ele pode ficar tenso durante anos antecipando o resultado e, desde o primeiro dia, todos lhe perguntam com espanto como ele pôde embarcar em uma aventura tão sem esperança, mas ele ainda tem esperança, de que outra forma poderia viver? Então, após muitos anos, talvez na velhice, ele é informado sobre sua rejeição, e que tudo está perdido e que sua vida foi em vão. Aqui, novamente, é claro, há exceções, então é fácil cair em tentação. Pode acontecer de mesmo as pessoas de má reputação serem aceitas, há oficiais que gostam do perfume de tal jogo, contra a sua vontade, e, então, durante os testes de aceitação, eles cheiram o ar, torcem a boca, reviram os olhos; de modo que um homem lhes parece extremamente apetitoso, e eles precisam ater-se resolutamente às diretrizes nos livros legais para poder resistir. Às vezes, no entanto, isso conduz o homem, não à aceitação, mas a um processo de aceitação infinitamente demorado, que nunca será concluído, e será encerrado apenas por sua morte. Assim, tanto a aceitação legal quanto o outro tipo estão repletos de dificuldades, abertas e encobertas e, antes que você permita-se envolver em qualquer coisa dessa natureza, é muito aconselhável que pese os prós e contras cuidadosamente. E Barnabé e eu fizemos isso. Sempre que eu voltava da Pousada do Castelo, nós nos sentávamos e eu lhe contava as últimas notícias. Nós discutíamos isso durante dias, e Barnabé negligenciava o trabalho que estava fazendo com mais frequência do que deveria. E aqui, como você vê, a culpa pode ser minha. Pois eu sabia que não podia confiar muito nas histórias que os servos contavam. Eu sabia que eles nunca queriam conversar comigo sobre o castelo, eles sempre mudavam de assunto, eu tinha que persuadi-los e, quando começavam a falar sobre isso, brincavam, diziam coisas sem sentido, exageravam e inventavam, para que, com todo aquele barulho, um competindo com o outro na escuridão do estábulo, pudesse haver algumas indicações da verdade. No entanto, eu transmitia tudo para Barnabé, assim como eu havia memorizado, e ele, que ainda não era capaz de distinguir entre verdades e mentiras, e que como resultado da situação de nossa família estava quase morrendo por desejar todas essas coisas, bebia todas essas informações e desejava ter mais. E meu novo plano dependia de Barnabé. Não havia mais nada para arrancar dos servos. O mensageiro de Sortini não podia ser encontrado, e nunca seria, Sortini parecia afastar-se ainda mais e, com ele, ia seu mensageiro. Até mesmo a aparência dele e o nome de Sortini pareciam estar caindo no esquecimento, e eu precisei descrevê-los muitas vezes sem conseguir nada, a não ser essa informação, com alguma dificuldade, as pessoas se lembravam deles, mas não conseguiam dizer nada além disso. E quanto à minha vida com os servos, naturalmente, eu não tinha nenhuma influência sobre como as pessoas viam; só esperava que fosse da maneira que deveria ser, e que um pouco da culpa fosse retirada de nossa família, mas não vi nenhum sinal disso. Ainda assim, eu me agarrei a isso, porque não via mais nenhuma oportunidade de fazer algo por nós no castelo. No entanto, havia uma oportunidade para Barnabé. Se eu quisesse, e queria muito, poderia concluir, pelas histórias dos servos, que um homem recebido para o serviço no castelo poderia fazer muito por sua família. Mas quanto dessas histórias era verdade? Era impossível descobrir, mas estava claro que era muito pouco. Se, por exemplo, um servo, a quem eu nunca veria novamente, ou que dificilmente reconheceria se o visse no castelo, me garantisse que ele poderia me ajudar a encontrar um trabalho para o meu irmão no castelo, ou que pelo menos ajudasse Barnabé caso ele conseguisse entrar no castelo de uma forma ou de outra, por exemplo, ajudando-o com algo para beber, já que, de acordo com as histórias dos servos parecia que os candidatos para os cargos podiam desmaiar, ou ficar mentalmente confusos por causa da espera, e que eles estariam perdidos se não tivessem amigos para cuidar deles, se eu soubesse dessas coisas e mais algumas teriam sido alertas bem justificados, embora as promessas que os acompanhavam fossem completamente vazias. Não para Barnabé, entretanto, embora eu o tivesse alertado a não acreditar nelas, mas o fato de eu contar as histórias para eles já foi o suficiente para convencê-lo a participar dos meus planos. O que eu mesma disse a ele foi de pouca influência, ele foi influenciado mais pelas histórias dos servos. Então eu estava à mercê de meus próprios recursos; ninguém podia falar com nossos pais a não ser Amália e, quanto mais eu seguia os planos de meu pai à minha própria maneira, mais Amália se distanciava de mim. Ela fala comigo diante de você ou de outras pessoas, mas nunca quando estamos sozinhas; eu era apenas um brinquedo para os servos da Pousada do Castelo, e um brinquedo que eles tentavam quebrar furiosamente, nunca falei nenhuma palavra de amizade com eles durante dois anos, era tudo insinceridade, mentiras e falsidades, então só me restou Barnabé, e ele ainda era muito novo. Quando eu contava minhas histórias e via um brilho em seus olhos, e continua lá até hoje, eu ficava assustada, mas não desisti; parecia ter muita coisa em jogo. Com certeza eu não teria o dinheiro do meu pai se os planos não dessem certo, não tinha a determinação de um homem, a minha ideia ainda era compensar o insulto ao mensageiro, e até pensei que esse meu modesto desejo pudesse ser considerado meritório. Mas o que falhei em fazer sozinha, agora esperava conquistar de uma maneira diferente, e mais segura, por meio de Barnabé. Nós havíamos insultado um mensageiro e o perseguido para fora dos escritórios na frente do castelo; o que seria mais óbvio do que oferecer um novo mensageiro ao castelo na pessoa de Barnabé? Para que ele pudesse fazer o trabalho do mensageiro que havia sofrido o insulto, tornando possível para que ele, o mensageiro, ficasse longe pelo tempo que quisesse, com a mente tranquila, pelo tempo que precisasse para esquecer o insulto? Eu percebi que, por toda a natureza modesta desse plano, também havia algo de presunçoso nele; eu poderia passar a impressão de que nós estávamos mandando nas autoridades, dizendo a eles como administrar sua própria equipe, ou fazer parecer que nós duvidávamos de que as autoridades fossem capazes de fazer acertos conforme sua própria vontade, ou estavam demorando tanto que até pensamos em prestar uma ajuda. Mas, novamente, pensei que seria impossível as autoridades me interpretarem mal dessa forma, ou, se o fizessem, fariam de propósito, e, então, tudo o que consegui foi ser rejeitada desde o início, sem mais considerações. Então insisti, e a ambição de Barnabé fez o resto. Durante esse período de preparação, Barnabé cresceu tanto em suas ideias que começou a considerar o trabalho de sapateiro algo sujo demais para alguém que iria ser um funcionário do escritório, ele até mesmo ousou contradizer Amália quando ela lhe disse algo, o que era muito raro, e mesmo assim ele a contradisse diretamente. Eu não lhe neguei esse breve prazer, pois, no primeiro dia em que ele foi para o castelo, como facilmente poderia ser previsto, nossa alegria e grandes ideias chegaram ao fim. E então ele começou aquele trabalho de aparências como já lhe contei. A maneira como Barnabé pisou no castelo, ou mais corretamente, no escritório que iria, por assim dizer, se tornar seu local de trabalho, sem qualquer dificuldade, foi surpreendente. Este sucesso quase me enlouqueceu na época e, quando Barnabé, ao voltar para casa, sussurrava suas notícias para mim, eu corria para Amália, a apertava, a levava para um canto, e a beijava ferozmente, com os lábios e dentes e tudo, para que ela chorasse com dor e medo. Eu não conseguia falar de tanta empolgação, já havia muito tempo que não falávamos uma com a outra mesmo, então achei que poderia cancelar isso por alguns dias. Mas não houve mais o que dizer nos dias que se seguiram. Não conquistamos mais nada além do primeiro passo. Por dois anos Barnabé tem levado a mesma vida monótona, opressiva. Os servos falharam completamente comigo; eu entreguei a Barnabé uma pequena carta para que levasse com ele, em que o recomendava para os cuidados deles, e lembrando-os de sua promessa. E sempre que Barnabé via um dos servos, ele levava a carta até ele, e a entregava. Às vezes ele encontrava servos que não me conheciam, e sua forma de mostrar a carta em silêncio, porque ele não ousava falar nada em voz alta ali, provavelmente irritava até mesmo aqueles que me conheciam. Mesmo assim, foi uma vergonha ninguém tê-lo ajudado. A libertação veio de uma forma que nós mesmos deveríamos e poderíamos ter pensado há muito tempo, quando um servo, em quem a carta deveria ter chegado diversas vezes, amassou-a e jogou no lixo. Então me ocorreu que ele poderia estar dizendo: "É assim que vocês mesmos tratam as cartas". Por mais infrutífero que esse período todo tenha sido, ele teve um efeito benéfico sobre Barnabé, se é que pode chamar o fato de ele ter envelhecido antes de sua idade de algo benéfico, e ter se tornado um homem antes de seu momento, e de muitas maneiras, é mais sério e compreensivo que a maioria dos homens adultos. Isso normalmente me faz olhá-lo com tristeza, comparando-o ao menino que ele ainda era há dois anos. E ainda assim, não tenho o consolo e o apoio de que, como um homem, ele poderá prover para a família. Sem mim, ele dificilmente teria entrado no castelo, mas agora que está lá, ele é independente de mim. Sou sua única amiga, mas tenho certeza de que ele apenas me conta uma pequena parte do que tem em sua mente. Ele me fala muito sobre o castelo, mas de suas histórias, das poucas coisas que ele de fato me conta, é difícil entender como ele pode ter mudado tanto. Em particular, é difícil entender por que, sendo tão corajoso quando menino, quase nos levando ao desespero, agora, como um homem, estava inteiramente sem coragem lá em cima. Com certeza, toda essa espera dia após dia, sempre recomeçando sem nenhuma perspectiva de mudança, será capaz de desgastar um homem e fazê-lo duvidar e, por fim, deixá-lo incapaz de qualquer coisa além daquela espera desesperadora. Mas por que não resistiu, mesmo no início? Particularmente porque ele percebeu que eu tinha razão, e não havia nada lá para satisfazer a sua ambição, embora pudesse haver alguma perspectiva para melhorar a situação de nossa família. Pois tudo é muito discreto lá, exceto os caprichos dos servos, a ambição busca sua satisfação no trabalho lá em cima e, como o trabalho em si é o que importa, a ambição se perdeu completamente, não há espaço para desejos infantis. Mas Barnabé pensou, como ele me disse, ter visto claramente como era grande o poder e o conhecimento até mesmo daqueles oficiais muito duvidosos em cujas salas ele havia entrado. Como eles ditavam, rápido, com os olhos semicerrados, gestos breves, como eles lidavam com os criados taciturnos apenas mexendo o dedo indicador, sem nenhuma palavra, e nesses momentos, os servos, respirando fundo, sorriam felizes, ou como eles encontravam um ponto importante em seus livros, abriam a página ostensivamente, e, o quanto fosse possível no espaço apertado, os outros vinham correndo e esticavam o pescoço para olhar. Essas e outras coisas semelhantes faziam Barnabé ter esses homens em alta conta, e ele tinha a impressão de que, se um dia subisse tão alto para poder ser notado por eles, e pudesse trocar algumas palavras com eles, não como um estranho, mas como um colega no escritório, embora ainda em uma das mais inferiores posições, então ele poderia fazer muito por nossa família. Mas não chegamos a esse ponto ainda, e Barnabé não se atreve a fazer nada que possa colocá-lo ao alcance dessas coisas, embora saiba muito bem que, apesar de sua juventude, ele mesmo se transferiu para a posição de chefe da família por conta das circunstâncias infelizes. E agora, a última de minhas confissões; você veio aqui há uma semana, eu ouvi alguém na Pousada do Castelo comentar, mas não prestei atenção; um agrimensor havia chegado, bem, eu nem sequer sabia o que era um agrimensor. No entanto, na noite seguinte, Barnabé, a quem me esforço para encontrar em certo momento, chegou em casa mais cedo do que de costume, viu Amália na sala de estar, e por isso me leva até a rua, onde coloca seu rosto contra meu ombro e chora por minutos a fio. Ele é o menino dos velhos tempos novamente. Alguma coisa havia acontecido, e era mais do que ele podia suportar. Era como se um novo mundo de repente se abrisse diante dele, e ele não conseguia suportar a felicidade e a ansiedade de toda aquela novidade. Mas nada realmente havia acontecido exceto que ele tinha recebido uma carta para lhe entregar. Mas era a primeira carta, a primeira tarefa no trabalho, que ele havia recebido.

Aqui, Olga parou. Tudo estava quieto, exceto pela respiração pesada, e às vezes dificultosa, de seus pais. K. simplesmente disse, em um tom não comprometedor, como se expandisse a história de Olga:

– Então, todos vocês estavam me enganando. Barnabé me trouxe a carta, agindo como um mensageiro ocupado e experiente, e tanto você quanto Amália, que obviamente estava arranjada com você e Barnabé desta vez, inventaram que seu trabalho como um mensageiro e as cartas em si não eram muito importantes.

– Você precisa distinguir entre nós – disse Olga. – Essas duas cartas transformaram Barnabé em uma criança feliz de novo, apesar de todas as suas dúvidas sobre o que ele está fazendo. Ele mantém essas dúvidas somente entre mim e ele; no seu caso, a honra dele exigia que ele agisse como um real mensageiro, seguindo sua própria ideia de mensageiros reais. Por exemplo, embora sua esperança de receber terno oficial agora esteja aumentando, em duas horas tive que alterar as calças dele para que elas pudessem pelo menos parecer com as calças de ajustamento apertado usadas pelos funcionários do castelo e, é claro que é fácil enganar você com essas coisas, ele pode manter a postura diante de você. Isso é típico de Barnabé. Amália, contudo, realmente despreza o trabalho dele como mensageiro e, agora que ele parece ter um pouco de sucesso, como ela pode facilmente perceber pela forma como eu e Barnabé nos sentamos e sussurramos, ela o despreza ainda mais. Ela está falando a verdade, nunca se deixe ser tão enganado ao ponto de duvidar disso. Mas se alguma vez menosprezei o trabalho de um mensageiro, K., não foi com a intenção de enganar você, foi por medo. Essas duas cartas trazidas por Barnabé são o único sinal de graça, por mais duvidosas que sejam, que a nossa família teve em três anos. Essa mudança em nosso destino, se é realmente uma mudança em nosso destino, e não mais um engano, pois enganos são mais comuns do que uma feliz mudança de eventos, está conectada com sua chegada aqui e, de certo modo, nosso destino agora depende de você. Talvez essas duas cartas sejam apenas o começo, e as atividades de Barnabé se estendam muito além de levar mensagens para você, esperaremos isso o quanto pudermos, mas por enquanto, tudo aponta para você. Quanto ao castelo lá em cima, precisamos nos contentar com o que eles nos dão, mas aqui embaixo nós podemos fazer alguma coisa por nós mesmos, ou seja, garantir o seu favor, ou pelo menos nos preservar de sua antipatia, ou, e esse é o ponto principal, protegê-lo o quanto nossos poderes e nossa própria experiência permitirem, para que você não perca sua ligação com o castelo, o que também pode ser uma saída para nós. Mas qual é a melhor maneira de fazer isso? Como garantir que você não terá nenhuma suspeita de nós quando nos aproximarmos de você, porque é um estranho aqui e por isso cultiva suspeitas de certa forma bem justificadas? Além disso, somos desprezados de forma geral, e você é influenciado pela opinião geral, particularmente a de sua noiva, então como podemos nos aproximar de você sem, por exemplo, estar em desacordo com sua noiva, mesmo que não tenhamos a intenção e, assim, sem ferir seus sentimentos? E as mensagens, as quais li atentamente antes de você recebê-las, Barnabé não as leu, como um mensageiro, não pode fazer isso, à primeira vista não parecem muito importantes; elas estão velhas, e diminuíram seu próprio valor quando o colocaram sob a autoridade do prefeito do vilarejo. Como devemos nos comportar com você diante disso? Se as valorizássemos demais, seríamos suspeitos de superestimar algo tão obviamente sem importância, anunciando nossos méritos como os responsáveis por trazer essas mensagens para você, perseguindo nossos objetivos, não os seus. Dessa forma, poderíamos diminuir as mensagens aos seus olhos e enganá-lo, que é a última coisa que queremos fazer. Mas, se sugerirmos que as mensagens não são muito importantes, então também somos suspeitos, por que, nesse caso, nós iríamos nos preocupar em entregar essas cartas tão insignificantes, por que nossas ações iriam contradizer nossas palavras, por que iríamos enganar não somente você, mas também nosso empregador, que com certeza não nos entregou as cartas para serem menosprezadas por nossas explicações diante dos olhos da pessoa que as recebesse? E unir a linha entre estes dois extremos, quero dizer, avaliar as cartas de maneira correta, é impossível, porque elas continuam a mudar de valor, elas geram pensamentos infinitos, e somente o destino decide onde devemos parar, ou seja, a opinião é uma questão de escolha. Então acrescente nosso medo de você também, e tudo fica tão confuso, e não deve julgar o que digo de modo tão severo. Por exemplo, se acontecesse de Barnabé voltar para casa com as notícias de que você não estava satisfeito com seu trabalho como mensageiro, e em seu primeiro conflito, infelizmente demonstrando alguma sensibilidade de mensageiro, se oferecesse para pedir demissão, eu estaria em uma posição de contornar o erro dele com enganos, mentiras, traição e qualquer coisa ruim contanto que o ajudasse. Ainda assim, eu faria isso, ou pelo menos acho que faria, pelo seu bem e pelo nosso.

Houve uma batida na porta. Olga foi até a porta e a abriu. Um feixe de luz atravessou a escuridão vinda de uma lanterna escura. O visitante tardio fez algumas perguntas sussurradas e respondeu em sussurros também, mas ele não estava satisfeito com aquilo, e tentou entrar na sala. Parecia que Olga não conseguiu detê-lo, então chamou Amália, obviamente, esperando que, para proteger o sono de seus pais, Amália faria tudo ao seu alcance para fazer o visitante ir embora. Logo ela veio correndo, empurrou Olga para o lado, saiu para a estrada e fechou a porta. Levou apenas um minuto, e ela estava de volta assim que havia feito o que Olga não podia.

Em seguida, K. foi informado por Olga que o visitante tinha vindo por causa dele; era um de seus assistentes procurando por ele em nome de Frieda. Olga queria proteger K. das atenções dos assistentes; se K. ia contar para Frieda sobre sua visita ali mais tarde, então ótimo, mas não deveriam ser os assistentes a descobrir que estava lá para vê-los, e K. concordou. No entanto, ele recusou a sugestão de Olga de que poderia ficar a noite e esperar por Barnabé; no que dependia dele, teria aceitado, pois já era tarde, e parecia para ele que, quer gostasse ou não, estava tão ligado àquela família que, ainda que pudesse ser estranho por outros motivos, passar a noite ali seria a coisa mais natural do mundo para ele, por causa do laço entre eles. No entanto, ainda recusou, inquieto pela visita do assistente; ele não conseguia entender como Frieda, que conhecia seus pensamentos, e os assistentes, que tinham aprendido a temê-lo, estavam tão unidos novamente que Frieda não hesitou em mandar um dos assistentes para encontrá-lo, e apenas um. O outro deveria ter ficado com ela. Ele perguntou para Olga se ela tinha um chicote; ela não tinha, mas tinha uma boa vara de salgueiro, que ele levou. Então perguntou se havia outra maneira de sair da casa. Sim, havia outra saída pelo quintal, mas era necessário escalar a cerca do jardim e ir até o jardim vizinho antes de chegar à estrada. K. decidiu fazer isso. Enquanto Olga lhe mostrava o caminho pelo jardim até a cerca, K. rapidamente tentou acalmá-la, dizendo que ele não estava nem um pouco zangado com ela por ter dado à história um pequeno toque a mais, e que compreendia muito bem. Ele agradeceu por sua confiança demonstrada em relação a ele, e provada ao contar-lhe sua história, e disse-lhe para enviar Barnabé para a escola, logo que ele chegasse em casa, mesmo se ainda fosse noite. Era verdade que as mensagens trazidas por Barnabé não eram sua única esperança, ou ele estaria em um mau caminho, mas certamente não queria tentar ficar sem elas; ele queria guardá-las bem, mas ao mesmo tempo não iria esquecer Olga, pois, com sua coragem, sua prudência, sua mente inteligente e a forma como ela se sacrificou por sua família, era quase mais importante para ele do que as mensagens. Se ele tivesse que escolher entre Olga e Amália, não precisaria de muito pensamento para fazer a escolha. E então apertou a mão dela com uma emoção sincera conforme se balançava na cerca do jardim ao lado.

Quando ele estava na estrada, à medida que a noite sombria permitia, ainda conseguia ver o assistente mais adiante, andando de um lado a outro na frente da casa de Barnabé. Às vezes, ele parava e tentava apontar sua lanterna para a sala de estar, através da janela com cortinas. K. chamou por ele e, sem se assustar, ele parou de espionar a casa e foi na direção de K.

– Quem você está procurando? – perguntou K., testando a flexibilidade da vara de salgueiro contra sua coxa.

– Você – disse o assistente, chegando mais perto.

– Mas quem é você? – perguntou K., de repente, pois não parecia ser o assistente, afinal. Ele parecia mais velho, mais cansado, sua face mais cheia, mas mais demarcada, e a maneira como andava era bem diferente da maneira animada dos assistentes, que pareciam ter as juntas galvanizadas. Ele andava lentamente, mancando um pouco, com um ar pedante e doente.

– Você não me conhece? – perguntou o homem. – Ora, eu sou Jeremias, o seu antigo assistente.

– Você é? – disse K., mostrando um pedaço da vara de salgueiro que ele estava escondendo atrás das costas. – Mas está tão diferente.

– É porque estou sozinho – disse Jeremias. – Quando estou sozinho, toda a minha alegre juventude se vai.

– Onde está Artur, então? – perguntou K.

– Artur? – perguntou Jeremias. – Seu pequeno favorito? Ele abandonou o seu serviço. Você foi muito duro conosco, e ele não conseguia aceitar isso, pobre alma sensível. Ele está voltando para o castelo para reclamar de você.

– E você? – perguntou K.

– Eu pude ficar – disse Jeremias. – Artur está reclamando em meu nome também.

– Sobre o que vocês dois estão reclamando? – perguntou K.

– Nós estamos reclamando – disse Jeremias – que você não aceita uma piada. E o que nós fizemos? Algumas piadas, rimos um pouco, provocamos sua noiva um pouco. E tudo isso, por sinal, feito seguindo ordens. Quando Galater nos enviou a você...

– Galater? – perguntou K.

– Sim, Galater – disse Jeremias. – Ele era o suplente de Klamm no momento. Quando Galater nos enviou até você, ele disse (eu prestei muita atenção nisso, porque é sobre isso que falamos em nossa queixa contra você) que nós dois seríamos os assistentes do agrimensor. O quê? Nós? Não sabemos nada sobre esse tipo de trabalho. Para o que ele respondeu: esse não é ponto; se for necessário, ele irá ensiná-los. Mas o principal é que eu quero que vocês se animem. Ouvi que ele leva tudo muito a sério. Chegou ao vilarejo e, para ele, isso é um grande evento, quando na realidade não é nada disso, e vocês lhe mostrarão isso.

– Bem – disse K. –, Galater estava certo, e vocês cumpriram suas tarefas?

– Eu não sei – disse Jeremias. – Não foi possível em tão pouco tempo. Tudo o que sei é que você era muito duro conosco e é por isso que estamos reclamando. Realmente não entendo como você, só um empregado aqui, e nem mesmo empregado pelo castelo, não consegue ver que o serviço desse tipo é um trabalho muito duro, e é extremamente injusto dificultar o trabalho de forma tão intencional, quase infantil, como fez. Sua atitude insensível de nos deixar congelando lá fora ao lado da cerca, a forma como quase matou Artur, e ele é muito sensível, e sente dores durante dias após fazer palavras cruzadas, quando você o golpeou sobre o colchão onde ele estava deitado, o jeito que me procurou por todos os lugares na neve naquela tarde... Ora, eu precisei de uma hora para me recuperar! Não sou mais tão jovem quanto antes!

– Meu caro Jeremias – disse K. – Você está perfeitamente certo, mas deveria estar falando tudo isso para Galater. Foi ideia dele enviá-los para mim, eu nunca pedi que o fizesse. E, como nunca os pedi para ele, tudo fica acertado ao mandá-los de volta, e eu preferiria que fosse em paz e não à força, mas vocês obviamente não aceitariam isso. Por que não vieram até mim para conversar abertamente como fazemos agora?

– Porque eu estava trabalhando, é claro – disse Jeremias. – Não precisa nem dizer.

– E agora você não está em serviço? – perguntou K.

– Não mais – disse Jeremias. – Artur entregou seu aviso no castelo ou, pelo menos, o procedimento que finalmente irá nos tirar desse trabalho está em andamento.

– Mas você foi me procurar como se ainda *estivesse* trabalhando – disse K.

– Não – disse Jeremias. – Eu fui procurá-lo para acalmar os pensamentos de Frieda. Quando a deixou por causa daquelas garotas, as irmãs de Barnabé, ela ficou muito infeliz, não tanto por causa de sua perda, mas mais por causa de sua traição, mas novamente, ela já deveria esperar isso há muito tempo, e a fez sofrer muito. Eu voltei para a janela da escola para ver se por acaso você teria recuperado seu bom senso. Mas você não estava lá, só vi Frieda sentada em um banco, chorando. Então entrei para vê-la e chegamos a um acordo. Eu vou ser um camareiro na Pousada do Castelo, pelo menos até meus negócios no castelo estarem esclarecidos, e Frieda voltará para trás do bar. É melhor para ela. Não havia sentido em casar com você, não para Frieda. Além do mais, você não apreciava o sacrifício que ela estava fazendo por você. E agora, companheiro, ela ainda perguntava para si mesma se não se enganou, se talvez você não estivesse com as irmãs de Barnabé afinal. Mas é claro que não havia dúvida sobre onde estava, eu fui até lá para descobrir de uma vez por todas, porque, depois de toda aquela agitação, Frieda merecia uma boa noite de descanso, e eu também. Então fui até lá, e não só o encontrei, mas também pude ver que aquelas meninas estavam fazendo exatamente como você queria, como marionetes em uma cordinha. Especialmente a morena... Ah, ela é um verdadeiro gato selvagem, a forma como o defendeu. Bem, cada um tem seu próprio gosto. Enfim, você não precisava tomar o caminho mais longo pelo jardim vizinho, porque eu mesmo o conheço.

21

Então, o que poderia ter sido previsto, mas não impedido, aconteceu. Frieda o deixou. Isso não precisava ser necessariamente definitivo; não era tão ruim assim, Frieda poderia ser reconquistada. Ela era facilmente influenciada por estranhos e definitivamente por aqueles assistentes, que pensavam que Frieda estava na mesma situação que eles e que, agora que haviam entregado sua demissão, queriam que Frieda fizesse o mesmo. Mas K. precisava apenas ir até ela pessoalmente, para lembrá-la de todos os pontos em seu favor, e ela sentiria remorso e voltaria para ele, principalmente se ele pudesse justificar a sua visita às meninas, mostrando-lhe que havia conseguido alguma coisa, e graças a elas. No entanto, embora tentasse tranquilizar-se com essas reflexões, quando pensava em Frieda, não conseguia ficar de fato tranquilo. Um pouco antes, ele havia elogiado Frieda para Olga, dizendo que ela era sua base, mas não era uma base muito firme; não foi necessário um homem poderoso para intervir e roubar-lhe Frieda, somente aquele assistente desagradável, um espécime humano, que às vezes dava a impressão de não estar vivo.

Jeremias já havia começado a se afastar, e K. o chamou de volta.

– Jeremias – ele disse. – Vou ser completamente honesto com você, então por favor responda uma pergunta também de forma honesta. Não somos mais mestre e servo, e você não é o único a ficar feliz por isso, eu também estou, o que significa que não temos nenhum motivo para nos enganar. Aqui, diante de seus olhos, quebro a vara que eu havia escolhido para usar contra você; tomei o caminho pelo jardim não por medo de você, mas para surpreendê-lo e fazê-lo experimentar a vara. Bem, não guarde rancor por mim, isso acabou de vez. Se as autoridades não tivessem forçado você a ser meu servo, se fosse apenas um conhecido meu, estou certo de que teríamos nos dado muito bem, ainda que sua aparência me incomode um pouco às vezes. E agora podemos acabar com nossas omissões a esse respeito.

– Você acha? – perguntou o assistente, esfregando os olhos cansados e bocejando.

– Eu poderia explicar tudo a você com mais detalhes, mas não tenho tempo, preciso voltar para Frieda, a moça espera por mim. Ela ainda não voltou para o trabalho, queria mergulhar de uma vez no trabalho, provavelmente para esquecer você, mas convenci o senhorio a dar a ela um pouco de tempo para se recuperar e, pelo menos, nós poderemos passar esse tempo juntos. Quanto à sua ideia, certamente não tenho motivos para mentir para você, mas também não tenho nenhum motivo para confiar em você. Não sou igual a você, veja bem. Enquanto eu era o seu servo, é claro que você era alguém muito importante para mim, não por conta de suas qualidades, mas por causa do meu trabalho como servo, e eu teria feito qualquer coisa que quisesse, mas agora é indiferente para mim. Não estou comovido por você ter quebrado sua vara também. Isso só me lembra do mestre severo que eu tinha, então não adianta tentar me conquistar dessa maneira.

– Você fala dessa forma comigo – disse K. –, como se tivesse certeza absoluta de que nunca mais terá motivos para ter medo de mim. Mas isso não é verdade. Você provavelmente ainda não está livre de mim, as coisas aqui não são feitas com tanta pressa...

– Às vezes elas são feitas ainda mais rápido – protestou Jeremias.

– Às vezes – disse K. – Mas não há nada que sugira que esse seja um desses casos. Pelo menos, nem você e nem eu temos por escrito o rompimento de nosso trabalho em nossas mãos. Então, o processo está apenas começando, e eu ainda não interferi utilizando meus próprios contatos, mas o farei. Se o resultado não for a seu favor, bem, você não fez quase nada anteriormente para agradar seu mestre, e posso até ter sido precipitado em quebrar essa vara. E você pode estar inflado com orgulho depois de roubar Frieda de mim, mas, apesar do respeito que sinto por você, ainda que não sinta nada por mim, sei que se eu disser algumas palavras para Frieda já serão o bastante para desfazer a rede de mentiras que você teceu para pegá-la. Pois apenas mentiras poderiam virar Frieda contra mim.

– Essas ameaças não me assustam – disse Jeremias. – Você não me quer como seu assistente, está com medo de mim como seu assistente, tem medo de assistentes em geral, foi apenas por medo que bateu no pobre Artur.

– Talvez – disse K. – Mas o machuquei menos por causa disso? Talvez eu tenha muitas oportunidades semelhantes de mostrar o quanto tenho medo de você. Vejo que não gosta de ser assistente, e de minha parte realmente aprecio forçá-lo a ser um, não importa o medo que eu possa ter de você. Na verdade, ficarei muito satisfeito de tê-lo sozinho como meu assistente, desta vez, sem Artur. Então posso dedicar mais atenção a você.

– Você acha – disse Jeremias – que tenho sequer um pouco de medo de tudo isso?

– Bem – disse K. – Você é certamente um pouco medroso e, se tem alguma noção, deve estar com muito medo. Por qual outra razão ainda não foi para Frieda? Diga-me, você a ama?

– Amor? – perguntou Jeremias. – Ela é uma garota boa, inteligente, uma antiga amante de Klamm, o que faz dela alguém que deve ser respeitada de qualquer maneira. E se ela continua me implorando para libertá-la de você, por que não deveria fazer-lhe esse favor? Particularmente, já que não estou lhe fazendo nenhum mal, agora que você encontrou consolo com as miseráveis irmãs de Barnabé.

– Agora eu vejo seu medo – disse K. – E é um medo digno de pena. Você está tentando me envolver em suas mentiras. Frieda me pediu apenas uma coisa: para que eu a libertasse de meus servis e lascivos assistentes, que estavam tão selvagens. Infelizmente não tive tempo de fazer o que ela pediu, e agora vejo as consequências de minha omissão.

– Sr. Agrimensor, senhor! Sr. Agrimensor! – alguém gritou na estrada. Era Barnabé. Ele chegou sem fôlego, mas não deixou de fazer uma reverência a K. – Eu consegui – disse ele.

– Conseguiu o quê? – perguntou K. – Você quer dizer que entregou o meu pedido para Klamm?

– Não, isso não – disse Barnabé. – Eu tentei muito, mas não foi possível. Forcei minha presença, fiquei lá o dia todo sem ser convidado, tão perto da tribuna que em um momento um clérigo me afastou porque eu estava atrapalhando sua luz, eu tentei atrair a atenção para mim, o que é estritamente proibido, levantando a mão quando Klamm olhou para cima; eu fiquei mais tempo no escritório do que os outros. Por fim, fiquei sozinho lá com os servos, e então tive o prazer de ver Klamm voltar, mas não por minha causa, ele só queria procurar algo em um livro, e logo foi embora. Enfim, como não me mexi, um servo praticamente me varreu para fora da sala com sua vassoura. Eu estou lhe dizendo tudo isso para certificar-me de que está satisfeito com o que fiz.

– De que adianta todo esse esforço por mim, Barnabé – disse K. –, se não foi bem-sucedido?

– Ah, mas eu fui bem-sucedido – disse Barnabé. – Quando saí do meu escritório, bem, eu o chamo de meu escritório, vi um cavalheiro aproximando-se lentamente, aparentemente saindo dos corredores internos do edifício. Fora isso, o lugar estava vazio, já era muito tarde. Decidi esperar por ele; era uma boa oportunidade para ficar lá, na verdade, eu preferia ficar lá para sempre ao invés de lhe trazer más notícias. Mas valeu a pena esperar pelo cavalheiro de qualquer maneira, porque ele era Erlanger. Você não o conhece? É um dos principais secretários de Klamm. Um cavalheiro ligeiramente baixo, que mancava um pouco. Ele logo me reconheceu; é famoso por sua memória e seu conhecimento da natureza humana; simplesmente franze a testa e já é o suficiente para reconhecer alguém, incluindo pessoas que nunca havia encontrado antes, pessoas sobre quem ele havia lido ou ouvido falar, e ele poderia muito bem nunca ter me conhecido, por exemplo. Mas mesmo que reconheça todos logo de início, ele começa fazendo perguntas como se não tivesse certeza. "Você não é Barnabé?", ele me disse. Então perguntou: "Você conhece o agrimensor, não é?". E então disse: "Isso é muito útil. Eu estava indo agora mesmo para a Pousada do Castelo. Diga ao agrimensor para me encontrar lá. Estarei no quarto 15. Mas ele deve ir logo. Eu tenho apenas algumas audiências para realizar lá, e vou voltar às cinco da manhã. Diga-lhe que estou muito ansioso para falar com ele".

De repente, Jeremias começou a correr. Barnabé, que mal havia percebido que ele estava ali, perguntou:

– O que há com Jeremias?
– Ele quer alcançar Erlanger antes de mim – disse K., correndo logo atrás dele.

Ele o alcançou, segurou seu braço com firmeza e disse:
– É um desejo por Frieda que tomou você de repente? Eu sinto o mesmo, então vamos no mesmo ritmo.

Um pequeno grupo de homens aguardava do lado de fora da Pousada do Castelo, que estava escura; dois ou três deles carregando lanternas, então era possível reconhecer diversos rostos. K. viu apenas um homem que conhecia, Gerstäcker, o carregador. Gerstäcker o cumprimentou com as seguintes palavras:
– Então você ainda está no vilarejo, não é?
– Sim – disse K. – Eu estou aqui por tempo indeterminado.
– Bem, isso não tem nada a ver comigo – disse Gerstäcker, tossindo e olhando para os outros.

Todos estavam esperando por Erlanger. Erlanger havia chegado, mas ele ainda estava conversando com Momus antes de receber os outros membros do público. A conversa geral rodava em torno do fato de que eles não puderam esperar dentro da pousada e tiveram que esperar ali fora, na neve. Na verdade, não estava muito frio, mas mesmo assim era algo impensado deixá-los esperando fora da casa durante a noite, talvez por horas. Claro, isso não era culpa de Erlanger, ele era considerado maleável, e provavelmente nem sabia o que estava acontecendo, pois certamente teria ficado muito irritado se soubesse. Era tudo culpa da senhoria da Pousada do Castelo que, em sua busca neurótica por refinamento, não queria tantos membros do público na Pousada de uma vez. "Se precisamos recebê-los aqui, se eles realmente precisam vir", ela tinha o hábito de dizer, "então pelo amor de Deus faça-os entrar um de cada vez". E ela havia levado isso a sério, então os membros do público, que no início esperavam no corredor, precisaram esperar nas escadas, e depois no hall de entrada, finalmente no bar e, por fim, todos foram levados para a rua. E mesmo isso não havia sido o suficiente para ela. Ela achou intolerável estar "sempre vigiada", como dizia, em sua própria casa. Ela não conseguia entender por que os membros do público tinham que ir até lá. "Para sujar os degraus externos da casa", um oficial havia dito como resposta à sua pergunta. Ele provavelmente disse isso com raiva, mas ela considerou a ideia muito plausível, e começou a citar seu comentário. Ela estava tentando conseguir um edifício diante da Pousada do Castelo, onde os membros do público poderiam esperar, o que na verdade iria atender seus desejos muito bem. Ela teria apreciado mais ainda se todas as conversas com os membros do público e as audiências pudessem ser realizadas totalmente fora da Pousada, mas os oficiais não concordavam com essa ideia, então é claro que a senhoria não poderia vencer, embora ela exercesse certa tirania em assuntos menores, graças ao seu zelo feminino incansável, mas gentil. No entanto, parecia que a senhoria teria que continuar a suportar as discussões e as audiências na Pousada do Castelo, pois os cavalheiros do castelo se recusaram a deixar a pousada para cumprir seus negócios oficiais em qualquer outro lugar do vilarejo. Eles sempre estavam com pressa e, de qualquer forma, só iam para o vilarejo contra sua vontade. Não tinham o menor desejo de prolongar esse período além do que era estritamente necessário, então não se mudariam temporariamente para a rua com todos os seus papéis, perdendo tempo, apenas em benefício da paz e do silêncio na Pousada do Castelo. Eles prefeririam discutir seus assuntos oficiais no bar ou em seus quartos, se possível, durante uma refeição, ou deitados em suas camas antes de irem dormir, ou pela manhã, quando se sentiam cansados demais para se levantar, e queriam ficar na cama mais um tempo. No entanto, a questão de erguer um prédio onde eles poderiam esperar parecia estar chegando a uma solução feliz, embora fosse, é claro, uma verdadeira provação para a senhoria – as pessoas riam um pouco sobre isso –, já que a construção de um lugar precisaria de muitas discussões, e os corredores da pousada quase nunca estavam vazios.

As pessoas que estavam esperando discutiam todas essas coisas em um volume baixo. Foi quando ocorreu a K. que, embora houvesse muito murmúrio ali, ninguém tinha nenhuma objeção ao fato de Erlanger convocar membros do público no meio da noite. Ele perguntou sobre isso, e ouviu que na verdade eles deveriam ser muito gratos a Erlanger. Aparentemente, eram apenas sua boa natureza e seu conceito elevado sobre seu escritório que o moviam a descer ao vilarejo. Se ele quisesse, poderia ter enviado algum subsecretário para coletar depoimentos, o que de fato estaria mais alinhado com as leis. Mas ele normalmente os impedia de fazer isso, queria ver e ouvir tudo por si mesmo, ainda que significasse abrir mão de suas noites por esse propósito, porque em sua programação oficial não havia tempo para visitas. K. disse que Klamm também ia até o vilarejo durante o dia, e até mesmo passava diversos dias lá. Será que Erlanger, apenas um secretário, era mais indispensável no castelo? Algumas pessoas riram, e outras mantiveram um silêncio estranho, sendo a maioria, e ninguém parecia disposto a responder a pergunta de K. Mas um homem disse, hesitante, bem, claro que Klamm era indispensável no castelo e igualmente no vilarejo.

Então a porta da Pousada se abriu, e Momus apareceu entre dois servos que carregavam lamparinas.

– Os primeiros a falar com o Sr. Secretário Erlanger – ele disse – são Gerstäcker e K. Eles estão aqui?

Eles disseram que sim, mas então Jeremias entrou na casa antes deles, dizendo:

– Sou o camareiro aqui.

E foi saudado por Momus com um tapinha nas costas.

– Estou vendo que precisarei ficar mais atento com Jeremias – K. disse a si mesmo, embora estivesse ciente de que Jeremias era provavelmente menos perigoso que Artur, que estava armando intrigas contra ele no castelo. Talvez fosse mais sábio permitir que os assistentes o incomodassem do que deixá-los caminhar sem serem vigiados, livres para tramar os planos que pareciam agradar-lhes tanto.

Quando K. passou por Momus, ele agiu como se só agora o reconhecesse.

– Ah, o agrimensor! – ele disse. – O homem que não estava disposto a responder perguntas agora está ansioso por uma audiência. As coisas seriam mais fáceis comigo. Bem, é difícil escolher a audiência correta.

E quando, com essas palavras, K. estava prestes a congelar, Momus disse:

– Vamos, entre! Eu poderia ter usado suas respostas naquele dia, agora não preciso mais delas.

Mesmo assim, K., irritado pela atitude de Momus, disse:

– Todos vocês não pensam em nada além de si mesmos. Eu não vou responder perguntas apenas porque são oficiais, nem antes, nem agora.

– Ora, em quem mais estaríamos pensando? – disse Momus. – Quem mais importa aqui? Vamos, entre!

Um servo os recebeu no hall de entrada e os conduziu por um caminho que K. já conhecia, pelo jardim, e depois pelo portão, e entrando no baixo corredor que se inclinava levemente em uma descida. Obviamente, apenas os oficiais de posições mais altas ficavam nos andares superiores, enquanto os quartos dos secretários, e até Erlanger, que era um dos mais importantes entre eles, estava localizado nesse corredor. O servo apagou a lanterna, pois havia luz elétrica clara ali, onde tudo havia sido construído em uma escala menor, mas com um design delicado. Os espaços haviam sido muito bem aproveitados. Era possível andar com a coluna reta por todo o corredor; portas e mais portas se abriam uma ao lado da outra, e as paredes não iam até o teto, provavelmente por causa da ventilação, já que não havia nenhuma janela nos pequenos quartos dessa passagem baixa, parecida com uma cela. A desvantagem da abertura no topo das paredes era que o corredor e os quartos eram muito barulhentos. Muitos dos quartos pareciam estar ocupados, e os ocupantes da maioria deles ainda estavam acordados, pois era possível escutar vozes, marteladas e o tilintar dos copos. Contudo, não havia nenhum indício de qualquer alegria particular. As vozes foram silenciadas; era possível captar uma palavra aqui e ali, mas não parecia haver nenhuma conversa; as vozes estavam provavelmente apenas ditando ou lendo algo em voz alta. Nenhuma palavra era falada nos quartos onde o tilintar de pratos e copos podia ser ouvido, e as marteladas lembraram K. de algo que ele já tinha ouvido: muitos dos oficiais, como uma forma de relaxar após seus constantes trabalhos intelectuais, gostavam de ter hobbies como marcenaria, engenharia de precisão e assim por diante.

O corredor em si estava vazio, exceto por um cavalheiro alto e pálido que estava sentado do lado de fora de uma porta, vestindo um casaco de pele, com seu pijama aparecendo sob ele. Ele provavelmente havia achado o quarto muito apertado, então estava sentado do lado de fora lendo um jornal, mas não com muita atenção. Parou de ler diversas vezes com um bocejo, depois se inclinou para olhar o corredor. Talvez ele estivesse esperando um membro do público a quem havia convidado para vê-lo e que estava atrasado. Quando passaram pelo cavalheiro, o servo disse para Gerstäcker, referindo-se a ele:

– Esse é Pinzgauer!

Gerstäcker concordou.

– Ele não vinha aqui há muito tempo – ele disse.

– Não, de fato, há muito tempo – concordou o servo.

Finalmente, chegaram a uma porta que não era diferente das outras, ainda que, como o servo lhes informou, Erlanger estava hospedado no quarto atrás dela. O servo fez K. levantá-lo sobre seus ombros e então olhou para dentro da sala através do espaço acima da parede do corredor.

– Ele está deitado em sua cama – disse o servo, voltando para o chão. – Totalmente vestido, mas acho que está dormindo. Às vezes o cansaço o domina no vilarejo; é o modo de vida diferente daqui. Nós vamos ter que esperar. Ele irá tocar a campainha quando acordar. Ouvi que ele dorme durante toda a sua visita ao vilarejo, e então tem que voltar para o castelo assim que acorda. Afinal, o trabalho que faz aqui embaixo é voluntário.

– Vamos esperar que ele desfrute de seu sono, então – disse Gerstäcker –, porque, se ele tiver algum tempo para trabalhar após acordar, ficará muito irritado por ter adormecido, tentará fazer tudo apressadamente, e nós mal teremos a chance de falar qualquer coisa.

– Você veio falar sobre uma licença pelos direitos de trabalhar como carregador para a nova construção, não é? – perguntou o servo.

Gerstäcker concordou e chamou o servo em particular e falou com ele em voz baixa, mas o homem quase não estava ouvindo. Ele olhava além de Gerstäcker, pois era quase a medida de uma cabeça mais alta e, com seriedade e vagarosamente, coçou a cabeça.

22

Então, olhando ao seu redor sem rumo, K. reconheceu Frieda a distância, em uma curva no corredor; ela agiu como se não o reconhecesse, e olhou vagamente para ele. Ela estava carregando uma bandeja de pratos vazios. Ele disse ao servo, embora o homem não parecesse prestar atenção a ele – quanto mais falavam com este servo, mais parecia que sua mente estava em outro lugar – que ele voltaria em um minuto, e caminhou em direção a Frieda. Ao alcançá-la, ele a segurou pelos ombros, como se tomasse posse dela novamente, fez algumas perguntas triviais e olhou dentro de seus olhos. Mas sua postura rígida quase não mudou; distraidamente, tentou reorganizar as porcelanas na bandeja diversas vezes e disse:

– O que você quer de mim? Volte para aqueles... Bem, você sabe o nome deles. Acabou de vir de lá. Posso afirmar que sim.

K. rapidamente mudou de assunto; ele não queria que este assunto fosse abordado tão de repente, e começando do pior modo, da maneira menos promissora possível para ele.

– Eu pensei que você estaria no bar – disse ele.

Frieda olhou para ele com surpresa e, em seguida, delicadamente passou sua mão livre sobre sua testa. Era como se ela houvesse esquecido como era o rosto dele, e fez isso para recordá-lo em sua mente. Seus olhos também tinham um olhar velado, parecendo lembrar de algo com dificuldade.

– Sim, fui aceita de volta para trabalhar no bar – ela disse devagar, como se não importasse o que ela dissesse, mas, sob as palavras que ela falava, estava conduzindo uma conversa muito mais importante com K. – O trabalho aqui não é adequado para mim, qualquer menina pode fazê-lo, qualquer um que possa fazer a cama e pareça amigável e não tema a importunação dos hóspedes, mas que a receba bem, pode ser uma camareira. Mas uma garçonete é diferente.

Fui logo recebida de volta ao bar, embora eu tenha deixado o cargo em circunstâncias não muito favoráveis, mas é claro que desta vez tive proteção. E o senhorio ficou feliz por eu ter uma proteção, o que facilitou tudo para que me aceitasse de volta. Era quase como se eles tivessem que me pressionar para aceitar o trabalho e, se você parar para pensar sobre o que o bar me lembra, vai entender o porquê. Mas, no final, aceitei. Estou só ajudando como camareira. Pepi pediu a eles que não a envergonhassem, fazendo com que ela tivesse que deixar o bar imediatamente. Então, como ela estava trabalhando duro, e havia feito tudo da melhor forma que podia, lhe demos o aviso de 24 horas.

– Isso tudo foi muito bem arranjado – disse K. –, mas uma vez você deixou o bar por minha causa, e você vai voltar agora, pouco antes de nosso casamento?

– Não vai haver nenhum casamento – disse Frieda.

– Porque acha que fui infiel? – perguntou K.

Frieda assentiu.

– Olhe, Frieda – disse K. – Nós já conversamos antes sobre essa suposta infidelidade de minha parte e, no fim, você sempre teve de reconhecer que suas suspeitas haviam sido injustas. Quanto a mim, tudo está tão inocente quanto antes, e isso também não pode mudar. Então, deve ter havido alguma mudança de sua parte, por causa de rumores sussurrados por outras pessoas, ou talvez alguma outra razão. Você se engana sobre mim de qualquer forma, afinal, quais sentimentos acha que tenho por aquelas garotas? Uma delas, a morena, estou quase envergonhado por ter de defender-me com tantos detalhes, mas você me obriga a fazê-lo, eu provavelmente acho a companhia da morena tão estranha quanto você acha; se posso evitá-la, então o faço, e está tudo bem para ela. Ninguém pode ser mais reservado do que ela.

– Sim – exclamou Frieda, e as palavras explodiam contra a sua vontade.

K. estava feliz por ver a mente dela desviada do assunto. Ela não estava agindo como havia pretendido.

– Você pode pensar que ela é reservada, diz que aquela mulher, a mais descarada de todas, é reservada e, por mais incrível que possa parecer, você fala sério; não está fingindo, eu sei disso. A senhoria da Pousada da Ponte diz, sobre você: "Eu não suporto o homem, mas também não consigo abandoná-lo a seu próprio destino; quando você vê uma criança pequena que não sabe andar muito bem se aventurando longe demais, não consegue evitar, precisa fazer algo a respeito".
– Bem, siga o conselho dela dessa vez – disse K., sorrindo. – Nós podemos tirar essa garota do caminho agora mesmo, seja ela descarada ou reservada, eu não quero saber dela.
– Mas por que afirma que ela é reservada? – Frieda persistia. K. considerou essa atitude dela um bom sinal para ele. – Você tentou se aproximar ou quer diminuir as pessoas com suas palavras?
– Nenhum dos dois – disse K. – Apenas estou feliz porque posso descrevê-la como reservada, porque ela faz com que seja mais fácil para mim ignorá-la e, se ela me convidasse frequentemente não poderia voltar lá, o que seria algo ruim, já que preciso ir até lá por conta de nosso futuro, como sabe. E é por isso que preciso falar com a outra garota e, embora eu aprecie sua eficiência, prudência e falta de egoísmo, ninguém pode classificá-la como sedutora.
– Os servos pensam diferente – disse Frieda.
– Nisso e em muitas outras coisas – disse K. – Você irá concluir que sou infiel porque os servos se entregam livremente à luxúria?
Frieda não respondeu, e permitiu que K. retirasse a bandeja de suas mãos, a colocasse no chão e desse os braços para ela, e eles começaram a caminhar juntos por todo o espaço.
– Eu não sei o que é ser fiel – ela disse, afastando-se um pouco.
– A maneira como você se comporta com aquelas garotas não é o principal; você sair para ver aquela família e voltar com o perfume da sala deles em suas roupas me envergonha tremendamente. E então sai da escola sem falar uma palavra. E passa metade da noite com elas, e quando alguém vai procurar por você, e você faz as garotas negarem que está lá, negar de maneira convincente, principalmente aquela que é tão reservada. Você sai daquela casa escondido, talvez

para poupar a reputação daquelas garotas. De fato, a reputação daquelas garotas! Não, não vamos mais falar sobre isso. – Não, não vamos falar sobre isso – concordou K. – Mas sobre outra coisa. Você está certa. Não há mais nada para ser dito sobre esse assunto. Você sabe por que preciso ir até lá, não é fácil para mim, mas superei meus sentimentos. Não deveria dificultar as coisas ainda mais para mim. Hoje quis ligar para lá, apenas por um minuto, para perguntar se Barnabé finalmente estava em casa, pois ele deveria ter entregado uma importante mensagem para mim. Ele não havia retornado, mas me garantiram que ele logo iria chegar. Eu não queria que ele me seguisse de volta para a escola, para poupar você da presença dele. Bem, as horas se passaram e ele não chegou. Mas outra pessoa, sim. Alguém que odeio. Eu não queria que ele me espionasse, então saí pelo jardim da casa ao lado, mas também não estava me escondendo dele, e fui bem claro com ele na estrada ao carregar, admito, uma vara de salgueiro bem flexível. Isso é tudo, então não há mais o que dizer sobre isso também, embora haja algo para acrescentar. E quanto àqueles assistentes, cuja menção acho tão repugnante quanto você acha daquela família? Compare o seu relacionamento com eles e meu comportamento em relação àquela família. Entendo o seu desagrado pela família, e posso até compartilhar dele. Eu os visito apenas para o bem da nossa causa, e às vezes quase sinto que estou explorando-os e enganando-os. Mas e você e os assistentes? Não nega que eles estão perseguindo você, e admitiu que se sente atraída por eles. Não fiquei bravo com você por isso, vi que existem forças além de seu controle aqui, eu estava feliz apenas em pensar que, pelo menos, você estava resistindo, eu ajudei a defendê-la, e só porque não pude fazer por algumas horas, confiando em sua constância e, fora isso, na esperança de que o lugar estava firmemente trancado e os assistentes finalmente expulsos, temo que continuo os subestimando, só porque negligenciei nossa defesa algumas horas, e esse homem, Jeremias, que, quando você olha para ele de perto não é muito saudável e está ficando com os dias avançados, teve a ousadia de ir até a janela, e eu irei te perder só por isso, Frieda, e ser recebido com a notícia de que "não vai haver mais nenhum casamento". Não deveria ser eu o único a sentir que deveria repreendê-la? Mas eu não, não, eu ainda não a repreendo.

Mais uma vez, parecia uma boa ideia para K. tentar tirar a mente de Frieda daquele assunto, então ele pediu que ela lhe trouxesse algo para comer, já que não comera nada desde o meio-dia. Aliviada por tal pedido, Frieda concordou e foi buscar algo, sem caminhar muito pelo corredor, no que K. esperava ser o caminho para a cozinha, mas alguns degraus abaixo. Ela logo trouxe de volta um prato de carnes frias fatiadas e uma garrafa de vinho, mas pareciam ser sobras do jantar de alguém. As fatias de carne haviam sido rearranjadas apressadamente para disfarçar o fato, mas havia até mesmo uns pedaços de pele de linguiça no prato, e a garrafa estava três quartos vazia. No entanto, K. não disse nada sobre isso, e começou sua refeição com um grande apetite.

– Você foi até a cozinha? – ele perguntou.

– Não, para o meu quarto – disse ela. – Eu tenho um quarto aqui embaixo.

– Bem, poderia ter me levado com você – disse K. – Eu vou até lá agora para que possa me sentar enquanto como.

– Eu lhe trago uma cadeira – disse Frieda. E saiu novamente.

– Não, obrigado – disse K., com as mãos nas costas dela. – Eu não vou descer até lá, nem preciso de uma cadeira agora.

Frieda sentiu as mãos dele sobre ela, com uma expressão de desafio, com a cabeça baixa e mordendo seu lábio.

– Muito bem, sim, ele está lá embaixo – ela disse. – O que você queria que eu fizesse? Está deitado em minha cama, ele pegou um resfriado por causa do clima lá fora, está congelando, mal conseguia comer. Basicamente é tudo sua culpa. Se não tivesse expulsado os assistentes e ido correndo atrás daquelas pessoas, nós poderíamos estar sentados pacificamente na escola agora. Você é quem destruiu a nossa felicidade. Acha que, enquanto estava trabalhando para você, Jeremias teria ousado fugir comigo? Se sim, então não entende nem um pouco como as coisas funcionam aqui. Ele queria estar perto de mim, estava atormentado, estava à minha espera, mas isso era apenas um jogo, como um cão faminto brincando ao redor da mesa, mas sem se atrever a pular sobre ela. E foi o mesmo comigo. Eu era atraída por ele, ele era meu companheiro de brincadeiras na infância... Nós brincávamos juntos nas encostas do Monte Castelo, ah, dias felizes! Você nunca me perguntou sobre meu passado. Mas nada disso importava enquanto Jeremias estava trabalhando para você, pois eu conhecia meu dever como sua futura esposa. Mas, então, você expulsa os assistentes e se vangloria disso também, como se tivesse feito tudo por mim, o que em certo sentido é verdade. Suas intenções funcionaram com Artur, embora apenas por enquanto; ele é um homem sensível, não tem a paixão de Jeremias, que não teme nenhuma dificuldade. Você quase matou Artur com aquele soco no meio da noite, e foi um golpe dado contra a nossa felicidade também. Ele fugiu para o castelo para registrar uma queixa e, embora possa voltar em breve, ele não está aqui agora. Jeremias, no entanto, ficou. Enquanto está a serviço, ele teme até mesmo um pequeno brilho nos olhos de seu mestre, mas fora do trabalho não teme nada. Ele veio e me levou embora quando você tinha me abandonado. Sob a influência do meu velho amigo, não pude evitar. Não abri a porta da escola; ele quebrou a janela e me ajudou a sair. Fugimos para cá, o senhorio o respeita e os hóspedes ficarão encantados por ter um garçom tão bom a seu serviço, então fomos aceitos. Ele não está morando comigo, mas nós dividimos o mesmo quarto.

— Apesar de tudo — disse K. — Não estou arrependido por ter retirado os assistentes de meu serviço. Se o relacionamento era como você o descreve, então foi bom que tudo chegou ao fim. Nossa felicidade não teria sido muito grande, em um casamento onde duas aves de rapina que só se afastavam com o chicote também estavam presentes. Então, estou grato a essa família também, já que eles tiveram seu papel em nos separar, ainda que sem intenção.

Eles ficaram em silêncio e continuaram caminhando de um lado a outro. Não era possível dizer quem havia começado. Frieda, ao lado de K., parecia irritada porque ele não segurou seu braço novamente.

— Então tudo ficaria bem — K. continuou — e poderíamos nos separar e ir embora, você para o seu novo mestre Jeremias, que provavelmente ainda tem arrepios por causa do jardim da escola, considerando que, talvez, você o tenha deixado sozinho por tempo demais, e eu para voltar para a escola sozinho, ou, já que não tenho mais por que ficar lá sem você, em outro lugar, qualquer lugar que me aceite. Se mesmo assim eu hesito, é porque ainda tenho uma boa razão para duvidar do que você me disse. Tenho a impressão oposta sobre Jeremias. Durante todo o tempo em que ele estava em meu serviço, foi atrás de você, e eu não acho que o fato de ele estar trabalhando para mim o teria impedido de atacá-la. Mas agora que ele pensa que o seu serviço comigo terminou, é diferente. Perdoe-me por colocar dessa forma: uma vez que não é mais a noiva de seu mestre, você não é uma tentação para ele como antes. Você pode ser sua namorada de infância, mas, na minha opinião, embora eu realmente o conheça apenas a partir de uma breve conversa ontem à noite, ele não valoriza tais emoções. Não sei por que, para você, ele parece tão apaixonado. A maneira dele de pensar me parece particularmente tranquila. Para mim, ele recebeu um emprego de Galater que não foi, talvez, muito do meu agrado, ele tentou realizá-lo, com certa devoção ao dever, sim, isso vou admitir, isso não é muito raro por aqui, e parte de sua função era destruir nosso relacionamento. Ele pode ter tentado isso de várias maneiras, sendo que uma delas foi tentar você com seu comportamento lascivo, outra, e aqui ele teve o apoio da senhoria, foi contar mentiras a respeito de minha infidelidade. Ele foi bem-sucedido em suas tentativas; algum tipo de memória de Klamm agarrada a ele pode ter ajudado; ele perdeu seu emprego, mas talvez naquele exato momento não precisasse mais dele, e agora ele colhe os frutos de seu trabalho, ajudando-a a fugir pela janela da escola, mas com isso seu trabalho terminou, ele não está mais dedicado, ele se sente cansado. Preferiria estar no lugar de Artur. Artur provavelmente não está reclamando, e sim desfrutando de elogios e novas comissões, mas alguém tem que ficar para trás para ver como tudo se desenvolve agora. Cuidar de você agora é sua onerosa obrigação. Ele não sente sequer um traço de amor por você, ele me disse isso abertamente, você é para ele a ex-amante de Klamm, naturalmente alguém que deve ser respeitada, e estabelecer-se em seu quarto e sentir-se como um pequeno Klamm por algum tempo deve ser muito bom, mas é só isso. Você mesma não significa nada para ele, tê-la trazido até aqui foi apenas uma pequena parte de sua principal tarefa; ele mesmo ficou para não deixá-la desconfortável, mas apenas por enquanto, até que receba mais notícias do castelo e você o tenha curado de seu resfriado.

– Como você o difama! – disse Frieda, juntando seus punhos.

– Eu, difamá-lo? – disse K. – Não, não tenho a intenção de difamá-lo. Mas talvez eu esteja enganado, isso sempre é possível. O que disse sobre ele não está claro para todos verem; então pode ser interpretado de outra forma. Mas calúnia? O único propósito da calúnia poderia ser para contrariar o seu amor por ele. Se isso fosse necessário, e se a calúnia fosse um recurso adequado, eu não hesitaria em caluniá-lo. Ninguém poderia me culpar por isso; o homem que o enviou deu-lhe tamanha vantagem sobre mim que, sozinho e confiando apenas em mim mesmo, eu poderia muito bem tentar um pouco de calúnia. Seria uma relativamente inocente, e por fim, inútil, ferramenta de defesa. Então pode relaxar os seus punhos. – Com isso, K. segurou a mão de Frieda na sua; Frieda tentou retirá-la, mas sorridente, e sem fazer com muita força. – Entretanto, eu não preciso difamá-lo – disse K. – porque você não o ama, só acha que ama, e será grata a mim por abrir seus olhos para o engano. Veja, se alguém quisesse me separar de você sem usar a força, mas por meio de muitos cálculos cuidadosos, então precisaria ser feito através dos dois assistentes. Aparentemente bons, infantis, divertidos, rapazes irresponsáveis vindo para cá do alto, do castelo, um pouco de memória de sua infância também, tudo isso é muito prazeroso, principalmente se sou o exato oposto de tudo isso, sempre envolvido em negócios que ninguém compreende inteiramente, que incomodam, que me unem a pessoas de quem você não gosta, e por toda a minha inocência, talvez você transfira um pouco dessa antipatia para mim. Toda a história não passa de uma maliciosa, e muito inteligente, exploração das falhas de nosso relacionamento. Todo relacionamento tem suas falhas, e o nosso também; nós nos unimos vindos de dois mundos completamente diferentes e, desde que nos conhecemos, nossas vidas tomaram um rumo totalmente novo. Ainda nos sentimos inseguros sobre nós mesmos; é tudo muito novo. Não estou falando sobre mim, isso não é tão importante; basicamente, recebi presente atrás de presente desde que você me olhou pela primeira vez, e não é muito difícil se acostumar a presentes. Mas, além de tudo, foi arrancada de Klamm; não sou capaz de julgar o que isso significa, mas aos poucos comecei a perceber. O chão treme debaixo dos seus pés, você não consegue encontrar o seu caminho e, mesmo que eu sempre estivesse pronto para firmar seu chão, eu não estava sempre presente, e quando estava, sua atenção estava dedicada aos seus devaneios, ou a uma presença mais física, como a senhoria... Havia momentos em que você afastava os olhos de mim, ansiando por outro lugar, em algum lugar meio obscuro, pobrezinha, e em tais períodos as pessoas certas apareciam diante de você, e você se perdia nelas, uma presa para a armadilha de que eram apenas momentos breves, fantasmas, velhas lembranças de seu passado, indo cada vez mais para longe, ainda moldando sua vida real no presente. Um erro, Frieda, nada além de um último obstáculo no caminho de nossa união final e, se observado com a perspectiva correta, é patético. Caia em si, recupere sua razão; você pode ter pensado que os assistentes foram enviados por Klamm, o que não é verdade; eles vêm de Galater e, se eles pudessem enfeitiçar você com a ajuda dessa mentira, então você pode ter pensado ver vestígios de Klamm mesmo em seus modos sujos e dissolutos, assim como alguém poderia pensar que vê uma joia perdida em um monte de esterco, embora não pudesse encontrar nada ali, ainda que fosse real. Mas eles são rapazes grosseiros como os servos que dormem nos estábulos, com a exceção de que não têm a mesma saúde boa, resistente; um pouco de ar fresco já os deixa doentes e os deixa de cama, embora eles saibam como escolher a cama de forma tão astuta como a daqueles servos.

Frieda havia colocado sua cabeça sobre os ombros de K., e eles caminhavam de um lado para outro, em silêncio, com seus braços ao redor um do outro.

– Se ao menos... – disse Frieda, devagar, com calma, quase contente, como se ela soubesse que só teria um curto período de paz deitada sobre o ombro de K., mas quisesse aproveitá-lo até o último instante. – Se ao menos tivéssemos ido embora de uma vez, naquela mesma noite, poderíamos estar em algum lugar seguro agora, ainda juntos, sua mão sempre por perto, para que pudesse segurá-la. Como preciso ter você por perto, como tenho me sentido perdida quando não estou com você, desde que nos conhecemos. Estar perto de você, acredite em mim, é o meu sonho, isso e somente isso.

    Então, alguém gritou no corredor lateral. Era Jeremias; ele estava parado lá, no último degrau, vestido apenas com sua camisa, mas com um xale de Frieda enrolado nele. Enquanto ele estava ali, cabelo desarrumado, sua barba fina parecendo encharcada, como se tivesse tomado chuva, mantendo os olhos abertos com dificuldade, irritado e implorando, as bochechas escuras coradas, mas com sua pele flácida, suas pernas nuas tremendo de frio, de modo que a longa franja do xale também tremia; ele parecia um paciente fugido do hospital e, ao olhar para ele, não era possível pensar em nada além de levá-lo de volta para a cama. Era assim que Frieda o via. Ela se afastou de K. e foi para o lado dele em um minuto. Tê-la perto dele, a maneira cuidadosa com que ela arrumou o xale ao redor dele, sua pressa em tentar fazê-lo voltar para o quarto, já parecia fortalecer Jeremias. Era como se só agora ele reconhecesse K.

    – Ah, o agrimensor – disse ele, enquanto Frieda, que não queria mais conversar, acariciou sua bochecha suavemente. – Perdoe-me por incomodá-los, mas não me sinto nada bem, então me desculpe. Acho que estou com febre, preciso de uma infusão para me fazer suar. Aqueles terríveis parapeitos no jardim da escola, eu ainda penso neles, e agora, já com um resfriado, não parei a noite toda. Um homem sacrifica a sua saúde, mesmo sem perceber logo, por coisas que realmente não valem a pena. Mas, quanto a você, Sr. Agrimensor, por favor, não permita que eu o perturbe. Venha para o nosso quarto conosco, venha visitar os doentes e diga a Frieda aqui dentro o que mais você tem a dizer. Se duas pessoas que são bem conhecidas uma da outra se separam, é claro que têm muito a dizer nesses últimos momentos, e uma terceira pessoa, ainda que esteja deitada na cama esperando a infusão prometida, não consegue compreender. Mas entre, e vou ficar quieto.

– Silêncio, silêncio – disse Frieda, puxando-o pelo braço. – Ele está febril e não sabe o que está dizendo. Mas, por favor, não vá com ele, K. É meu quarto e de Jeremias, ou melhor, é apenas meu quarto, e proíbo você de entrar nele. Você está me perseguindo, K., por que está me perseguindo? Eu nunca, nunca vou voltar para você; eu tremo só de pensar nisso. Volte para aquelas suas meninas; elas se sentam no banco com você ao lado do fogão, revezando-se, como me disseram, e se alguém vai até lá para procurá-lo, elas cospem e assobiam. Tenho certeza de que se sente em casa lá, se está tão atraído pelo local. Eu sempre tentei mantê-lo longe delas, com pouca eficácia, mas de fato tentei mantê-lo longe delas. Bem, isso acabou agora. Você está livre. Tem uma bela vida diante de você, talvez tenha que brigar um pouco com os servos por uma delas, quanto à segunda menina, ninguém no mundo inteiro vai negá-la a você. Sua união já está abençoada. Não diga nada contra, eu tenho certeza de que você vai tentar refutar tudo isso, mas no final não será negado. Imagine só, Jeremias, ele negou tudo!

E eles sorriram e concordaram entre si.

– Mas – Frieda continuou –, supondo que ele houvesse refutado tudo, que benefício traria? O que me importa? Quanto ao que pode acontecer a alguém que visita aquelas pessoas, isso é problema deles, não meu. O meu dever é cuidar de você até que esteja tão saudável quanto era antes de K. começar a atormentá-lo por minha causa.

– Então você realmente não virá conosco, Sr. Agrimensor? – perguntou Jeremias, mas Frieda, que nem sequer olhava mais para K., o levou embora.

Lá embaixo, K. conseguia ver uma pequena porta, ainda mais baixa do que as portas ali no corredor. Não só Jeremias, mas Frieda também precisavam abaixar a cabeça para entrar. Lá dentro parecia estar claro e aquecido. Ainda podia-se ouvir algum sussurro, provavelmente de Frieda tentando persuadir Jeremias a voltar para a cama amorosamente e, em seguida, a porta foi fechada.

23

Somente agora K. percebia como o corredor estava quieto, não apenas aquela parte do corredor, onde ele havia estado com Frieda e que parecia ser parte dos alojamentos dos empregados, mas também o longo corredor conduzindo aos quartos que estavam tão animados anteriormente. Então os cavalheiros finalmente tinham ido dormir. K. mesmo estava muito cansado, talvez tão cansado que não havia nem se defendido contra Jeremias como deveria ter feito. Poderia ter sido mais inteligente aceitar a sugestão do próprio Jeremias, que obviamente estava exagerando seu resfriado – seu lamentável estado não era resultado de um resfriado, era inato a ele, e não seria curado por alguma infusão de ervas saudável – sim, aceitar a sugestão de Jeremias, fazer um grande espetáculo sobre seu cansaço muito real, desmaiar ali no corredor, o que certamente o faria se sentir muito bem, dormir por algum tempo, e então talvez desfrutar de alguns cuidados. Só que não teria sido tão bem-sucedido como havia sido Jeremias, que, com certeza (e provavelmente com razão), teria ganhado em qualquer competição sobre simpatia e, sem dúvidas, qualquer outro concurso também.

K. estava tão cansado que se perguntava se não deveria tentar entrar em algum daqueles quartos, muitos deles provavelmente vazios, e ter uma longa noite de sono em uma boa cama. Ele pensou que isso poderia compensar muita coisa. Tinha uma bebida à mão também. Havia uma pequena garrafa de rum na bandeja de porcelana que Frieda tinha deixado no chão. K. não ligou para o esforço de voltar até lá, e esvaziou o pequeno frasco.

Agora, pelo menos, ele se sentia forte o bastante para apresentar-se perante Erlanger. Ele olhou para a porta do quarto de Erlanger, mas, como o servo e Gerstäcker não estavam lá, e todas as portas pareciam iguais, ele não conseguiu encontrá-la. No entanto, achou que se lembrava aproximadamente em qual parte do corredor a porta estava, e decidiu tentar abrir a porta que, em sua opinião, era provavelmente a que ele procurava. A tentativa não seria muito arriscada; se a porta pertencesse ao quarto de Erlanger, ele iria supor que Erlanger queria vê-lo agora; se fosse o quarto de outra pessoa, poderia pedir desculpas e sair e, se o hóspede do quarto estivesse dormindo, que era o resultado mais provável, a visita de K. nem sequer seria notada. Seria ruim apenas se o quarto estivesse vazio, pois, assim, K. dificilmente seria capaz de resistir à tentação de deitar-se na cama e enfim dormir um pouco. Ele olhou novamente o corredor, para a direita e esquerda, para ver se não estava vindo alguém que pudesse dar alguma informação, fazendo com que sua aventura fosse desnecessária, mas o longo corredor estava quieto e vazio. Então K. ouviu à porta, mas novamente não houve nenhum barulho. Ele bateu à porta tão suavemente que o barulho não poderia ter acordado ninguém dentro do quarto, e quando mesmo assim nada aconteceu, ele abriu a porta com muito cuidado. No entanto, o som de um grito leve chegou aos seus ouvidos. O quarto era pequeno, ocupado em mais da metade por uma cama ampla, a luz elétrica na mesa de cabeceira estava acesa, e havia um pequeno saco de viagem ao lado dela. Na cama, mas completamente coberto, alguém se moveu de forma inquieta e sussurrou, através de um espaço entre o cobertor e o lençol:

– Quem está aí?

K. não poderia simplesmente sair de novo, e olhou com tristeza para a cama, bela, mas ocupada, e então lembrou-se da pergunta e falou seu nome. Isso pareceu causar uma boa impressão. O homem na cama afastou um pouco o cobertor de seu rosto, mas assustado, pronto para desaparecer novamente se algo desse errado. Mas então, tomando uma decisão, afastou o cobertor e sentou-se na posição vertical. Ele certamente não era Erlanger. Era um homem pequeno, evidentemente saudável, cujas características não se encaixavam umas com as outras porque suas bochechas eram redondas como de crianças, seus olhos eram alegres como de crianças, mas a testa grande, o nariz fino, a boca estreita com lábios que quase nunca ficavam fechados, e o queixo quase recuado não eram nada infantis, e indicavam uma capacidade de pensamento profundo. Era provavelmente a sua autossatisfação com esse aspecto que o ajudava a preservar um traço pronunciado de infantilidade saudável.

— Você conhece Friedrich? — ele perguntou.

K. disse que não.

— Mas ele conhece você — disse o cavalheiro, sorrindo.

K. acenou com a cabeça; muitos o conheciam; na verdade, esse era um dos principais obstáculos em seu caminho.

— Eu sou secretário dele — disse o cavalheiro —, e meu nome é Bürgel.

— Desculpe-me — disse K., estendendo a mão para tocar a maçaneta. — Temo que eu tenha confundido sua porta com a de outra pessoa. Fui chamado para ver o Sr. Secretário Erlanger.

— Que pena! — disse Bürgel. — Não por você ter sido chamado para encontrar outra pessoa, e sim porque confundiu as portas. Veja você, depois que acordo não consigo mais pegar no sono novamente. Bem, não precisa se incomodar com isso, é meu infortúnio pessoal. Por que as portas aqui não podem ser trancadas? Com certeza há uma razão para isso. De acordo com um velho ditado, as portas dos secretários estão sempre abertas. Mesmo assim, eles não precisam levar isso de forma tão literal.

E Bürgel olhou para K. com um ar alegre e questionador, pois, apesar de sua reclamação, ele parecia estar bem descansado, e provavelmente nunca havia ficado tão cansado quanto K. estava.

— Para onde você está indo? — perguntou Bürgel. — São quatro da manhã. Agora você teria que acordar qualquer pessoa que quisesse ver; nem todo mundo está tão acostumado a ser incomodado quanto eu, nem todos vão aceitar isso pacientemente, os secretários são um grupo muito nervoso. Então fique aqui um pouco. Eles começam a se levantar às cinco horas, e então você poderá atender ao seu chamado. Por favor, solte essa maçaneta e sente-se em algum lugar; não que haja muito espaço. É melhor se sentar na beira da cama. Você está surpreso por eu não ter nem uma cadeira, nem uma mesa aqui? Bem, tive a escolha entre um quarto completamente mobiliado com uma cama estreita, ou essa cama grande e nada mais além do lavatório. Eu escolhi a cama grande; afinal, a cama é o que mais importa em um quarto. Ah, esta cama seria realmente excelente para alguém que gosta de dormir, um homem que pudesse esticar-se e dormir bem. Mas ela é boa até para mim, pois estou sempre cansado e não consigo dormir. Eu passo grande parte do dia nesta cama, preparo toda a minha correspondência aqui, e é aqui onde realizo minhas audiências com os membros do público. Isso funciona muito bem. Os membros do público não têm onde se sentar, mas podem lidar com isso e, de qualquer forma, é melhor que eles fiquem em pé enquanto a pessoa que conduz a audiência fica confortável, do que eles sentarem-se confortavelmente enquanto grita com eles. Então só posso oferecer esse lugar à beira da cama, mas não é um lugar oficial, é apenas para conversas noturnas. Mas você está tão quieto, Sr. Agrimensor.

– Estou muito cansado – disse K., que havia sentado na cama logo que convidado, de forma brusca e sem a menor cerimônia, encostando-se na cabeceira da cama.

– É claro que está – disse Bürgel, rindo. – Todo mundo aqui está cansado. Por exemplo, lidei com uma carga muito pesada de trabalho tanto ontem como hoje. Para mim, dormir agora está fora de questão. Mas, se esse evento extremamente improvável ocorrer, se eu dormir enquanto você estiver aqui, então, por favor, não faça nenhum movimento e não abra a porta. Mas não se preocupe, certamente não vou dormir ou, se o fizer, será apenas por alguns minutos. O fato é que, provavelmente por estar tão acostumado ao ir e vir de membros do público, sempre adormeço com facilidade quanto tenho companhia.

– Por favor, fique à vontade, senhor Secretário – disse K., satisfeito ao ouvir essa declaração. – E então, se me permitir, vou dormir um pouco também.

– Não, não – riu Bürgel novamente. – Temo que não consigo dormir apenas por ser convidado a fazê-lo, a oportunidade pode aparecer apenas ao longo da conversa. Sim, uma conversa é a maneira mais provável de me fazer dormir. Veja só, nosso trabalho é ruim para os nervos. Eu, por exemplo, sou um secretário de comunicações. Você não sabe o que é isso? Bem, eu sou o principal meio de comunicação – e, ao dizer isso, ele esfregou as mãos rapidamente com contentamento – entre Friedrich e o vilarejo; lido com a comunicação entre seu secretário no castelo e seu secretário para o vilarejo. Geralmente, estou no vilarejo, mas não o tempo todo, é necessário estar pronto para ir para o castelo a qualquer momento. Veja essa mala de viagem... Ah, é uma vida agitada, não é para qualquer um. Por outro lado, é fato que eu não conseguiria viver sem esse tipo de trabalho. Qualquer outro me pareceria enfadonho. E como é a agrimensura?

– Eu não estou fazendo nada disso; não estou empregado como agrimensor aqui – disse K., cujos pensamentos não estavam no assunto. Na verdade, ele estava apenas desejando que Bürgel dormisse, embora até isso estivesse fora do que ele devia para si mesmo; nas profundezas de sua mente, ele pensava saber que o momento em que Bürgel provavelmente iria dormir ainda estava muito distante.

– Bem, isso é incrível – disse Bürgel, jogando a cabeça para trás de forma animada e puxando um bloco de notas de sob o cobertor para escrever algo. – Você é um agrimensor, e não há nenhuma agrimensura para fazer.

K. acenou mecanicamente. Ele havia levantado o braço esquerdo até o topo da cabeceira da cama e estava descansando a cabeça sobre ele. Já tinha tentado várias maneiras de sentir-se confortável, mas essa posição era a melhor de todas. Agora, poderia prestar um pouco mais de atenção ao que Bürgel estava dizendo.

– Estou preparado – Bürgel prosseguiu – para investigar melhor essa questão. A questão aqui certamente não está em um estado em que uma habilidade profissional possa ser deixada de lado. E isso deve irritá-lo também. Você não está sofrendo com isso?

– Sim, de fato sofro com isso – disse K. devagar, sorrindo para si mesmo, pois naquele momento ele não sofria nem um pouco. Além disso, a oferta de Bürgel não o impressionava. Parecia muito amadora. Sem saber nada sobre as circunstâncias da nomeação de K., sobre as dificuldades colocadas em seu caminho pelo vilarejo e pelo castelo, sobre as complicações que já tinham surgido ou que pareciam surgir durante a estadia de K., sem saber nada sobre isso, e até mesmo sem dar indícios de que, como se poderia esperar de um secretário, ele tinha uma leve ideia sobre o assunto, estava propondo consertar tudo com a ajuda de seu pequeno bloco de anotações, simples assim.

Mas então Bürgel disse:

– Você parece já ter tido várias decepções. – Assim, demonstrou uma leve compreensão da natureza humana novamente; desde que K. entrou naquele quarto, disse a si mesmo para não subestimar Bürgel. No entanto, na atual condição era difícil julgar as coisas adequadamente, a não ser seu próprio cansaço.

– Não, não – disse Bürgel, como se respondesse a algum pensamento na mente de K., e gentilmente poupando-o de dizê-lo em voz alta. – Você não deve permitir que essas decepções o detenham. Muitas coisas aqui parecem ter sido feitas para ser desprezadas, e quando você é novo em algum lugar parece ser impossível superar os obstáculos. Não pretendo tentar descobrir como as coisas realmente são, talvez sua aparência corresponda à realidade, em minha posição não fico distante o bastante para poder determinar isso, mas anote isso: às vezes surgem oportunidades que não estão relacionadas com toda a situação, oportunidades em que uma palavra, um olhar, um sinal de confiança podem conseguir mais do que tentativas enfadonhas e demoradas. Sim, é assim que funciona. É claro que essas oportunidades estão de acordo com a situação como um todo, muito mais além do que elas normalmente são estudadas. Mas por que não são estudadas, eu sempre me pergunto.

K. não sabia. Ele, de fato, compreendia que o que Bürgel estava dizendo provavelmente o envolvia, mas naquele momento sentia uma grande antipatia por tudo que se referia a si mesmo. Ele moveu a cabeça um pouco para o lado, como se pudesse, assim, deixar o caminho livre para as perguntas de Bürgel passarem por ele sem tocá-lo.

– Sim – Bürgel continuou, esticando os braços e bocejando, em um confuso contraste com a seriedade de suas palavras. – É uma reclamação constante por parte dos secretários o fato de serem obrigados a realizar a maioria das audiências no vilarejo à noite. E por que eles se queixam disso? Por que é muita pressão sobre eles? Por que preferem usar a noite para dormir? Não, eles definitivamente não se queixam por isso. É claro que existem tanto homens esforçados quanto pouco esforçados entre os secretários, como em qualquer lugar, mas nenhum deles se queixa de estar sob pressão excessiva, certamente não em público. Esse simplesmente não é o nosso jeito. Quanto a isso, não vemos nenhuma diferença entre o tempo comum e o tempo que passamos trabalhando. Nós desconhecemos tais diferenças. Então, o que os secretários têm contra audiências realizadas à noite? É, talvez, consideração pelos membros do público? Não, também não é isso. Os secretários não têm nenhuma consideração pelos membros do público, embora isso não seja diferente do que acontece entre eles mesmos, são igualmente desatenciosos para ambos. E na verdade essa atitude imprudente, ou seja, a observância e a realização fria de seus deveres, demonstra a maior consideração que os membros do público poderiam desejar. Fundamentalmente, embora um observador casual não consiga perceber, isso é muito apreciado, e neste caso as audiências noturnas são bem recebidas pelos membros do público, não há nenhuma objeção a essas audiências noturnas. Então por que os secretários não as apreciam?

K. não sabia a resposta para isso também; ele sabia tão pouco sobre o assunto que não podia nem dizer se Bürgel estava realmente fazendo uma pergunta ou se ela era apenas retórica. Se permitir que me deite em sua cama, ele pensou, vou responder a quantas perguntas você quiser amanhã ao meio-dia, ou melhor ainda, à noite. Mas não parecia que Bürgel estava prestando atenção em K.; também estava muito interessado na questão que ele mesmo havia levantado.

— Até onde sei, e por minha própria experiência, as reservas dos secretários acerca das audiências noturnas são mais ou menos o seguinte: a noite é menos adequada para a negociação com os membros do público porque é difícil, ou até impossível, manter o caráter oficial das negociações durante a noite. Isso não é por causa de detalhes externos; é claro que as formalidades podem ser estritamente observadas tanto à noite quanto durante o dia, como quiser.

Então não é isso. Mas, por outro lado, o julgamento dos oficiais é afetado pela noite. Uma pessoa é instintivamente inclinada a julgar as coisas de um ponto de vista mais pessoal; dessa forma, os pontos apresentados pelos membros do público parecem ter mais peso do que deveriam, e a reflexão sobre a situação desses membros do público, seus sofrimentos e tristezas, se mistura com a nossa avaliação, à qual não pertencem. A barreira necessária entre membros do público e oficiais, por mais que pareça exteriormente não ter falhas, é afrouxada, e onde deveria haver apenas trocas de perguntas e respostas, como deveria ser, é possível perceber uma troca inadequada entre as pessoas. Pelo menos é o que os secretários dizem, e eles são pessoas cuja profissão significa que têm o dom de um sentido extraordinariamente sensível para essas coisas. Mas até eles, e isso é bastante discutido em nossos círculos, até mesmo eles mal percebem essas influências infelizes durante as audiências noturnas; pelo contrário, desde o início eles fazem muitas tentativas para combatê-las e, no final, consideram ter feito um bom trabalho. No entanto, se mais tarde alguém ler os registros, será surpreendido com as fraquezas expostas tão claramente. E é com esses erros, cometidos apenas para o benefício dos membros do público, que não podemos lidar da maneira comum, pelo menos não de acordo com as nossas regulamentações. É claro que eles podem ser corrigidos por nosso escritório supervisor, mas isso só será útil para a lei, e não pode afetar a pessoa envolvida. Você não diria que, em tais circunstâncias, as reclamações dos secretários são altamente justificáveis?

K. já havia passado um tempo meio adormecido, e agora seu sono havia sido perturbado novamente. Por que tudo isso, ele se perguntava, por que tudo isso? Por baixo de suas pálpebras, ele observava Bürgel, não como um oficial que discutia assuntos difíceis com ele, mas simplesmente como algo que o impedia de dormir, e ele não conseguia ver mais nada além disso. Bürgel, entretanto, completamente entregue à sua linha de pensamento, sorria como se houvesse conseguido afastar K. Mas ele estava prestes a despertá-lo novamente.

– E ninguém pode dizer que essas reclamações são totalmente justificadas também, simples assim. As audiências noturnas não estão exatamente estipuladas em lugar nenhum, então ninguém está quebrando nenhuma regra ao tentar evitá-las, mas as circunstâncias, a quantidade excessiva de trabalho, a maneira que os oficiais trabalham no castelo, a dificuldade de contatá-los, as regras dizendo que as audiências com os membros do público podem ser realizadas apenas depois que a investigação for totalmente concluída, mas deve ser realizada logo; tudo isso e muito mais fez das audiências noturnas uma necessidade inevitável. No entanto, se elas se tornaram uma necessidade, como eu digo, então isso também é (pelo menos indiretamente) um resultado das regras, e encontrar uma falha na natureza das audiências noturnas seria quase, perdoe-me, estou exagerando um pouco, mas um exagero que posso expressar, seria quase como encontrar uma falha nas próprias regras. Por outro lado, pode ser permitido que os secretários procurem preparar-se da melhor maneira possível, dentro das regras, contra as audiências noturnas e suas desvantagens, embora elas possam ser apenas aparentes. E até certo ponto, eles o fazem. Apenas admitem assuntos para negociação que tenham o menos possível para ser temido quanto a esse aspecto, eles testam a si mesmos antes das negociações e, se o resultado do teste exigir isso, ainda que no último minuto, eles retiram qualquer acordo, reforçam sua autoridade ao convocar com frequência um membro do público dez vezes antes de realmente considerar seu caso, eles gostam de ser representados por colegas que não são qualificados para lidar com o caso discutido e, por isso, podem cuidar dele com mais facilidade; pelo menos realizam as negociações no início ou no fim da noite e evitam as horas entre esses períodos... Existem muitas medidas assim. Esses secretários não permitem que ninguém consiga obter o melhor deles assim facilmente, e são igualmente rígidos e sensíveis.

K. dormia. Não era um sono real; ele conseguia ouvir tudo que Bürgel estava dizendo, talvez melhor do que antes, no estágio inicial de sua exaustão; palavra após palavra entrava em seus ouvidos, mas sua consciência agitada já não estava mais lá; ele se sentia livre, Bürgel não tinha mais domínio sobre ele, só às vezes olhava para Bürgel, ele ainda não estava profundamente imerso no sono, mas havia dado um mergulho, e ninguém iria roubar-lhe isso agora. Ele se sentia como se houvesse conquistado uma grande vitória, como se uma companhia houvesse se reunido para celebrá-la, e ele ou alguém estava levantando uma taça de champanhe em honra a essa vitória. E, para que todos soubessem de que se tratava, a batalha e a vitória foram repetidas novamente, ou talvez não fosse uma repetição, talvez elas só estivessem acontecendo agora, mas haviam sido celebradas antes, e como, felizmente, o resultado era garantido, a celebração era constante. K. lutava com um secretário nu que se assemelhava muito a uma estátua de um deus grego, e estava perdendo. Era muito engraçado, e K. sorriu levemente em seu sono para ver o porte altivo do secretário ser afetado diversas vezes com os ataques de K., de modo que ele precisava, por exemplo, usar seu braço esticado e seu punho fechado para cobrir sua nudez, mas era sempre muito lento para fazer isso. O combate não durou muito; passo a passo, e eram passos longos, K. continuava. Tratava-se mesmo de um combate? Não havia nenhum obstáculo verdadeiro, apenas um grito do secretário de vez em quando. Aquele deus grego gritava como uma menina ao ser atingido. E, finalmente, ele se foi. K. estava sozinho em um grande espaço. Ele virou-se, pronto para lutar, procurando seu adversário, mas não havia mais ninguém lá, a companhia havia ido embora. Somente a taça de champanhe estava no chão, quebrada, e K. a despedaçou. Mas o vidro quebrado o feriu, e ele acordou novamente com um susto, sentindo-se mal como uma criança pequena que havia sido acordada de repente. Ao mesmo tempo, ao ver Bürgel com o peito descoberto, uma ideia surgiu de seu sonho: "Aqui está o seu deus grego! Tire-o da cama!".

– Entretanto – disse Bürgel, erguendo o rosto cuidadosamente para o teto, como se buscasse por exemplos em sua memória, mas não encontrasse nenhum –, da mesma forma, apesar de todas as medidas preventivas, há uma oportunidade para que os membros do público aproveitem essa fraqueza noturna dos secretários, sempre supondo que *é* uma fraqueza, para seus próprios objetivos. Por certo é uma oportunidade muito rara, ou mais precisamente devo dizer que é uma oportunidade que quase nunca vem. Ela consiste na chegada da pessoa no meio da noite, sem ser anunciada. Você pode se surpreender que isso aconteça tão raramente, quando parece algo tão óbvio a ser feito. Bem, você não está familiarizado com a nossa forma de fazer as coisas aqui. Mas deve ter notado a impenetrabilidade da organização oficial. No entanto, essa impenetrabilidade significa que todos que têm qualquer pedido para fazer ou precisam ser analisados em algum assunto por outras razões recebem logo uma intimação, imediatamente, normalmente antes que ele tenha pensado sobre o caso, antes mesmo que ele saiba. Não vai ser analisado naquele momento, ou não será analisado ainda, normalmente o caso ainda não chegou a esse ponto, mas tem a intimação, o que significa que não pode aparecer sem ser anunciado e, portanto, totalmente de surpresa. No máximo, pode aparecer na hora errada, quando a data e a hora de sua convocação serão indicadas para ele e, então, se voltar no momento certo, como regra, será mandado embora e então não haverá mais dificuldades: a convocação na mão do membro do público e a observação nos arquivos serão armas nas mãos dos secretários, e ainda que não sejam sempre adequadas, são fortes. No entanto, isso se aplica apenas ao secretário responsável pelo caso; o envolvido ainda poderia surpreender os outros secretários durante a noite. Mas quase ninguém fará isso; quase não há nenhum motivo para isso. Em primeiro lugar, quem fez isso despertou a ira do secretário responsável pelo caso. Nós, secretários, não podemos ter inveja uns dos outros no que se refere ao nosso trabalho. Todos já temos uma grande carga de trabalho para realizar, e recebemos bem para isso, mas, ao lidar com os membros do público, não podemos tolerar qualquer interferência em nossa responsabilidade. Muitos perderam o caso porque, quando pensaram que não chegaram a lugar nenhum com o secretário responsável, eles tentaram passar pela rede da maneira errada. Tais tentativas estão fadadas ao erro porque um secretário que não é responsável por um caso, mesmo se é surpreendido à noite e se sente inclinado a ajudar, dificilmente poderá intervir, porque ele não é responsável, tanto quanto um advogado, até menos, porque mesmo se ele puder fazer uma coisa ou outra, já que sabe os segredos da lei muito melhor do que esses cavalheiros legais, simplesmente não tem nenhum tempo para questões pelas quais não é responsável, não pode perder nenhum minuto com elas. Então quem, com essas perspectivas, passaria suas noites atrás de secretários que não são responsáveis por seu caso? E os membros do público estão muito ocupados tentando cumprir todas essas convocações e sinais entregues por aqueles que são responsáveis pelos seus casos e também realizar seus próprios ofícios. É claro que digo totalmente ocupados como membros do público entendem, o que é muito diferente de estarem totalmente ocupados no sentido aplicado pelos secretários.

K. concordou com um sorriso. Ele achava que entendia tudo sobre aquilo, não porque o incomodava, mas porque agora ele estava convencido de que pegaria no sono nos próximos minutos, e dessa vez sem nenhum sonho ou incômodo; entre os secretários responsáveis de um lado e os não responsáveis do outro, e em vista de toda a multidão de membros do público completamente ocupados, ele mergulharia em um sono profundo e conseguiria fugir de tudo. Naquele ponto, K. já estava tão acostumado com a voz baixa e satisfeita de Bürgel, enquanto ele mesmo tentava dormir em vão, que era mais provável que ela o fizesse adormecer ao invés de perturbar o seu sono. Ruídos, roda de moinho, ruídos, pensou ele, continue fazendo esses barulhos para mim.

– Então, onde – disse Bürgel, com seus dois dedos brincando com o lábio inferior, seus olhos arregalados, esticando o pescoço, como se estivesse se aproximando de um belo local de observação após uma caminhada árdua –, então, onde está essa oportunidade elusiva que mencionei, aquela que quase nunca vem? O segredo está no modo em que a responsabilidade é regulamentada. Pois não é possível, nem pode ser, em uma organização ampla e viva, que apenas um único secretário seja totalmente responsável por um caso. O que acontece é que aquele único secretário tem a responsabilidade principal, mas muitos outros têm responsabilidade, ainda que menor, para certas partes. Quem, por mais que trabalhe muito, pode acomodar todos os papéis relacionados até mesmo ao menor incidente em sua mesa? Até mesmo o que eu disse sobre a principal responsabilidade é ir longe demais. Por acaso, o todo não está contido também nas menores responsabilidades? O ardor com que alguém aborda o caso também é um ponto crucial? E não é sempre o mesmo, sempre presente com força total? Pode haver diferenças entre os secretários em tudo, e há infinitas diferenças, mas não em relação ao ardor, nenhum deles é capaz de se conter se receber um convite para participar de um caso pelo qual só tem uma pequena responsabilidade. Externamente, porém, uma oportunidade para essa negociação precisa ser criada, e então um certo secretário vai até onde os membros do público estão, e é a ele que devem recorrer oficialmente. No entanto, ele não precisa ser aquele que possui a maior responsabilidade pelo caso; a organização e suas necessidades particulares no momento influenciam a decisão aqui. É assim que as coisas funcionam. E agora, Sr. Agrimensor, julgue qual chance há para um membro do público, por meio de algumas circunstâncias, e apesar dos obstáculos já descritos a você (que em geral são perfeitamente adequados), surpreender um secretário com certa responsabilidade por seu caso no meio da noite, afinal. Eu suponho que ainda não tenha pensado nisso? Fico feliz em acreditar em você. Mas não é necessário pensar sobre isso, porque quase nunca acontece. Que pequeno grau de importância, criado de forma especial, que pequeno e inteligente tal membro do público deve ser para conseguir passar por essa peneira. Acha que não pode acontecer? Você está certo, não pode. Mas então, e quem pode garantir tudo?, uma noite acontece. Por certo, eu não sei de ninguém entre meus conhecidos com quem isso tenha acontecido, mas isso não prova muita coisa. Em comparação aos números envolvidos aqui, meus conhecidos são limitados e, de qualquer forma, não é garantido que um secretário com quem isso tenha acontecido irá admitir. É sempre uma questão muito pessoal e, em certo ponto, carrega um estigma da vergonha oficial. No entanto, minha experiência pode provar que é um evento tão raro, conhecido apenas por rumores e nada mais para confirmá-lo, que temê-lo seria ir longe demais. Mesmo se já tiver acontecido, você pode, eu penso assim, considerá-lo totalmente inofensivo ao provar, o que pode ser feito facilmente, que não há espaço para ele neste mundo.

O CASTELO

De qualquer forma, é mórbido esconder-se sob os lençóis por medo disso, sem aventurar-se a olhar para fora. E mesmo se essa total improbabilidade de repente assumisse uma forma real, tudo estaria perdido? Longe disso. O fato de que tudo está perdido é ainda mais improvável que os mais improváveis acontecimentos. Com certeza, se o membro do público está na sala, isso é muito ruim. É intimidador. Por quanto tempo você será capaz de resistir? Pergunte a si mesmo. Mas saiba que não haverá resistência. Só precisa imaginar a situação da maneira correta. Lá está o membro do público, que você nunca viu antes, por quem sempre esperou, ansioso para vê-lo, mas que sempre considerou inacessível, com razão. Sua presença silenciosa o convida para sua pobre vida, para mover-se por ela como se fosse sua propriedade, para sentir simpatia por suas demandas vãs. Esse convite é cativante no silêncio da noite. Você o aceita, e agora deixa de ser um oficial. É uma situação em que logo será impossível recusar um pedido. Falando estritamente, você está desesperado, mas também muito feliz. O desespero por causa do desamparo com o qual se senta lá, esperando pelo pedido do membro do público, sabendo que assim que ele for feito você terá que realizá-lo, ainda que, até onde pode ver, ele destrua a organização oficial... Bem, suponho que, na prática, essa é a pior coisa que pode acontecer. Uma razão acima de todas, e separada de todo o resto, é que requer que você recorra a um nível mais alto, mais alto do que qualquer um que você possa imaginar. Nossas posições não nos autorizam a conceder pedidos como esses dos quais estou falando, mas com essa proximidade noturna com o membro do público, nossos poderes oficiais parecem crescer, nós nos comprometemos a fazer coisas fora de nossa esfera de responsabilidade, de fato, vamos até mesmo colocá-los em prática. Como um ladrão na floresta, um membro do público que nos surpreende durante a noite nos força a fazer sacrifícios dos quais, de outra forma, não seríamos capazes. Bem, é assim que acontece quando o membro do público continua lá, nos encorajando e nos forçando a fazer o que nos pede, e nos estimulando a prosseguir e, então, seguimos inconscientemente. Mas como será depois, quando tudo estiver terminado, quando o membro do público for embora, satisfeito e livre de preocupações, e formos deixados a sós, indefesos diante do abuso de nossa função? Pensar nisso é insuportável. Ainda assim estamos felizes. Que felicidade suicida é essa! Poderíamos nos esforçar para manter a situação real oculta do membro do público. O membro do público em si dificilmente iria perceber alguma coisa por sua própria conta. Como ele vê, entrou em um quarto que não era o que ele queria, provavelmente ao acaso, cansado, desapontado, sentindo-se estúpido e indiferente pelo cansaço e desapontamento, ele está sentado ali sem saber de nada perdido em pensamentos, se estiver pensando em alguma coisa, sobre seu erro ou seu cansaço. Não poderíamos deixar assim mesmo? Não, não poderíamos. Com a loquacidade de um homem feliz, precisamos explicar tudo. Sem nos pouparmos nenhum pouco, precisamos mostrar por completo o que aconteceu e por qual motivo, que oportunidade extraordinariamente rara e excepcionalmente maravilhosa é essa, precisamos mostrar para o membro do público que, com a impotência que só um membro do público pode ter, entrou ao acaso nesta oportunidade, nós precisamos mostrar-lhe, Sr. Agrimensor, como o membro do público agora pode controlar tudo se assim desejar, e não precisa fazer nada além de um pedido, há um documento já preparado para garanti-lo, digamos, pronto para ser entregue a ele, precisamos falar sobre tudo isso. É uma hora escura para um oficial. Mas depois de fazer isso, Sr. Agrimensor, o mais necessário terá sido feito, e em sua alma você deverá ter paciência e esperar.

 K. não ouviu mais nada. Ele estava dormindo, longe de tudo o que estava acontecendo. Sua cabeça, que antes estava apoiada em seu braço esquerdo enquanto segurava a cabeceira, havia escorregado em seu sono e agora estava pendurada, abaixando gradualmente, pois o apoio de seu braço não era mais suficiente e K. instintivamente criou um novo ao prender sua mão direita ao cobertor, segurando-se ao pé de Bürgel embaixo dos lençóis. Bürgel olhou em sua direção e permitiu que ele segurasse o seu pé, embora provavelmente fosse cansativo para ele.

 Então houve várias batidas fortes na parede lateral. K. acordou com um susto e olhou para a parede.

– O agrimensor está aí? – perguntou uma voz.
– Sim – disse Bürgel, soltando seu pé de K. e repentinamente esticando-se com um movimento selvagem e intencional como um menino.
– Então diga a ele para se apressar e vir para cá – disse a voz, sem nenhuma consideração por Bürgel ou pelo fato de que ele poderia ainda precisar de K.
– É Erlanger – disse Bürgel em um sussurro. Ele não parecia surpreso em saber que Erlanger estava no quarto ao lado. – Vá diretamente até ele; ele está de mau humor, então é melhor você tentar apaziguá-lo. Ele dorme profundamente, mas as nossas vozes estavam altas demais; quando se fala de certos assuntos não é possível controlar a voz. Vá, então, você parece não ter acordado completamente. Vá, o que mais quer aqui? Não, não, você não precisa se desculpar por sua sonolência, por que faria isso? A força física vai até certo ponto; o que se pode fazer se esse ponto é também muito importante? Não há o que fazer. Essa é a forma com que o mundo corrige o seu curso e mantém o seu equilíbrio. É um acordo excelente, incrivelmente excelente, embora desanimador em outros aspectos. Agora, vá, não sei por que você está olhando para mim dessa forma. Se hesitar mais, Erlanger virá sobre mim como uma tonelada de tijolos, e isso é algo que eu gostaria muito de evitar. Vá, quem sabe o que deve esperar lá, este lugar é repleto de oportunidades. Bem, é claro que há oportunidades grandes demais, de certa forma, para serem exploradas; há coisas que falham por sua própria vontade e nenhuma outra razão. Sim, incrível. De qualquer forma, espero conseguir dormir um pouco agora, embora já sejam cinco da manhã, e o barulho logo irá começar. Eu gostaria muito que você fosse embora de uma vez!

Atordoado por ter sido acordado repentinamente de um sono profundo, ainda necessitando dormir mais, seu corpo inteiro doendo como resultado de sua posição desconfortável na cama, K. não conseguiu se levantar por algum tempo. Ele franziu sua testa e olhou para o seu colo. Mesmo as despedidas repetidas de Bürgel não conseguirem fazê-lo se movimentar, ele foi induzido a mover-se somente por uma sensação de total futilidade de permanecer mais tempo naquele quarto. Para ele, o quarto parecia indescritivelmente sombrio. Ele não conseguia dizer se havia ficado assim, ou se sempre havia sido assim. Ele não conseguia nem dormir novamente ali. Na verdade, essa convicção foi o fator decisivo. Sorrindo levemente, ele se levantou apoiando-se em qualquer coisa que conseguisse encontrar, a cama, a parede, a porta; saiu sem falar uma palavra, como se já tivesse pedido licença para Bürgel há muito tempo.

24

Ele provavelmente teria passado pela porta de Erlanger com a mesma indiferença se Erlanger não estivesse parado no corredor, torcendo seu dedo indicador para chamá-lo. Erlanger já estava completamente vestido, preparando-se para ir embora; usava um casaco de pele preto com o colarinho abotoado. Um servo estava entregando suas luvas, e ainda segurava um chapéu de pele.

– Você deveria estar aqui há muito tempo – disse Erlanger. K. estava prestes a se desculpar, mas, ao fechar os olhos, Erlanger demonstrou que não precisava disso.

– É sobre o seguinte assunto – disse ele. – Certa vez, havia uma moça chamada Frieda servindo no bar, sei apenas o seu nome, não a conheço pessoalmente, não estou preocupado com ela. Essa Frieda, às vezes, levava cerveja para Klamm. Parece que agora há outra moça lá. É claro que a mudança não é significativa, provavelmente para ninguém e muito menos para Klamm. Mas, quanto mais importante é o trabalho de um homem, e o de Klamm certamente é o mais importante de todos, menos força ele tem para defender-se do mundo externo e, como uma consequência, qualquer mudança insignificante nas coisas mais insignificantes ainda podem ser seriamente perturbadoras para ele. A menor mudança em sua mesa, a limpeza de uma marca de sujeira que já estava lá há muito tempo, qualquer dessas coisas pode aborrecer um homem, e assim também a chegada de uma nova garçonete. Bem, é claro que nada desse tipo incomoda Klamm, não há dúvidas sobre isso, ainda que incomodasse qualquer outra pessoa em qualquer trabalho que você quiser. Da mesma forma, nosso dever é cuidar do conforto de Klamm, removendo qualquer fator problemático, se ele parecer para nós potencialmente inquietante, mesmo se não o incomodar nem um pouco, como é muito provável. Nós removemos esses fatores problemáticos, não para o bem dele, não para o bem de seu trabalho, mas para o nosso próprio bem, para o bem da nossa consciência e paz de espírito. Então, essa garota, Frieda, deve retornar ao bar imediatamente; talvez seu retorno em si seja perturbador, então, e somente então, nós a mandaremos embora novamente; mas por enquanto, ela deve voltar. Fui informado de que você está morando com ela, então cordialmente certifique-se de que ela volte imediatamente. Sentimentos pessoais devem ser deixados de fora, isso é óbvio, então, não vou entrar em nenhuma discussão a esse respeito. Já estou fazendo mais do que é necessário ao dizer que, se você for útil nessa pequena questão, poderá ser bom para você em seu futuro. E isso é tudo que tenho a dizer a você.

Ele despediu-se de K., colocou o chapéu de pele entregue a ele por seu servo, e desceu o corredor, apressado, mas mancando levemente, seguido pelo servo. Às vezes, as ordens dadas ali eram muito simples de se cumprir, mas K. não gostou nada da facilidade dessa. Isso não foi apenas porque essa ordem envolvia Frieda, e de fato, embora fosse uma ordem, ela soou para K. como algo ridículo, mas acima de tudo porque mostrou para K. como todos os seus próprios esforços eram inúteis. As ordens eram dadas acima de sua cabeça, tanto as favoráveis quanto as desfavoráveis e, ultimamente, até as favoráveis tinham algo de desfavorável, mas de qualquer forma todas passavam acima de sua cabeça, e seu *status* era baixo demais para que ele interviesse ou de fato as silenciasse para fazer sua própria voz ser ouvida. Se Erlanger manda alguém embora, o que se pode fazer? E se ele não o mandasse embora, o que diria a ele? Estava claro na cabeça de K. que seu cansaço havia feito mais mal a ele naquele dia do que qualquer outra coisa desfavorável nas atuais circunstâncias, mas por que ele, que havia acreditado que poderia apoiar-se em sua força física e nunca desistiria sem essa convicção, por que ele não poderia enfrentar algumas noites incômodas e uma sem dormir nada, por que ele estava incontrolavelmente cansado ali, naquele lugar em particular, onde ninguém nunca se cansava – ou talvez e mais provável, as pessoas estivessem sempre cansadas sem afetar o seu trabalho, pelo contrário, parecendo que ele fazia bem? Era possível concluir por esse fato que, à sua própria maneira, era um cansaço totalmente diferente do de K. Ali, era provavelmente um cansaço em meio a um trabalho agradável, algo que de fora parecia cansaço, mas na verdade era uma calma inabalável, uma paz inabalável. Se alguém fica cansado ao meio-dia, isso é parte do curso alegre e natural do dia. E, para os cavalheiros ali, K. disse a si mesmo, era sempre meio-dia.

Apegando-se a essa ideia, sinais de vida agora pareciam ser ouvidos por todo o lugar, nos dois lados do corredor, às cinco da manhã. No início, um murmúrio das vozes no quarto tinha um som extremamente agradável. Às vezes soava como os gritos felizes de crianças arrumando-se para um passeio, ou, novamente, como galinhas acordando em um galinheiro, um som alegre bem no momento do nascer do dia. Em algum lugar, um dos cavalheiros até imitava o cantar de um galo. O corredor em si ainda estava vazio, mas as portas estavam começando a mover-se. Elas continuavam a ser levemente abertas e rapidamente fechadas de novo, havia um agradável som de percussão com a abertura e o fechamento de portas no corredor, e aqui e ali, olhando através do espaço onde as paredes não alcançavam o teto, K. via cabeças com cabelo despenteado aparecerem, apenas para desaparecerem no minuto seguinte. Ao longe, um pequeno carro carregado de arquivos estava sendo puxado por um servo. Um segundo servo caminhava ao lado dele com uma lista em sua mão, obviamente comparando os números nas portas com o número dos arquivos. O carrinho parou na frente da maioria das portas, e normalmente a porta se abria e os arquivos importantes eram entregues para o quarto, ou às vezes, apenas um bilhete – em tais casos, seguia-se uma breve conversa entre o quarto e o corredor, provavelmente um cavalheiro dispensando o servo. Se a porta permanecesse fechada, seus arquivos eram cuidadosamente empilhados diante dela. Quando isso acontecia, parecia para K. como se o movimento das portas ao redor dele não diminuísse, embora os arquivos fossem distribuídos, e até aumentasse. Talvez os outros estivessem olhando com anseio para os arquivos que estavam do lado de fora das portas e, por alguma razão incompreensível, não haviam sido levados ainda; eles não conseguiam entender como alguém que precisava apenas abrir a sua porta para pegar os arquivos não o fazia. Talvez fosse até possível que os arquivos que continuassem ali fossem distribuídos depois para os outros cavalheiros, que já estavam olhando para eles com intervalos frequentes para ver se ainda estavam do lado de fora da porta, significando que ainda havia esperança para eles. Além disso, os arquivos deixados ali estavam normalmente em pacotes particularmente grandes, e K. deduziu que eles haviam sido deixados onde estavam por um tempo devido a um desejo malicioso de se mostrar, ou por motivos de orgulho justificado pretendiam encorajar os colegas do cavalheiro no quarto. Sua conclusão foi confirmada pelo fato de que, às vezes – sempre quando ele não estava olhando –, depois que os pacotes de arquivos já estavam lá por tempo suficiente, eram repentinamente e de forma muito rápida apanhados e levados para o quarto, e então a porta continuava fechada como antes. As portas ao redor já haviam se acalmado naquele ponto, ou desapontadas ou satisfeitas ao ver que tal item provocativo havia finalmente sido removido, mas então, elas lentamente começaram a se mover de novo. K. observava isso com interesse e também curiosidade. Ele quase se sentia feliz em meio a essa agitação e alvoroço, olhando para um lado e para outro, seguindo os servos, sempre mantendo uma distância adequada, e de fato eles várias vezes viraram-se para olhar para ele com severidade, abaixaram suas cabeças e franziram os lábios, enquanto ele observava o seu trabalho de distribuição. Quanto mais demorava, ficava menos tranquilo; ou a lista não estava perfeitamente acurada, ou os servos nem sempre conseguiam distinguir os arquivos muito bem, ou os cavalheiros faziam objeções por outros motivos, mas, de qualquer forma, muitos arquivos que já haviam sido distribuídos tiveram que ser devolvidos, e então o carrinho voltava, e as negociações sobre a devolução dos arquivos acontecia pelo espaço aberto da porta. Essas negociações em si eram cheias de problemas, mas aconteceu diversas vezes de, quando alguma coisa precisava ser devolvida, as portas que antes tinham movimentos animados agora estavam firmemente fechadas, como se não quisessem saber nada sobre o que estava acontecendo. Somente então começaram os verdadeiros problemas. O cavalheiro que pensava ter direito aos arquivos estava extremamente impaciente, fazia muito barulho em seu quarto, batendo palmas, batendo os pés várias vezes e gritando o número de um certo arquivo pela passagem. Então o carrinho ficava abandonado. Um dos servos ficava ocupado acalmando o cavalheiro, enquanto o outro permanecia do lado de fora de uma porta fechada batalhando pela devolução do arquivo. Os dois servos tinham muitas dificuldades. As tentativas de aplacar o cavalheiro impaciente o deixavam ainda mais impaciente, ele não iria ouvir mais as palavras vazias do servo, ele não queria um consolo, queria os arquivos. Um cavalheiro derramou uma tigela cheia de água sobre o servo pela abertura no topo de sua porta. Mas o outro servo, certamente de uma posição mais alta, tinha ainda mais dificuldades. Se pelo menos o cavalheiro entrava em alguma negociação, seguiam-se discussões sobre os fatos, em que o servo citava sua lista, enquanto o cavalheiro citava seus bilhetes e os arquivos que deveria devolver, mas ele os segurava tão firmemente que apenas uma ponta deles ainda ficava visível para os olhos vívidos do servo. Então o servo precisava voltar para o carrinho para procurar mais evidências. Naquele momento, o carrinho já tinha descido sozinho pelo corredor, ou ele tinha que ir atrás do cavalheiro que estava reclamando os arquivos e trocar os protestos com o cavalheiro que os possuía por um novo grupo de contraprotestos. Tais negociações duravam um longo tempo, e às vezes era acordado que o cavalheiro devolveria uma parte dos arquivos, ou receberia um arquivo diferente em compensação, já que eles haviam apenas sido trocados. Mas, às vezes, acontecia que um cavalheiro precisava entregar todos os arquivos solicitados de uma vez porque as provas produzidas pelo servo o colocaram contra a parede, ou porque ele estava cansado da barganha constante. Então não os entregava para o servo, mas, em vez disso, com um gesto repentino e decisivo, os jogava pelo corredor, para que a corda que os amarrava saísse, folhas de papel voassem, e os servos tivessem muito trabalho para reorganizá-los. No entanto, tudo isso era relativamente mais simples do que quando o servo não recebia nenhuma resposta ao pedir os arquivos de volta; então ele ficava do lado de fora da porta fechada, implorando e suplicando, citando sua lista, recorrendo às regras, tudo em vão, pois nada de bom sairia do quarto, e obviamente o servo não tinha o direito de entrar lá sem permissão. Então, até mesmo esse servo-modelo perdia seu autocontrole e ia até o seu carrinho, apoiava os arquivos, secava o suor de sua testa, e ficava sem fazer nada por algum tempo, além de balançar seus pés no ar. Ao redor dele, mostravam interesse, pois havia muitos sussurros, quase nenhuma porta permanecia fechada, e no topo das paredes, alguns rostos, curiosamente quase enrolados em seus lenços, acompanhavam tudo o que estava acontecendo, mas nunca ficavam no mesmo lugar por muito tempo. Em meio a todo esse tumulto, K. percebeu que a porta de Bürgel permaneceu fechada, durante todo o tempo, e os servos já haviam passado por aquela parte do corredor, mas nenhum arquivo foi entregue para Bürgel. Talvez ele ainda estivesse dormindo, o que, com todo aquele barulho, significava que seu sono era profundo e muito saudável, mas por que ele não havia recebido nenhum arquivo? Apenas poucos quartos não haviam recebido nada, e eles provavelmente estavam vazios. Por outro lado, já havia um novo hóspede inquieto naquele que havia sido o quarto de Erlanger, que devia ter sido afastado por ele durante a noite, o que não combinava com a natureza tranquila e realista de Erlanger, mas o fato de que havia sido obrigado a esperar por K. na entrada do quarto sugeria que esse era o caso.

K. continuou observando o servo; o que ele havia escutado sobre os servos em geral – sua preguiça, a vida confortável que levavam, sua arrogância –, certamente, não se aplicava a esse. Deveria haver exceções entre os servos também, ou, mais provavelmente, havia grupos diferentes de servos, pois ali, como K. havia notado, havia limites sobre os quais não havia recebido nenhuma informação antes. Em particular, ele admirava a determinação inflexível desse servo. O servo não iria desistir de sua batalha com esses quartinhos – para K. muitas vezes parecia uma batalha literalmente com os próprios quartos, já que ele mal via seus ocupantes. Ele se sentia cansado – quem não se sentiria assim? –, mas logo iria se recompor, descer do carrinho e ir em direção à porta que precisava ser alcançada, caminhando muito ereto e travando suas mandíbulas. E poderia acontecer que ele tivesse que voltar duas ou três vezes por motivos muito simples, simplesmente pelo terrível silêncio dentro do quarto, e ainda assim não se sentia derrotado. Quando viu que aquele ataque aberto não adiantava, ele tentou algo diferente, por exemplo, pelo que K. percebeu, tentou usar sua astúcia. Ele fingia afastar-se da porta, esgotando seus poderes de ficar em silêncio, por assim dizer, e ia até outras portas, mas, após algum tempo ele voltava, chamava o outro servo em voz alta e muito audível, e começava a empilhar arquivos fora da porta fechada, como se tivesse mudado de ideia, e não havia nada para ser retirado do cavalheiro, em vez disso, ele receberia mais arquivos. Então continuava, mas mantinha seus olhos na porta e, se o cavalheiro do lado de dentro, como normalmente acontecia, logo abrisse sua porta para apanhar os novos arquivos, o servo aparecia em um piscar de olhos, colocando seu pé na porta, e obrigava o cavalheiro pelo menos a negociar com ele pessoalmente, o que normalmente concluía a discussão de maneira ao menos parcialmente satisfatória. E, se isso não funcionasse, ou não lhe parecesse a melhor forma de se aproximar de uma porta, ele tentava outro truque. Por exemplo, dirigia-se para o cavalheiro que pedia os arquivos. Então punha de lado o outro servo, que ainda estava distribuindo os arquivos mecanicamente e não o ajudava muito, e começava a persuadir o cavalheiro, sussurrando em tons conspiratórios, com sua cabeça dentro do quarto, provavelmente fazendo promessas e dando garantias de que, na próxima vez que os arquivos fossem distribuídos, o outro cavalheiro encontraria sua recompensa. Pelo menos ele apontava a porta do outro cavalheiro frequentemente, rindo até onde seu cansaço permitisse.

Mas então houve casos, um ou dois deles, em que ele simplesmente desistia de qualquer tentativa, embora nesse caso K. pensasse que ele apenas fingia desistir, ou pelo menos o fazia por motivos razoáveis, pois prosseguia tranquilamente, suportando o barulho feito por um cavalheiro que se sentiu maltratado, e apenas a maneira como ele, às vezes, fechava os olhos por um bom tempo demonstrava que sofria com o barulho. Mas o cavalheiro aos poucos conseguia se acalmar, e seus protestos eram feitos com menos frequência, assim como o choro das crianças se transformam gradualmente em soluços isolados. Mas, mesmo depois de o quarto ficar em silêncio, ainda havia um grito ocasional de seu quarto, ou a sua porta era aberta rapidamente e fechada logo depois. Pelo menos descobriu-se que ali o servo provavelmente tinha feito a coisa certa. No final, apenas um cavalheiro não havia se acalmado; ele ficou em silêncio por um longo tempo, mas apenas para recuperar o fôlego, e então começou novamente, fazendo tanto barulho quanto antes. Não estava muito claro por que ele estava gritando e reclamando daquela maneira; talvez não estivesse relacionado à distribuição dos arquivos. Naquele momento, os servos já haviam terminado o seu trabalho, e havia apenas um único arquivo, ou realmente só um pedaço de papel rasgado de um bloco de notas, deixado no carrinho. Isso era a culpa do outro servo. Uma ideia passou pela cabeça de K.; aquela, ele pensou, poderia ser minha vida, poderia muito bem ser o meu arquivo. O prefeito do vilarejo tinha dito que o caso de K. era um caso muito pequeno. E K., por mais que sua suposição fosse ridícula e aleatória até para si mesmo, tentou se aproximar do servo, que estava olhando pensativamente para a folha de papel. No entanto, isso não foi fácil, porque o servo não reagiu bem ao interesse que K. demonstrava por ele; mesmo em meio a seu trabalho duro, ele sempre encontrou tempo para olhar em volta, para K., com um aceno de cabeça irritado ou impaciente. Somente agora que os arquivos haviam sido distribuídos ele parecia ter esquecido K. um pouco, e parecia indiferente, o que sua exaustão transformava em algo compreensível. Ele não estava prestando muita atenção à folha de papel também, talvez nem estivesse lendo, apenas olhando, e apesar de que provavelmente poderia ter deixado qualquer um dos cavalheiros muito feliz ao lhes entregar essa folha de papel, decidiu não fazê-lo. Ele estava cansado de distribuir arquivos. Com seu indicador nos lábios, ele fez um sinal para que seu companheiro ficasse quieto, e então – K. ainda não estava perto dele – rasgou a folha de papel em pedacinhos e colocou-a em seu bolso. Essa foi a primeira irregularidade que K. viu durante todo o trabalho ali, embora fosse possível que ele tivesse entendido mal. E, mesmo se houvesse sido uma irregularidade, poderia ser perdoada, considerando as circunstâncias; o servo não poderia trabalhar sem falhas o tempo todo, haveria de chegar um ponto em que sua irritação e inquietude precisariam ser liberadas, e aliviá-las simplesmente rasgando um pedaço de papel era inocente o bastante. A voz do cavalheiro que não havia sido acalmado ainda estava ecoando pelo corredor, e seus colegas, que em outros momentos não se comportaram de forma amigável um com o outro, aparentemente tinham a mesma opinião sobre o barulho que ele estava fazendo. Estava começando a parecer que o cavalheiro havia recebido a tarefa de fazer barulho o suficiente por todos eles, e seus gritos e gestos apenas o encorajavam a continuar. Mas agora o servo não era mais incomodado por isso; ele tinha terminado o seu trabalho e, segurando o carrinho, fez sinal para seu companheiro, para que fizesse o mesmo. Então foram embora da mesma forma que haviam chegado, mas mais contentes, e tão rápido que o carrinho chacoalhava diante deles. Eles pararam apenas uma vez, de repente, e olharam para trás: quando o cavalheiro barulhento próximo à porta que K. estava rodeando – ele gostaria de saber o que o cavalheiro realmente queria – finalmente decidiu que os gritos não o levariam a lugar nenhum. Ele parecia ter encontrado uma campainha elétrica e, para sua satisfação, começou a tocá-la continuamente em vez de gritar.

Logo, um murmúrio alto, que parecia indicar aprovação, começou a surgir nos outros quartos. O cavalheiro parecia fazer o que todos eles gostariam de ter feito há um bom tempo, e não puderam apenas por algum motivo desconhecido. Será que eram os servos, ou talvez Frieda que o cavalheiro pretendia chamar ao tocar essa campainha? Ele teria que esperar muito tempo. Frieda provavelmente estava ocupada enrolando Jeremias em uma toalha molhada e, até ele melhorar, ela não teria tempo para ir até lá, pois então estaria nos braços dele. Mas o tocar da campainha não teve um efeito imediato. O próprio senhorio da Pousada do Castelo foi correndo, vestido de preto e com um casaco abotoado, como normalmente, mas o modo com que ele corria parecia indicar que estava esquecendo sua dignidade. Seus braços estavam esticados, como se tivesse sido chamado para a cena de um grande desastre, e estava preparado para investigar sua causa, prendê-la em seu peito e sufocá-la. E com cada irregularidade no som da campainha ele parecia dar um pulo no ar por um momento e depois corria ainda mais. E agora sua esposa também apareceu, bem depois dele. Ela também estava correndo com os braços esticados, mas seus passos eram pequenos e delicados, e K. pensou que ela iria chegar tarde demais; o senhorio poderia ter resolvido tudo antes de ela chegar. K. apoiou-se na parede para dar espaço para o senhorio correr. Mas o senhorio parou logo diante dele, como se o próprio K. fosse seu destino e, no momento seguinte, a senhoria estava lá também, ambos descarregando repreensões em sua direção, com toda a pressa e surpresa, ele não conseguiu entender, particularmente com a campainha tocando junto, e outras campainhas começaram a soar também, não com algum senso de emergência, mas apenas por diversão e por excesso. Como K. estava muito ansioso para descobrir exatamente o que ele havia feito de errado, ficou muito feliz quando o senhorio pegou seu braço e o retirou de todo aquele barulho, que estava ficando cada vez mais alto, pois atrás deles – K. não queria se virar para olhar, porque o senhorio estava falando com ele e a senhoria, do outro lado, falava mais ainda –, atrás deles, as portas agora estavam bem abertas, o corredor estava abundando com vida, parecia haver uma movimentação como se estivessem em uma via agitada, as portas diante deles estavam esperando impacientemente K. passar, para que elas pudessem permitir que os cavalheiros saíssem de seus quartos e, enquanto isso, as campainhas tocavam à medida que os cavalheiros apertavam os botões, como se para celebrar uma vitória.

E agora, enfim – eles estavam no jardim silencioso novamente, onde diversos trenós aguardavam –, K. aos poucos entendeu o que estava acontecendo. Nem o senhorio nem a senhoria entendiam como K. poderia ter feito alguma coisa daquele tipo. Mas o que de fato ele havia feito? K. perguntou isso diversas vezes, embora não tivesse a chance de perguntar por muito tempo, porque sua culpa estava muito óbvia para ambos, e eles não pensaram em nenhum momento, que ele estivesse perguntando de boa-fé. Somente aos poucos, K. começou a entender qual era questão. Ele não tinha o direito de ficar naquele corredor. Em geral, poderia apenas entrar no bar, e isso apenas como um favor que pode ser retirado. Se ele houvesse sido convocado para ver um cavalheiro, deveria ir para onde havia sido convocado, mas sempre permanecer consciente – ele tinha sua sagacidade, eles imaginaram, como qualquer pessoa? – de que ele estava em um lugar ao qual não pertencia, para o qual havia sido convocado apenas por um cavalheiro, e com muita má vontade, quanto a isso, apenas porque um negócio oficial requeria isso e justificava. Portanto, ele precisava ter chegado lá rapidamente, passar por sua audiência, e então desaparecer, ainda mais rápido, se possível. Será que não tinha percebido como era muito errado estar ali no corredor? E se tinha, então como poderia ter começado a perambular por ali como um animal em um pasto? Ele não havia sido convocado para uma audiência noturna? E não sabia por que as audiências eram realizadas à noite? Tais audiências – teve uma nova explicação sobre o assunto por eles – eram realizadas à noite com o único propósito de questionar os membros do público, que seriam vistos como intoleráveis para os cavalheiros durante o dia, e assim passar a audiência de maneira rápida, à noite e com luz artificial, para que, assim que estivesse encerrado, os cavalheiros pudessem esquecer aquela noite desagradável durante o sono. A conduta de K., entretanto, havia transformado todas essas medidas preventivas em uma piada. Até os fantasmas desaparecem quando o dia chega, mas K. havia ficado lá com suas mãos nos bolsos, como se esperasse que, se ele não se retirasse, todo o corredor se retiraria, quartos, cavalheiros e tudo o mais. E poderia ter certeza, eles disseram, que era isso que teria acontecido se fosse possível, pois os cavalheiros eram extremamente sensíveis. Ninguém iria expulsar K., ou até mesmo dizer, o que era óbvio, que ele deveria ir embora, ninguém faria isso, embora eles estivessem tremendo com a agitação durante todo o tempo em que K. estava lá arruinando sua manhã, a melhor hora do dia para eles.

Em vez de tomar qualquer medida para se livrar de K., eles preferiram sofrer em silêncio, embora não houvesse dúvidas de que eles estavam esperando que K. pudesse ver o que era absurdamente óbvio, quando ele mesmo sofreria ao ponto em que a dor seria tão intolerável e iria ser como o próprio sofrimento dos cavalheiros, pois era muito errado ficar ali no corredor de manhã, onde todos poderiam vê-lo. Mas essas esperanças foram em vão. Os senhores não sabiam, ou em sua bondade e condescendência não reconheceriam, que existem corações insensíveis, duros, que não poderiam ser amolecidos nem mesmo por meio do respeito. Até mesmo a mariposa noturna, pobre criatura, não procura um canto quieto quando o dia chega, apertando-se como se quisesse desaparecer, e sofrendo porque não pode? Mas quanto a K., ah, não, ele fica firme onde é mais evidente e, se ele pudesse evitar que o dia amanhecesse, ele o faria. Bem, ele não pode fazer isso, mas poderia, infelizmente, atrasá-lo e torná-lo muito pior. Será que tinha visto os arquivos sendo distribuídos? Era algo que ninguém tinha permissão para ver, exceto os mais envolvidos. Algo que nem o senhorio nem a senhoria podiam testemunhar em sua própria casa. Algo sobre o qual eles ouviram falar apenas por pequenas dicas, como aquelas levadas hoje pelo servo. Ele não havia visto as dificuldades relacionadas à distribuição de arquivos, algo em si muito além do entendimento, já que todos aqueles cavalheiros estavam apenas servindo uma boa causa, sem pensar em benefício próprio, e deveriam trabalhar com todas as suas forças para garantir que a distribuição de arquivos, aquela parte importante e fundamental, fosse feita rapidamente, de forma prática e sem nenhum erro? E K. não havia tido um pressentimento ao longe, de que o ponto principal de todas as dificuldades consistia no fato de que a distribuição dos arquivos deve acontecer com as portas quase fechadas, sem a possibilidade de comunicação direta entre os cavalheiros, que poderiam mesmo concordar um com o outro em um piscar de olhos, enquanto a comunicação por meio dos servos podia se arrastar por horas, nunca poderia ser feita sem reclamações, e era uma provação constante, tanto para o cavalheiro quanto para os servos, e que provavelmente teria consequências graves pelo resto do trabalho realizado depois? Por que os cavalheiros não podiam conversar entre si? Será que K. ainda não havia entendido? Aquilo nunca havia acontecido com a senhoria, ela disse – e o senhorio confirmou também ser verdade para si mesmo –, ainda que eles fossem obrigados a lidar com todos os tipos de pessoas obstinadas. Coisas que normalmente alguém não se atreveria a mencionar deveriam ser compartilhadas abertamente com ele naquele momento, senão de outra forma ele não entenderia o ponto mais essencial. Bem, já que precisava ser dito: era por causa dele, e apenas por causa dele, que os cavalheiros não puderam sair de seus quartos, já que logo após acordar de manhã estavam tímidos demais, vulneráveis demais, para serem expostos aos olhares de desconhecidos, eles se sentem expostos demais para si mesmos, mesmo se estiverem completamente vestidos. É difícil dizer por que se sentem acanhados, talvez, sendo trabalhadores constantes como são, eles têm apenas vergonha de terem adormecido. Mas talvez sejam ainda mais tímidos quando se trata mais sobre ver desconhecidos do que serem vistos por eles, e não querem ser confrontados repentina e imediatamente, logo cedo, com a visão estressante de um membro do público, grande como a vida e duas vezes mais natural, uma visão que, felizmente, conseguiram superar com a ajuda das audiências noturnas. Apenas não são iguais a eles. E que tipo de ser humano não iria respeitar isso? Bem, alguém como K. Alguém que se coloca acima de tudo, acima da lei, acima da consideração humana por outras coisas, e ainda o faz com uma indiferença aborrecida e letárgica, alguém que não se importa em tornar a distribuição de arquivos algo impossível, que fere a reputação da pousada, e é a causa de algo nunca conhecido anteriormente: os cavalheiros, levados pela distração, começam a se defender e, após invocar o que para as pessoas comuns é uma força de vontade quase inimaginável, começam a tocar suas campainhas pedindo ajuda para livrar-se de K., já que não há outra forma de fazê-lo. Eles, os cavalheiros, pedindo ajuda! O senhorio e a senhoria e toda sua equipe não teriam ido muito antes se eles pelo menos ousassem aparecer diante dos cavalheiros pela manhã sem serem convidados, mesmo que fosse para prestar socorro e depois ir embora? Tremendo com sua indignação pelo comportamento de K., inconsoláveis por serem tão impotentes, eles esperaram ali no início do corredor, e o tocar da campainha que eles nunca esperaram havia sido um alívio para eles! Bem, o pior já havia terminado! Se apenas pudessem ter um relance da alegria dos cavalheiros agora que eles finalmente os tinham libertado de K.! É claro que, para o próprio K., não havia acabado, com certeza precisaria responder pelo que fez.

Nesse momento, eles já haviam chegado ao bar; por que o senhorio, em toda a sua raiva, havia levado K. para o bar não estava muito claro, mas talvez ele houvesse percebido que, com a exaustão de K., seria impossível que deixasse a casa logo. Sem esperar ser convidado para se sentar, K. se jogou em um dos barris. Era bom estar ali no escuro. Apenas uma luz fraca sobre as torneiras de cerveja estava acesa. Ainda estava escuro do lado de fora também, e parecia que estava nevando. Ele deveria estar grato por estar aquecido, e tomar cuidado para não ser expulso. O senhorio e a senhoria continuaram diante dele como se ele ainda representasse um risco em potencial, como se não fosse nada digno de confiança e eles não poderiam excluir totalmente a possibilidade de sua fuga para voltar para o corredor. Eles mesmos estavam cansados após os alarmes noturnos e por acordar cedo, principalmente a senhoria, que estava usando um vestido marrom de saia ampla, que se mexia como seda, e estava abotoado e arrumado sem muito cuidado – como ela conseguiria fazê-lo com toda a sua pressa? – e agora havia apoiado sua cabeça sobre os ombros de seu marido, e estava tocando delicadamente em seus olhos com um lenço, como uma criança, lançando olhares furiosos em direção a K.

Para acalmar o casal, K. disse que tudo que eles lhe disseram era totalmente novo para cle, mas mesmo que ele não estivesse ciente de nada daquilo, nunca teria ficado tanto tempo no corredor, onde realmente não tinha nada para fazer, e com certeza não desejava incomodar ninguém, embora estivesse muito exausto. Ele os agradecia, disse ele, por terem colocado um fim àquela cena dolorosa. Se precisasse prestar contas por ela, iria ficar feliz, pois apenas assim conseguiria impedir que seu comportamento fosse totalmente mal--entendido. A culpa toda era de seu cansaço, nada mais. Mas esse cansaço começou por ele não estar acostumado com a tensão das audiências. Afinal, ele não havia ficado lá por muito tempo. Uma vez que tivesse uma experiência assim, nada parecido poderia acontecer de novo. Talvez ele levasse as audiências a sério demais, mas com certeza isso não era em si algo ruim. Ele havia passado por duas audiências seguidas uma da outra, uma com Bürgel e outra com Erlanger, e a primeira em particular o havia esgotado, embora não tivesse demorado, Erlanger apenas queria pedir um favor, mas ambas pareciam muito mais do que ele poderia suportar de uma vez, talvez algo desse tipo pudesse ser muito pesado para outras pessoas também, até mesmo para o senhorio. Ele havia saído cambaleante da segunda audiência no que era quase um estado de intoxicação – afinal, havia visto e ouvido os dois cavalheiros pela primeira vez, e era esperado que ele lhes respondesse. Até onde sabia, tudo havia acabado bem, mas então o incidente aconteceu, embora mal pudesse ser considerado culpado por ele após tudo que aconteceu. Infelizmente, apenas Erlanger e Bürgel haviam visto o estado em que ele se encontrava, e tinha certeza de que eles o teriam defendido e impedido qualquer infortúnio, mas Erlanger teve que ir embora diretamente após a audiência, obviamente para ir para o castelo, e Bürgel, provavelmente cansado da audiência – então como K. poderia ter saído ileso? –, havia ido dormir e até mesmo dormiu durante a distribuição dos arquivos. Se uma oportunidade similar aparecesse no caminho de K., ele alegremente a aceitaria, assim evitando todos os relances de tudo que é proibido, e assim teria sido muito mais fácil à medida que ele não estaria em condições de ver nada, então até mesmo o mais sensível dos cavalheiros poderia ter se mostrado diante dele sem medo.

A menção dessas duas audiências, particularmente aquela com Erlanger, e o respeito com que falou sobre os dois cavalheiros deixaram o senhorio mais propenso a tolerá-lo. Ele parecia prestes a concordar com a solicitação de K. de colocar uma tábua sobre os barris para que ele dormisse ali até o sol aparecer, mas a senhoria era claramente contra isso, e ela continuava arrumando seu vestido aqui e ali, inutilmente, parecendo notar a desordem só agora, e balançando sua cabeça diversas vezes. O que era obviamente uma discussão longa sobre a limpeza do lugar estava prestes a começar novamente. Para K., cansado como estava, a conversa entre marido e mulher tinha uma enorme importância. Ser expulso dali parecia uma infelicidade maior do que qualquer outra que ele já havia vivido. Não poderia acontecer, mesmo se o senhorio e a senhoria estivessem unidos contra ele. Apoiado no barril, ele observava os dois lutando. Até a senhoria, em sua própria sensibilidade natural, que K. havia notado apenas há alguns minutos, de repente saiu da sala e exclamou – ela provavelmente estava falando com o senhorio sobre outra coisa:

– Veja como ele está olhando para mim! Mande-o embora!

Mas K., aproveitando essa oportunidade, e agora tendo certeza, quase ao ponto da indiferença, que ficaria lá, disse:

– Não estou olhando para você, estou apenas olhando para o seu vestido.

– Por que para meu vestido? – perguntou a senhoria, agitada.

K. apenas deu de ombros.

– Venha logo – disse a senhoria para o senhorio. – Ele está bêbado, o coitado. Deixe-o aqui para que ele possa dormir.

E então ela disse a Pepi, que surgiu da escuridão assim que foi chamada, parecendo cansada e desarrumada, com uma vassoura na mão, para que ela levasse uma almofada ou algo assim para K.

25

Quando K. acordou, pensou de início que quase não havia dormido; a sala estava igual, aquecida e vazia, todas as paredes estavam na escuridão, mas com aquela única lâmpada acesa sobre as torneiras de cerveja, e a noite, fora das janelas. Mas, quando ele se esticou, a almofada caiu no chão e a tábua e os barris estalaram, Pepi chegou em seguida, e foi assim que ele descobriu que era noite, e havia dormido por mais de doze horas. A senhoria havia perguntado sobre ele diversas vezes durante o dia, e Gerstäcker, que estava bebendo uma cerveja no escuro quando K. falou com a senhoria naquela manhã, mas não quis incomodá-lo também, olhou logo para ver como ele estava. Finalmente, parecia que Frieda também havia surgido, e ficou ao lado de K. por algum tempo, mas não havia ido até lá por causa dele, somente porque ela tinha muitas coisas para preparar antes de voltar para seu antigo emprego naquela noite.

– Suponho que ela não o atraia mais? – perguntou Pepi, enquanto trazia café e bolo.

No entanto, ela não perguntou em seu antigo jeito malicioso, e sim com tristeza, como se agora ela mesma houvesse descoberto a malícia do mundo, e qualquer malícia pessoal que fosse colocada ao lado dela perderia sua força e seu objetivo; ela falou com K. como um companheiro de infortúnio e, quando ele provou o café e ela pensou ter visto que não estava doce o bastante para ele, saiu e buscou o açucareiro. Era verdade que sua melancolia não a havia impedido de se arrumar ainda mais extravagantemente naquele dia, talvez, do que da última vez que K. a viu; ela usava muitos laços e fitas trançados em seu cabelo, que ela havia arrumado com cachos em sua testa e têmporas. Ao redor de seu pescoço, ela usava um colar pendendo pelo decote de sua blusa. Quando K., sentindo-se feliz por ter tido

um bom tempo de sono e um bom café, secretamente segurou uma das fitas e tentou desmanchá-la, Pepi disse, cansada:
– Deixe-me em paz. – E sentou-se em um barril ao lado de K.

Ele não precisou perguntar por que ela estava infeliz, pois ela logo começou a contar, com os olhos fixos no bule de café de K., como se precisasse de algo para distrair sua mente enquanto contava, como se até mesmo quando ela pensava em seu sofrimento era mais do que podia fazer para entregar-se completamente a ele. Primeiro, K. descobriu que ele mesmo poderia ser culpado pela infelicidade de Pepi, mas não guardava rancor dele por isso, ela disse. E ela balançava a cabeça ansiosamente enquanto contava sua história, para impedir que K. contradissesse alguma coisa.

Primeiro, ele havia levado Frieda do bar, e por isso abriu a oportunidade para Pepi subir para a posição de garçonete. Ela, Pepi, não conseguia pensar em mais nada que poderia ter induzido Frieda a deixar sua função; ela se sentava no bar como uma aranha em sua teia, lançando-a o mais distante que fosse possível, como só ela conseguia; teria sido impossível retirá-la de lá contra sua vontade, apenas o amor a alguém de uma posição inferior, um amor que não seria adequado para sua função, poderia afastá-la dali. E quanto a Pepi? Ela mesma já havia aspirado aquele mesmo posto para si? Ela era uma camareira, tinha um trabalho insignificante com poucas expectativas, como qualquer outra garota, sonhava com um futuro maravilhoso, ninguém pode ser proibido de sonhar, mas não esperava realmente chegar muito longe, ela havia aceitado o que já havia conquistado. E então Frieda de repente deixou o bar, tão bruscamente que o senhorio não tinha ninguém adequado para substituí-la, ele olhou ao redor e seus olhos recaíram sobre Pepi, que com certeza também fez sua parte ao apresentar-se. Naquele momento, ela amava K. como nunca havia amado alguém antes, ela estava vivendo há meses em um pequeno quarto escuro lá embaixo, e esperava passar anos ali, a vida inteira, na pior das hipóteses, sem ninguém para prestar atenção nela, e então chegou K., de repente, um herói, um libertador de donzelas, e ele abriu o caminho para ela voar. Não que ele soubesse qualquer coisa sobre ela, não fez aquilo pelo bem dela, mas isso não a deixou menos agradecida. Na noite em que ela foi nomeada garçonete – a nomeação ainda não era garantida, mas era muito provável –, ela passou horas conversando com K., sussurrando agradecimentos em seus ouvidos. O que ele havia feito parecia ainda maior para ela porque o fardo que ele levara sobre os ombros era Frieda, havia algo maravilhosamente altruísta no fato de que, para libertar Pepi de seus apuros, ele estava transformando Frieda em sua amante, uma garota magra, nada atraente como ela costumava ser, com cabelo curto, escasso, uma garota dissimulada, que sempre tinha segredos de algum tipo, exatamente o que você esperaria por sua aparência; embora seu rosto e seu corpo fossem sem dúvidas uma visão miserável, ela deveria ao menos ter outros segredos sobre os quais ninguém sabia, talvez relacionados ao seu suposto relacionamento com Klamm.

Na época, Pepi ainda cultivou ideias como essas: era possível que K. realmente amasse Frieda, ele não estava enganando a si mesmo, ou talvez estivesse enganando apenas Frieda, e o único resultado de tudo isso seria a subida de posição de Pepi? K. veria seu erro, então, ou pararia de tentar escondê-lo, e repararia em Pepi em vez de Frieda? Essa ideia de Pepi não era tão absurda, pois, se comparar uma e outra, ela poderia garantir-se muito bem contra Frieda, ninguém negaria isso, e havia sido primariamente o posto de Frieda como garçonete e o esplendor que ela dera a ele que haviam encantado K. no momento em que ele a conheceu. E então Pepi havia sonhado que, quando ela estivesse na mesma posição, K. iria implorar por ela, e ela teria a escolha de dar ouvidos a K. e perder seu emprego, ou dizer não a ele e subir ainda mais. Ela havia decidido que iria abrir mão de tudo e se rebaixaria ao nível dele, para ensiná-lo sobre o amor verdadeiro que ele nunca poderia ter conhecido com Frieda, o amor que é independente de qualquer cargo no mundo. Mas tudo foi diferente. E quem poderia ser culpado por isso? K., acima de todos, e então, é claro, a natureza ardilosa e astuta de Frieda. K. primeiro, disse Pepi, pois o que ele queria? Que tipo estranho de pessoa ele era? O que ele buscava, quais assuntos importantes ocupavam sua mente para fazê-lo esquecer tudo que era mais querido para ele, tudo que era melhor e mais bonito? Pepi era a vítima em tudo isso, tudo era estúpido, tudo estava perdido e, se houvesse um homem com a mente forte o bastante para colocar fogo em toda a Pousada do Castelo sem deixar rastros, como um pedaço de papel no fogão, ele seria o homem dos sonhos de Pepi.

Bem, então Pepi foi trabalhar no bar, ela continuou, há quatro dias, antes do almoço. O trabalho ali não era fácil, ela disse, na verdade era um crime, mas era possível fazer muito para si mesmo. Pepi nunca costumava viver no momento e, embora em seus sonhos mais distantes ela nunca teria pensado em subir e ocupar a função de garçonete, mantinha seus olhos abertos, sabia como era aquele trabalho, estava preparada quando o assumiu. Não se pode assumir uma função sem estar preparada, ou a perderia nas primeiras horas, particularmente se alguém se comportava da maneira que as camareiras se comportavam ali. Quando se é uma camareira, você se sente esquecida e desamparada, é como trabalhar em uma mina, ou pelo menos é assim quando se trabalha no corredor dos secretários, não se vê uma alma durante dias a fio, a não ser por alguns membros do público andando de um lado a outro, sem se aventurar a olhar para cima, ninguém além das duas ou três camareiras, que se sentem igualmente infelizes. Não é permitido sair do quarto pela manhã, os secretários querem ficar sozinhos, os servos levam sua comida da cozinha, as camareiras normalmente não têm nada a ver com isso, e não é permitido aparecer no corredor durante as refeições também. As camareiras podem arrumar as coisas apenas quando os cavalheiros estão trabalhando, claro que não nos quartos que estão ocupados, mas naqueles que estão vazios, e o trabalho precisa ser feito com muito silêncio, para não atrapalhar os cavalheiros em seus trabalhos. Mas como alguém consegue limpar e arrumar em silêncio se os cavalheiros ficam em seus quartos dia após dia, e os servos caminham de um lado para outro, homens sujos como são, e quando o quarto finalmente fica livre para as camareiras entrarem, nem mesmo um dilúvio conseguiria limpá-lo? É verdade que os cavalheiros que vêm até aqui são finos, mas é difícil controlar o nojo para poder limpar tudo depois que eles vão embora. As camareiras não têm muito trabalho, mas o que há é muito pesado. E nunca ouvem nenhum elogio, apenas palavras de culpa, particularmente as frequentes e vergonhosas acusações de que arquivos se perderam enquanto limpavam. Na verdade, nada nunca se perde, cada pedacinho de papel é entregue ao senhorio; bem, arquivos realmente se perdem, mas não é culpa das camareiras. E então as comissões de inquérito vêm e as criadas são obrigadas a deixar seus quartos, e a comissão de inquérito desmonta as camas; as criadas não possuem nada; seus poucos bens cabem em um pano para carregar nas costas, mas a comissão passa horas procurando do mesmo jeito. É claro que eles nunca encontram nada; como os arquivos estariam nos quartos das criadas? O que elas fariam com esses arquivos? Mas, novamente, o resultado é mais repreensões e ameaças por parte da comissão desapontada, transmitida apenas pelo senhorio. E nunca há paz, nem durante o dia, nem durante a noite. Barulho à noite, barulho logo pela manhã. Se ao menos as camareiras não precisassem morar ali, mas são obrigadas, porque é sua função entregar pequenas coisas solicitadas à cozinha entre um período e outro, principalmente à noite. Novamente, é possível ouvir o barulho de batidas na porta de uma das camareiras, a ordem é anunciada, você corre até a cozinha, acorda os cozinheiros, deixa a bandeja do que quer que seja solicitado à porta das camareiras, onde o servo do cavalheiro vai buscá-la – como isso é cansativo. Mas não é o pior. O pior é quando não há nenhuma ordem no meio da noite; quando todos deveriam estar dormindo, e a maioria das pessoas por fim consegue, é possível ouvir alguém passeando do lado de fora do quarto das camareiras. Então a camareira levanta da cama – são beliches, há pouco espaço lá; o quarto inteiro onde as camareiras dormem não é maior do que um armário com três compartimentos – elas escutam a porta, se ajoelham e abraçam-se com medo. E ainda continuamos ouvindo a pessoa à porta. Todos ficariam felizes se ele finalmente entrasse, mas nada acontece, ninguém entra. É preciso lembrar que não é necessariamente um perigo, às vezes é apenas alguém perambulando, pensando se quer pedir algo e incapaz de se decidir. Bem, talvez seja apenas isso, talvez seja algo bem diferente. As camareiras não conhecem os cavalheiros, elas mal os veem. De qualquer forma, as criadas dentro do quarto ficam com muito medo e, quando novamente tudo fica em silêncio do lado de fora, elas se apoiam novamente na parede, sem ter forças para voltar para a cama. E essa era a vida esperando Pepi; ainda naquela noite, ela disse, deveria voltar para seu antigo lugar no quarto das criadas. E por quê? Por causa de K. e de Frieda. De volta à vida da qual havia acabado de fugir, com a ajuda de K., com certeza, mas também por causa de seus próprios esforços. Como o trabalho das criadas é lá embaixo, até o mais delicado, elas tendem a esquecer-se de si mesmas. Para quem iriam se arrumar? Ninguém as vê, no máximo a equipe da cozinha. Bem, talvez uma criada que esteja satisfeita com isso irá se arrumar. Senão elas permanecem apenas em seu pequeno quarto, ou no quarto dos cavalheiros, e novamente, seria uma tolice e uma perda de tempo entrar nesses quartos com roupas limpas. E sempre ficam sob a luz artificial e ar úmido – o aquecedor fica sempre ligado – e sempre muito cansadas.

    A melhor maneira de passar seu tempo livre de uma tarde por semana é encontrar um lugar silencioso próximo à cozinha, onde se pode dormir sem ser perturbada e sem medo. Então, por que se arrumar? Nem se preocupam em se vestir. Então, Pepi foi para o bar, onde exatamente o contrário era necessário se quisesse manter seu posto, onde sempre estão diante dos olhos das outras pessoas, inclusive alguns cavalheiros muito enjoados e observadores, e onde é necessário ter a aparência mais elegante e agradável possível. Bem, essa foi uma grande mudança! E Pepi talvez pudesse gabar-se de que ela não deixou nada por fazer. Como as coisas aconteceriam depois não a incomodava. Ela sabia que tinha as habilidades necessárias para o trabalho, tinha certeza disso, e ainda estava convencida disso e ninguém seria capaz de tirar isso dela, até mesmo naquele dia, o dia de sua derrota. A única dificuldade era saber como provaria isso no início, porque era uma pobre camareira sem roupas bonitas e joias, e os cavalheiros não têm a paciência de esperar e ver o quanto você se desenvolve no trabalho, eles querem uma garçonete pronta, sem um período de aprendizado, ou irão para outro lugar.

Você pode pensar que seus pedidos não eram muito grandes se Frieda conseguia satisfazê-los. Mas não era assim. Pepi havia pensado bastante sobre aquilo, ela disse, havia estado diversas vezes ao lado de Frieda, e até mesmo compartilhado a cama com ela por um tempo. Não era fácil desvendar Frieda, e qualquer um que não a estudasse de perto – e qual cavalheiro irá estudar uma camareira de perto? – facilmente se deixaria levar. Ninguém mais do que Frieda sabe o quanto ela é patética; por exemplo, quando alguém a vê soltar seu cabelo pela primeira vez, fecha as mãos por pena; uma garota como ela não deveria ser nem mesmo uma camareira; ela sabe disso também, e já chorou muito por causa disso, aproximando-se de Pepi e colocando o cabelo de Pepi sobre sua cabeça. Mas, quando ela servia no bar, todas as suas dúvidas foram embora, ela se considerava uma beldade e sabia como fazer todos pensarem o mesmo. Ela sabe como as pessoas são, essa é sua arte. E é uma mentirosa e enganadora ligeira, para que as pessoas não tenham tempo de olhar para ela mais de perto. É claro que isso não iria funcionar para sempre, as pessoas têm olhos, e enfim seus olhos iriam lhe dizer a verdade. Mas, quando Frieda percebeu que corria um risco, ela tinha algo em sua manga, mais recentemente, por exemplo, seu relacionamento com Klamm. Seu relacionamento com Klamm! Se não acredita em mim, pode ir até Klamm para lhe perguntar, disse Pepi. Que inteligente! Que astuta! E se você não se atreve a ir falar com Klamm sobre esse tipo de assunto, talvez não seja recebido para falar de mais nenhum assunto importante; se Klamm é completamente inacessível – embora apenas para você, porque Frieda, por exemplo, pode aparecer aqui e falar com ele a hora que quiser – bem, se esse é o caso, ainda pode descobrir, e você pensando que teria que esperar. Klamm não permitiria que um rumor circulasse por muito tempo, ele realmente gosta de saber o que é dito sobre ele no bar e nos quartos de hóspedes, tudo isso é muito importante para ele, e se é falso ele quer logo esclarecer tudo. Mas ainda não esclareceu, então as pessoas pensam que não há nada para ser esclarecido, e que é verdade. O que você vê é apenas Frieda levando a cerveja ao quarto de Klamm e voltando com o pagamento, mas Frieda conta o que você não viu, então é obrigado a acreditar nela. Embora, na verdade, ela não conte nada, não iria revelar esses mistérios, não, os segredos se espalhavam por conta própria ao redor dela e, assim que eles se espalham, ela não teme em falar sobre eles, mas de uma forma modesta, sem alegar nada, apenas referindo-se ao que é conhecimento geral. Não para tudo, por exemplo, não que Klamm passou a beber menos cerveja do que antes desde que ela começou a trabalhar no bar, não muito menos, mas um pouco. Ela não fala sobre isso, e pode haver diversos motivos: pode ser que tenha chegado uma época em que Klamm não apreciava tanto sua cerveja, ou que Frieda o fizesse se esquecer de beber cerveja. De qualquer forma, por mais surpreendente que seja, vamos dizer que Frieda era amante de Klamm. Mas se alguém é bom o bastante para Klamm, por que os outros também não a admiram? Então Frieda se tornou uma mulher linda, simples assim, o tipo de garota que é necessária no bar, quase bonita demais, poderosa demais, logo o bar não seria o bastante para ela. E de fato parecia estranho para as pessoas que ela ainda estivesse no bar; ser garçonete é algo importante e, desse ponto, sua ligação com Klamm parecia muito plausível, mas se a garçonete é a amante de Klamm, por que ele a deixava no bar por tanto tempo? Por que não a promoveu para cargos melhores? Você pode dizer para as pessoas mil vezes que não há nada de contraditório nisso, que Klamm tinha seus motivos para agir dessa forma, ou que, em algum momento, talvez em breve, a promoção de Frieda chegaria. Nada disso tinha muito efeito; as pessoas formam certas ideias e, ao longo do tempo, não podiam ser persuadidas sobre o contrário, de forma nenhuma. Ninguém duvidava de que Frieda era amante de Klamm, até mesmo aqueles que tinham mais informações estavam cansados demais para duvidar disso. "Por favor, então diga que você é amante de Klamm", eles pensavam, "mas se realmente é, perceberemos por sua melhora de vida". No entanto, ninguém percebeu nada, e Frieda continuou no bar como antes e, secretamente, estava muito feliz por ficar ali.

    Mas ela perdeu seu *status* com as outras pessoas, percebeu isso, é claro, ela percebe muitas coisas, normalmente antes que elas aconteçam. Uma garota realmente bonita, atraente, depois que se acostuma a trabalhar no bar, não precisa de nenhum artifício; enquanto ela for bonita, será uma garçonete, a não ser que algo muito ruim aconteça. No entanto, uma garota como Frieda sempre precisa estar ansiosa a respeito de seu trabalho; é claro que ela não precisa demonstrar isso de uma maneira óbvia, é mais provável que reclame sobre o trabalho. Mas, em segredo, ela continua observando a atmosfera, então viu como as pessoas estavam indiferentes em relação a ela; não valia a pena levantar os olhos quando Frieda entrava, nem mesmo os servos se importavam mais com ela, eles se apegavam a Olga e garotas assim. Ela também percebeu o comportamento do senhorio, e viu que ela não era mais tão indispensável. Ela não podia mais inventar tantas histórias sobre Klamm, há limites para tudo – então a querida Frieda pensou em algo novo. Quem teria percebido logo no início? Bem, Pepi deduziu, mas infelizmente não tinha certeza. Frieda decidiu fazer um escândalo: ela, a amante de Klamm, se jogaria nos braços do primeiro homem que aparecesse, talvez alguém completamente insignificante. Isso chamaria atenção, as pessoas falariam nisso por um bom tempo e, por fim, elas se lembrariam do que é ser a amante de Klamm, o que significava deixar essa honra pelo frenesi de um novo amor. A única parte difícil era encontrar um homem adequado com quem ela pudesse jogar esse jogo. Não poderia ser ninguém que ela já conhecia, nem mesmo algum dos servos, ele provavelmente teria olhado para ela com os olhos arregalados e ido embora, além disso, ele não a teria levado a sério. Por mais que ele falasse muito, teria sido impossível espalhar a história de que Frieda havia sido atacada por ele, e não pôde se defender, e em um momento de loucura, se apaixonou por ele. Se fosse para ser alguém insignificante, teria que ser alguém em quem as pessoas pudessem acreditar que, apesar de seus modos brutos e deselegantes, ele desejava apenas Frieda, entre todas as pessoas, e não queria nada além de – ora, por favor! – se casar com ela. Mas se fosse um homem inferior, vulgar, se possível muito mais inferior que um servo, deveria ser alguém que não a fizesse ser alvo de zombaria de outras meninas. Precisaria ser alguém por quem outra garota, capaz de um bom julgamento, pudesse se sentir atraída. Mas onde ela encontraria um homem assim? Outra garota poderia tê-lo procurado durante a vida inteira em vão, mas a sorte de Frieda levou o agrimensor para ela no bar, talvez na noite exata em que essa ideia surge em sua mente. O agrimensor! Sim, no que K. estava pensando? Que ideias estranhas ele tinha em sua mente? Ele queria alcançar algo em particular? Uma boa nomeação, uma distinção? Ele queria alguma coisa desse tipo? Bem, então deveria ter agido de maneira diferente desde o início. Ele não era nada, era triste ver sua posição. K. é um agrimensor, bem, talvez isso signifique alguma coisa, é treinado em alguma coisa, mas se não pode fazer nada com esse treinamento, então não significa nada. E ele fazia reivindicações sem nada para prová-las, sem esclarecê-las, mas era possível perceber que ele fazia algumas reivindicações, e isso era provocativo. Será que sabia que até mesmo uma camareira caía em descrédito se conversasse com ele por qualquer período de tempo? E com todas essas reivindicações especiais, ele cai na armadilha mais óbvia desde a primeira noite. Não sente vergonha de si mesmo: o que ele viu em Frieda? Ele poderia admitir agora. Será que aquela criatura magra e pálida realmente o atraía? Ah, não, ele nem olhou para ela, mas ela disse que era amante de Klamm, isso foi muito interessante para ele, e estava perdido. Mas agora ela precisava se mudar, e é claro que não havia um emprego para ela na Pousada do Castelo.

    Pepi a viu na manhã antes de ela se mudar, a equipe havia se reunido, todos estavam curiosos para ver. E seu poder ainda era tanto que eles sentiram pena dela, todos eles, até mesmo seus inimigos sentiram pena dela, seus cálculos estavam funcionando. Parecia impensável para todos que ela tivesse se jogado sobre um homem dessa forma, um golpe do destino; as pequenas cozinheiras, que é claro, admiram qualquer garçonete, ficaram inconsoláveis. Até Pepi ficou tocada, nem mesmo ela poderia se armar totalmente contra a pena, embora sua atenção realmente estivesse em outro lugar. Ela percebeu como Frieda demonstrava pouca tristeza. Afinal, o que havia acontecido com ela era um infortúnio, e ela agia como se estivesse muito infeliz, mas esse jogo não foi o bastante para enganar Pepi. Então o que a motivava? A alegria de um novo amor, talvez? Essa

O CASTELO

ideia poderia ser dispensada. O que era, então? O que lhe dava força para ser amigável como sempre, até mesmo com Pepi, que já estava sendo apontada como sua sucessora? Naquela época, Pepi não teve a oportunidade para pensar sobre isso, ela tinha muito para fazer ao se preparar para assumir sua nova função. Ela deveria começar o trabalho em algumas horas, e não tinha um bom penteado, ou um vestido elegante, ou roupas íntimas finas, ou um bom par de sapatos. Todas essas coisas precisavam ser encontradas em algumas horas e, se ela não pudesse se preparar adequadamente, era melhor não aceitar a função, pois certamente a perderia na primeira meia hora. Bem, ela alcançou seus objetivos parcialmente. Tinha um talento especial como cabeleireira; certa vez a senhoria até a chamou para arrumar o seu cabelo, o fato é que ela tinha uma mão muito leve, e conseguia arrumar seu cabelo da maneira que quisesse. Quanto ao vestido, ela também teve ajuda. Suas colegas ainda eram amigáveis com ela, pois, para elas, era um tipo de honra também se uma garota de seu grupo fosse promovida para garçonete, e Pepi poderia conseguir muitos benefícios para elas depois que ela realmente tivesse poder.

Uma das garotas possuía um corte de tecido caro, era seu tesouro, ela fazia as outras meninas o admirarem, e provavelmente havia sonhado em utilizá-lo de uma forma muito elegante um dia e, agora que Pepi precisava, ela o entregou, foi muito gentil da parte dela. E as outras duas meninas ficaram felizes em ajudar com a costura, e trabalhariam da mesma forma se o vestido fosse para si mesmas. Foi um trabalho muito feliz e agradável. Todas elas se sentaram em suas camas, uma sobre a outra, costurando e cantando, e passavam os pedaços terminados uma para a outra. Quando Pepi pensava nisso, seu coração ficava ainda mais pesado por saber que havia sido tudo em vão, e que ela iria retornar para suas amigas camareiras com as mãos vazias. Que infortúnio, provocado, acima de tudo, pela negligência de K. Como elas haviam ficado felizes com o vestido naquele dia. Parecia uma garantia de sucesso e, quando encontraram espaço para a última fita, as últimas dúvidas desapareceram. E o vestido não era lindo? Agora está um pouco enrugado e manchado, Pepi não tinha outro vestido, ela teve que usar aquele noite e dia, mas ainda era

317

possível ver como era bonito. Nem mesmo aquelas terríveis irmãs de Barnabé conseguiriam um vestido melhor. E aí ela podia fazer o que quisesse, prender, soltar, em cima e embaixo, poderia ser apenas um vestido, mas tinha a vantagem de que poderia ser facilmente alterado, e isso havia sido sua própria ideia. Costurar não era difícil para ela, Pepi não estava se vangloriando disso, e qualquer coisa ficaria bem em uma garota saudável.

Havia sido muito mais difícil conseguir roupas íntimas e botas boas, e aqui o problema realmente começou. Novamente, suas amigas a ajudaram como puderam, mas não havia muito o que fazer. Elas conseguiram apenas roupas íntimas grossas e remendadas, e em vez de botas com salto, ela teve que usar chinelos que preferiria esconder. As pessoas consolavam Pepi dizendo que Frieda também não se vestia muito bem, e às vezes ela estava tão relaxada que os hóspedes preferiam ser servidos pelos rapazes do celeiro do que por ela. Esses eram os fatos da questão, mas Frieda conseguia escapar disso porque era favorecida e bem-vista; se uma moça sai parecendo suja e desarrumada, ela se torna ainda mais interessante, mas uma iniciante como Pepi? E de qualquer forma, Frieda não conseguia se vestir bem, ela não tinha bom gosto; se alguém tem a pele pálida, não pode fazer nada a respeito, mas não precisa vestir uma blusa decotada creme, como Frieda, para que seus olhos marejassem por olhar para todo aquele amarelo. E, mesmo se esse não fosse o caso, ela era má demais para se vestir bem; ficava com tudo o que recebia, ninguém sabia para quê. Ela não precisava de dinheiro no emprego, usava truques e mentiras em vez disso, estabeleceu um exemplo que Pepi não conseguia e não queria seguir, e era certo para ela, Pepi, se arrumar, para que ela pudesse deixar sua marca desde o início. Se ao menos ela tivesse mais dinheiro para viver, teria derrotado Frieda, apesar de toda sua astúcia e toda a tolice de K. E tudo começou tão bem. Ela havia descoberto as poucas habilidades necessárias e as coisas de que precisava saber antes.

Assim que ela começou a trabalhar no bar, estava em casa. Ninguém sentia falta de Frieda. Somente no segundo dia alguns hóspedes perguntaram o que havia acontecido com ela. Não havia erros.

O senhorio estava satisfeito, ele estava tão ansioso no primeiro dia que entrava e saía do bar o tempo todo, depois passou a ir pouco, e agora, no final, já que estava tudo certo – na verdade, o bar estava conseguindo um pouco mais de dinheiro do que na época de Frieda –, ele havia deixado tudo para Pepi. Ela implantou inovações. Frieda supervisionava todos estritamente, não por trabalho, mas por avareza, por seu desejo de dominar e seu medo de que alguém roubasse seus direitos. Ela supervisionava até mesmo os servos, pelo menos em partes, principalmente quando alguém estava observando. Pepi, por outro lado, deixava esse trabalho totalmente para os rapazes do celeiro, o que era muito mais apropriado. Isso significava que ela tinha mais tempo para os quartos dos cavalheiros, os hóspedes eram servidos mais rapidamente, e podia trocar algumas palavras com alguém, não como Frieda, que aparentemente conversava apenas com Klamm, e considerava cada palavra ou aproximação como um insulto para ele. Isso era inteligente também, com certeza, pois, se ela deixasse alguém se aproximar dela, era como um favor secreto. Mas Pepi odiava esses truques, e não se pode fazer uso deles no início de um trabalho. Pepi era gentil com todos e, em troca, todos eram gentis com ela.

Todos estavam obviamente felizes com a mudança; quando aqueles homens cansados, exaustos pelo trabalho podiam finalmente sentar-se um pouco para beber uma cerveja, podia-se transformá-los com uma palavra, um olhar, um movimento de ombros. Todos queriam passar as mãos pelos cachos de Pepi, ela provavelmente tinha que arrumar seu cabelo dez vezes por dia; ninguém conseguia resistir ao fascínio daqueles cachos e fitas em seu cabelo, nem mesmo K., que normalmente não reparava em muita coisa. Então, esses dias animados, de muito trabalho, mas bem-sucedidos, voaram. Se pelo menos não tivessem passado tão rapidamente, se ao menos ainda houvesse alguns deles! Quatro dias não são o bastante, quando se está trabalhando muito para conseguir alguma coisa, talvez o quinto dia funcionasse, mas quatro dias era muito pouco. Pepi de fato havia feito alguns amigos e patronos naqueles quatro dias, se pelo menos ela pudesse confiar nos olhares de todos os que nadavam no mar da boa vontade enquanto ela caminhava com as cervejas.

Um clérigo chamado Bratmeier é louco por ela, ela diz, ele lhe deu essa corrente e cadeado com uma foto, o que certamente era muito ousado da parte dele – isso, aquilo e aquilo outro aconteceu, mas ainda foi apenas por quatro dias. Em quatro dias, se Pepi se esforçasse, Frieda poderia ter sido quase, se não completamente, esquecida, e ela também seria esquecida, talvez até mesmo antes, se não tivesse se assegurado em fazer as pessoas falarem sobre ela ter vivido um escândalo tão grande. Isso a tornou interessante para eles novamente, eles queriam vê-la apenas por curiosidade; o que estava terrivelmente seco recebeu um novo interesse por causa de K., a quem, de outra forma, eles seriam totalmente indiferentes; não teriam perdido o interesse em Frieda por causa disso, não enquanto ela estivesse fisicamente presente com eles. Mas os cavalheiros são mais idosos, e estabelecidos em seus caminhos, para eles seria necessário um tempo maior até que se acostumassem com outra garçonete, ainda que a mudança fosse para melhor, mas levaria alguns dias, ainda que fosse contra a vontade dos cavalheiros, levaria alguns dias, talvez apenas cinco, mas quatro não seria o bastante; apesar de tudo, Pepi ainda parecia a garçonete temporária. E então, aconteceu talvez o pior infortúnio de todos; nesses quatro dias, Klamm, embora estivesse no vilarejo nos dois primeiros dias, não havia descido para o quarto de hóspedes ao lado. Se ele tivesse ido, teria sido um teste crucial para Pepi, e um teste que ela não temia nem um pouco, na verdade, estava esperando ansiosamente por ele. Ela não – para ter certeza, é melhor não colocar certas coisas em palavras –, ela não teria se tornado amante de Klamm, e nunca iria levantar-se para tal posição contando mentiras, mas gostaria de pelo menos ter podido colocar o copo de cerveja sobre a mesa de forma tão graciosa quanto Frieda, ela teria dito um bom "bom dia", sem o jeito forçado de Frieda, e teria pedido licença delicadamente também, e se Klamm estivesse procurando alguma coisa nos olhos de uma moça, ele encontraria nos de Pepi, para sua completa satisfação. Mas por que ele não viria? Era puramente ao acaso? Era isso que Pepi imaginava no momento. Ela o esperava a qualquer momento durante esses primeiros dois dias, e esperou que ele aparecesse à noite também. Agora Klamm vai chegar, pensava ela, andando de um lado a outro sem razão a não ser a agitação da espera e o desejo de ser a primeira a vê-lo entrar. Essa decepção constante a deixou exausta e, talvez por essa razão, não tenha conquistado tudo o que poderia. Quando ela tinha algum tempo, corria para o corredor onde os funcionários eram estritamente proibidos de entrar e se amontoava em um vão, e esperava. Se ao menos Klamm chegasse agora, ela pensava, se ao menos eu pudesse tirar aquele cavalheiro de seu quarto e carregá-lo até o quarto de hóspedes em meus braços. Eu não fraquejaria com esse fardo, não importa quão pesado fosse. Mas ele não chegou. Os corredores lá em cima são muito quietos, Pepi disse, não tem como imaginar como é quieto se nunca esteve lá. É tão quieto que não é possível suportar por muito tempo, o silêncio nos afasta. Mas de novo e de novo, afastada dez vezes, Pepi subia de novo até lá mais dez vezes. Não havia sentido nisso. Se Klamm quisesse descer, ele o faria e, se ele não quisesse descer até lá, Pepi não conseguiria convencê-lo, mesmo estando em um vão, sufocada pela palpitação de seu coração. Não havia sentido naquilo, mas, se ele não fosse, não haveria sentido em quase mais nada. E ele não foi. Agora Pepi sabe por que Klamm não foi. Frieda teria se divertido muito se tivesse visto Pepi no vão naquele corredor, com as mãos em seu coração. Klamm não desceu porque Frieda não permitiu. Não eram seus pedidos que ganharam o dia, seus pedidos não tinham peso para Klamm. Mas aquela aranha tem, em sua teia, conexões sobre as quais ninguém sabe nada. Se Pepi diz algo para um hóspede, ela fala abertamente, é possível ouvi-la na mesa ao lado do hóspede também; Frieda não tinha nada a dizer, ela apenas entregava a cerveja na mesa e ia embora, apenas com sua anágua passando por sua pele, é a única coisa em que ela gasta dinheiro. E se ela disser alguma coisa, não diz abertamente, ela sussurra para o hóspede, inclinando-se, para que os outros precisem levantar as orelhas na mesa ao lado. O que ela diz provavelmente não tem importância, mas nem sempre, ela tem conexões, e mantém algumas delas falando com outras e, embora a maioria delas falhe – bem, quem se preocuparia com Frieda a longo prazo? –, às vezes, alguém continuava em contato.

    Então ela começou a explorar essas conexões, K. lhe deu a oportunidade para isso; em vez de ficar com ela para vigiá-la, ele mal ia para casa, ficava perambulando, falava com várias pessoas, cuidava de tudo, menos de Frieda e, finalmente, dando a ela ainda mais liberdade, ele se mudara da Pousada da Ponte para a escola vazia. Excelente começo para sua lua de mel! Bem, Pepi com certeza é a última mulher a culpar K. por não ser capaz de viver com Frieda – ninguém suporta viver com Frieda. Mas por que ele não a deixou de uma vez, por que continuou voltando para ela, por que suas perambulações lhe davam a impressão de que ele a estava apoiando? Parecia que somente o contato com Frieda havia revelado a ele o quanto ele era insignificante, como se quisesse provar-se digno de Frieda, como se, de alguma maneira, quisesse conquistar seu caminho, por estar impedido de viver com ela para que, depois, em seu próprio tempo, pudesse compensá-la por isso. Enquanto isso, Frieda não perdia tempo, ela ficava na escola para onde provavelmente havia sido responsável por levar K., observando a Pousada do Castelo e K. Ela tinha excelentes mensageiros à mão, os assistentes de K., que ele deixava inteiramente para ela – é difícil de entender, mesmo para quem conhece K., é algo realmente difícil de entender. Ela os enviava para seus antigos amigos, os lembrava sobre o que aconteceu, reclamava que estava sendo presa por um homem como K., espalhava antipatia por Pepi, anunciava que ela voltaria a qualquer dia, pedia ajuda, falava para seus amigos não dizerem nada para Klamm, agia como se Klamm devesse ser poupado e, então, dizia que em nenhuma circunstância ele deveria descer ao bar. Enquanto ela fingia para alguns que apenas estava preocupada com Klamm, explorava seu sucesso com o senhorio ao apontar que Klamm não estava mais indo para o bar. Como isso seria possível, quando há apenas uma garota como Pepi servindo no bar? É claro que não é culpa do senhorio, dizia Frieda, Pepi é a melhor substituta que ele pôde encontrar, mas ela não é boa o suficiente até mesmo apenas por alguns dias.

K. não sabia nada sobre essa intriga da parte de Frieda; se ele não estava resolvendo seus assuntos, estava deitado aos pés dela, sem suspeitar de nada, enquanto ela contava as horas que estavam entre ela e seu retorno para o bar. Mas os assistentes não agiam apenas como mensageiros, eles também serviam para causar ciúmes em K., para mantê-lo agitado. Frieda conhecia os assistentes desde sua infância, eles com certeza não tinham nenhum segredo, mas, pelo bem de K., eles começaram a interessar-se um pelo outro, e K. corria o risco de pensar que era um grande amor. E K. fazia de tudo para agradar Frieda, por mais contraditório que possa parecer, ele permitiu que seus assistentes o deixassem com ciúme, mas também que os três ficassem juntos enquanto ele saía para longas caminhadas. É quase como se Frieda fosse a terceira assistente. Então, com base no que observou, Frieda decidiu dar seu golpe final – ela resolveu voltar, em um momento alto, é notável como essa enganosa Frieda reconhece e explora esse fato; seu poder de observação e de decisão é sua habilidade especial. Como sua própria vida seria diferente se Pepi tivesse esse poder. Se Frieda tivesse ficado na escola mais um ou dois dias, Pepi não teria sido retirada de sua função, ela enfim estaria estabelecida como garçonete, apreciada e amada por um e por todos, ela iria ganhar dinheiro o bastante para completar seu guarda-roupa e vestir-se de maneira elegante, mais dois ou três dias e nenhum truque poderia ter mantido Klamm longe do bar; ah, sim, ele entraria, beberia, se sentiria confortável, e se ele sentisse falta de Frieda ficaria feliz com a mudança, mais dois ou três dias e Frieda, com seu comportamento escandaloso, com seus contatos, com os assistentes, com tudo o mais, seria completamente esquecida, e nunca mais apareceria lá. Então talvez ela se agarrasse mais a K., e ao menos aprenderia a amá-lo sinceramente, concluindo que ela fosse capaz de tal coisa? Não, isso também não. Pois não demoraria mais de um dia para que K. se cansasse dela, para ele perceber que ela o estava enganando de todas as maneiras, com sua suposta beleza, sua suposta constância e, acima de tudo, seu suposto amor por Klamm, apenas um dia era tudo o que ele precisaria para expulsá-la, a ela e aos assistentes, da casa – pode-se imaginar que nem K. iria mais precisar deles.

E então, entre esses dois perigos, onde o chão parece estar se fechando sobre Frieda, K., em sua tolice, mantém sua última rota de fuga aberta para ela, e ela aproveita. De repente – quase ninguém esperaria isso, não é natural –, de repente é ela quem expulsa K., que ainda a ama, ainda a segue e, com a ajuda de uma pressão dos amigos e assistentes, ela recorre ao senhorio como seu salvador, mais interessante do que antes por causa de seu comportamento escandaloso, desejada igualmente pelos de posição mais alta quanto pelos de posição mais inferior, e ela se apaixonou por um de posição inferior brevemente, logo o rejeitou como era esperado, e agora estava fora do alcance dele e de todos, como antes, exceto que, antes, havia dúvidas sobre tudo isso, mas agora seu *status* parecia estar confirmado.

Então ela volta, o senhorio olha para Pepi secretamente e hesita – será que ele deveria sacrificá-la depois que ela provou valer tanto? –, mas logo é persuadido. Há muitas coisas a favor de Frieda e, acima de tudo, ela poderia trazer Klamm de volta para o quarto de hóspedes. E aquela noite era para isso. Pepi não iria esperar até Frieda voltar e transformar isso em uma cena de triunfo. Ela já havia entregado a caixa registradora para a senhoria, então poderia ir embora. Sua cama no quarto das camareiras já estava pronta, ela iria para lá, para ser recebida por suas amigas com lágrimas, tirar o vestido de seu corpo e as fitas de seu cabelo e amontoá-las em um canto onde ficarão bem escondidas, e não a lembrarão de tempos que devem ser esquecidos. Então ela irá buscar o balde e a vassoura, ranger os dentes, e começará o trabalho. Mas naquele momento ela apenas precisava contar tudo para K. para que ele, que não teria entendido tudo aquilo sem ajuda, pudesse ver claramente como ele havia maltratado Pepi e como isso a havia feito infeliz. Embora ele também houvesse sido mal compreendido.

Pepi finalmente acabou o que tinha para dizer. Ela enxugou algumas lágrimas de seus olhos e bochechas e, quando olhou para K., balançando a cabeça, como se para dizer que não eram os seus próprios infortúnios que a incomodavam, ela suportaria, e não precisava da ajuda e do consolo de ninguém, muito menos de K., apesar de sua juventude, ela conhecia a vida, e sua infelicidade apenas confirmava o que ela já sabia, não, aquilo era sobre K., ela queria mostrar sua própria imagem para ele, ainda que após o colapso de todas as suas esperanças, ela achou que deveria fazer isso.

– Que imaginação maluca você tem, Pepi – disse K. – Ora, não é verdade que você só descobriu todas essas coisas agora; eles não passam de sonhos vindos do quarto escuro e lotado que você e as outras camareiras compartilham. Eles podem fazer sentido lá, mas aqui, ao ar livre, no bar, eles parecem estranhos. Você não ficaria aqui com tais noções, isso é óbvio. Até mesmo o seu vestido e seu penteado, dos quais tanto se orgulha, são apenas o resultado fantástico da escuridão e daquelas camas em seu quarto. Eu tenho certeza de que parecem atraentes lá, mas aqui todos riem deles, seja abertamente ou não. E o que mais você diz? Diz que fui usado e traído? Não, querida Pepi, não fui usado ou traído mais do que você foi. É verdade que Frieda me deixou, ou, como você disse, fugiu com um dos assistentes, e então você foi ao encontro de uma ideia sobre os fatos, e é realmente improvável que ela seja minha esposa agora, mas é totalmente inverdade dizer que me cansei dela, ou a expulsei no dia seguinte, ou que ela me traiu da forma que normalmente uma mulher trai um homem. Vocês, camareiras, estão acostumadas a espiar pelos buracos da fechadura, o que significa que quando realmente veem alguma coisinha, isso as leva a tirar grandes conclusões, porém errôneas, sobre a situação completa. O resultado é que eu, por exemplo, sei muito menos do que você alega saber. Não consigo explicar nem um pouco com tantos detalhes sobre por que Frieda me deixou como você o faz. Parece-me que você também chegou perto da explicação mais provável, embora não a tenha aproveitado muito: eu a negligenciei. Temo que isso seja verdade, realmente a negligenciei, mas houve alguns motivos específicos para isso que não é certo mencionar aqui. Eu provavelmente ficaria feliz se ela voltasse para mim, mas logo a negligenciaria novamente, e é assim mesmo. Quando ela estava comigo, eu estava sempre fora de casa naquelas caminhadas que você ridiculariza; agora que ela se foi, não tenho

quase nada para fazer, estou cansado, desejo ficar ainda menos ocupado. Você tem algum conselho para mim, Pepi?
— Ah, sim — disse Pepi, de repente mais animada, e segurando os ombros de K. — Nós dois fomos traídos, vamos ficar juntos, desça até o quarto das camareiras comigo.
— Não posso conversar com você de maneira sensata enquanto falar de traição — disse K. — Você continua falando que foi traída porque a ideia toca você e a exalta. Mas a verdade é que você não é adequada para essa função. Se até mesmo eu, que em sua opinião não sei de nada, vejo essa incompatibilidade, então deve ser muito óbvia. Você é uma boa garota, Pepi, mas não é fácil ver isso. Eu, por exemplo, pensei no início que você fosse cruel e arrogante, o que não é, mas é que essa função a confunde, porque você não é adequada para ela. Não quero dizer que é elevada demais para você, não é nada além do comum, ou talvez, se olharmos de perto, seu *status* é um pouco mais alto do que em seu emprego anterior, mas no todo não há muita diferença, os dois são muito parecidos, na verdade, alguém pode dizer que ser uma camareira é melhor do que trabalhar no bar, pois as camareiras estão sempre entre os secretários, enquanto aqui, mesmo se você servir os superiores dos secretários nos quartos de hóspedes, também encontrará pessoas muito comuns, por exemplo, eu; é correto e adequado que eu não possa ir para mais nenhum lugar na Pousada, apenas entrar no bar, e a possibilidade de me encontrar ali é uma grande distinção? Bem, parece para você que sim, e talvez tenha suas razões. Mas é por isso que é inadequada. Embora esse seja um trabalho como qualquer outro, para você parece o céu e, como consequência, você faz tudo com um entusiasmo excessivo, se arruma como imagina que são os anjos, embora eles não se pareçam nem um pouco com isso, você treme por sua função, se sente perseguida o tempo todo, tenta conquistar todos que pensa que podem ajudá-la, demonstrando simpatia demais, mas isso os incomoda e os afasta, pois eles querem paz quando vêm à pousada, e não acrescentar os problemas das camareiras aos seus próprios. É possível que, após Frieda ter ido embora, nenhum dos hóspedes importantes tenha notado, mas hoje eles notam e realmente desejam

ter Frieda de volta, suponho porque ela gerenciava tudo de maneira muito diferente. Como quer que ela fosse, e de que forma ela avaliava sua própria função, tinha experiência em servir os hóspedes, era fria e controlada, como você mesma disse, mas você não aproveitou o exemplo dela. Já notou a expressão nos olhos dela? Não era a expressão de uma garçonete, e sim de uma quase senhoria. Ela via tudo, cada detalhe, e a maneira como olhava para um indivíduo era o suficiente para subjugá-lo. O que importava se ela fosse um pouco magra, não tão jovem quanto havia sido antes, que tinha cabelos grossos? Todos esses são detalhes pequenos comparados ao que ela realmente tinha, e qualquer pessoa incomodada por essas falhas teria demonstrado que lhe falta um senso melhor das coisas. Essa acusação não pode ser usada contra Klamm, e apenas o ponto de vista de uma garota jovem e inexperiente a faz acreditar que Klamm não poderia ter amado Frieda. Klamm parece, para você – e isso é correto –, fora de alcance, e então você acha que Frieda não poderia ter sido próxima a ele também. Você está errada. Eu confiaria na palavra de Frieda quanto a isso, ainda que não houvesse uma prova irrefutável a favor dela. Por mais incrível que isso possa parecer a você, e por menos que possa ajustá-lo às suas ideias sobre o mundo e a vida dos oficiais, sobre distinção e o efeito da beleza feminina, é verdade, tão verdade como nós estamos sentados aqui juntos, e eu posso segurar sua mão entre as minhas. Não há dúvida de que era dessa forma que Klamm e Frieda sentavam-se lado a lado também, como se fosse a coisa mais natural do mundo, e ele descia até aqui por sua própria vontade, de fato ele se apressava, ninguém estava esperando por ele no corredor e, negligenciando o restante de seu trabalho, Klamm teria que descer por sua própria vontade, e os defeitos nas roupas de Frieda, que você achou tão horripilantes, não o incomodavam nem um pouco. Você apenas não quer acreditar nela! E não sabe como está se expondo, porque demonstra sua inexperiência. Até mesmo alguém que não soubesse nada sobre o relacionamento dela com Klamm deveria observar que, em razão de sua própria natureza, ele deixou sua marca em alguém acima de você e eu e de todas as outras pessoas no vilarejo, e que suas conversas foram além das brincadeiras entre hóspedes e garçonetes, o que parece ser o principal objetivo de sua vida. Mas eu estou sendo injusto com você. Você conhece as qualidades de Frieda muito bem, conhece seu dom para observação, seu poder de decisão, sua influência sobre as outras pessoas, mas interpreta tudo isso da maneira errada, acha que ela usa tudo isso de maneira egoísta, para seu próprio benefício e más intenções ou até mesmo como uma arma contra você. Não, Pepi, mesmo se ela tivesse essas flechas nas mãos dela, não poderia atirá-las a uma distância tão curta. E egoísta? Alguém pode dizer que, ao sacrificar o que ela tinha, e o que ela poderia esperar, deu a nós dois, você e eu, uma oportunidade de crescer, mas que nós a desapontamos e a forçamos a voltar para cá. Eu não sei se isso é verdade, e não compreendo muito como sou culpado em tudo isso, mas, quando me comparo a você, algo do tipo se mostra para mim; é como se nós dois tivéssemos tentado demais, com barulho demais, infantilidade demais, e com pouca experiência, ganhar algo que poderia ser recebido de maneira fácil e tranquila com, por exemplo, a calma e a objetividade de Frieda, mas nós tentamos conquistá-lo com choro, insistência e incômodo, assim como uma criança puxa a toalha da mesa, mas não consegue, e alguém tira todas as coisas da mesa e as coloca fora do alcance da criança para sempre, não sei se esse é o caso, mas sei com certeza que é mais provável do que a sua versão dos acontecimentos.

– Entendo – disse Pepi. – Está apaixonado por Frieda porque ela fugiu de você. Não é difícil amá-la quando ela não está por perto. Mas, mesmo se for como você diz, e mesmo se estiver certo em tudo, incluindo em me fazer parecer ridícula, o que você poderia fazer agora? Frieda deixou você, e nem minha explicação, nem a sua, dá qualquer esperança de que ela irá voltar para você e, mesmo se ela voltasse, você teria que passar esse tempo em algum lugar, o clima está frio e você não tem emprego e nem uma cama. Então, venha conosco, irá gostar de minhas amigas, vamos deixá-lo confortável, você pode nos ajudar com nosso trabalho, que é muito difícil para meninas realizarem sozinhas; nós, garotas, não precisaremos ficar sozinhas e com medo durante a noite. Venha e fique conosco! Minhas amigas também conhecem Frieda, vamos contar histórias sobre ela até que você se canse. Venha! Temos fotos de Frieda também, podemos mostrar-lhe. Frieda era ainda menos bonita do que agora, você mal irá reconhecê-la, a não ser pelos olhos dela, que já tinham um olhar astuto desde então. Bem, você vem?

— Isso é permitido? Ontem foi um grande escândalo quando fui pego em seu corredor.

— Isso porque foi pego. Ninguém saberá sobre você, somente nós três. Vai ser tão divertido! Minha vida lá já me parece mais suportável do que há pouco tempo. Talvez eu não tenha perdido tanto ao ter que deixar o trabalho aqui, afinal. Você vê, até mesmo só nós três não estávamos entediadas, é preciso adoçar a amargura da vida, ela é amarga durante nossa juventude para que nossas línguas não se acostumem à luxúria, mas nós três permanecemos juntas, vivemos a melhor vida possível, você irá gostar especialmente de Henriette, e de Emilie também, eu já falei para elas sobre você, as pessoas ouvem tais histórias e ficam maravilhadas, como se nada pudesse acontecer fora de nosso quarto; quando está cheio, lá é quente, e nós ficamos juntas; ainda que só tenhamos nós três para nos apoiar, não nos cansamos uma da outra. Pelo contrário, quando penso em minhas amigas, quase penso que é bom ter que voltar para lá. Por que eu deveria me elevar acima delas? Era isso que nos mantinha unidas, nós três com um futuro limitado diante de nós da mesma maneira, e então fui separada delas, mas o fato é que não as esqueci, e minha preocupação era como eu poderia fazer algo por elas; minha própria função ainda era incerta, embora eu não soubesse quão incerta, e eu já estava falando sobre Henriette e Emilie para o senhorio. Ele não foi totalmente inflexível no caso de Henriette, mas quanto a Emilie, que é muito mais velha que nós duas, ela tem mais ou menos a idade de Frieda, ele não poderia me dar nenhuma esperança. Mas, pense, elas não querem ir embora, sabem que é uma vida miserável lá fora, mas se ajustaram a ela, coitadas, eu acredito nas lágrimas delas. Quando me despedi, eram mais de tristeza porque tive que sair do quarto que dividíamos para ir para o frio; para nós, tudo que estava fora de nosso quarto era frio, e teria que entrar naqueles quartos enormes, estranhos, com aquelas pessoas importantes e desconhecidas, por nenhum motivo a não ser para conseguir viver, embora eu já tivesse feito isso quando morávamos e trabalhávamos juntas. Elas provavelmente não ficarão surpresas em me ver voltar, chorarão um pouco e lamentarão meu destino apenas para serem gentis. Mas então verão você, e perceberão que foi algo bom eu ter saído de lá. Elas ficarão felizes por saber que agora teremos um homem para nos ajudar e proteger, e ficarão particularmente satisfeitas por tudo ser mantido em segredo, e o segredo nos unirá ainda mais do que antes. Venha e fique conosco, por favor, venha e fique conosco! Você não é obrigado a nada, não ficará preso àquele quarto como nós somos. Quando a primavera chegar, se encontrar um lugar para ficar e não quiser mais ficar conosco, poderá ir embora, mas ainda terá que manter o segredo, e não nos entregar, porque esse seria o nosso fim na Pousada do Castelo. E é claro que, se ficar conosco, precisa tomar cuidado para não ir a lugares que não consideramos seguros, e precisa seguir nossos conselhos. Essa é toda a obrigação que você tem, e terá que lidar com isso como nós lidamos, mas, fora isso, você é totalmente livre, o trabalho que lhe daremos não será muito difícil, não se preocupe. Bem, você virá?

– Quanto tempo falta até chegar a primavera?

– Até a primavera? – Pepi repetiu. – Ah, o inverno aqui é longo, muito longo e monótono. Nós não reclamamos disso lá embaixo, lá estamos a salvo do inverno. Bem, em algum momento, a primavera irá chegar, e o verão também, e eles têm seu próprio tempo, mas agora, como nos lembramos deles, a primavera e o verão parecem tão curtos como se não durassem mais do que dois dias, e até mesmo nesses dias a neve cai em meio ao clima agradável.

A porta se abriu. Pepi deu um pulo – em sua mente, ela pensou que estava longe do bar –, mas não era Frieda, era a senhoria. Ela parecia surpresa em ainda encontrar K. ali. K. desculpou-se dizendo que estava esperando por ela e, ao mesmo tempo, agradeceu por tê-lo deixado passar a noite ali. A senhoria não entendeu por que K. havia esperado por ela. K. disse que tinha a impressão de que a senhoria queria falar com ele, e pediu desculpas se houvesse cometido um erro e, de qualquer forma, ele tinha que ir embora, pois estava fora da escola onde era zelador há tempo demais, e a culpa era das convocações que havia recebido no dia anterior, ainda tinha pouca experiência naquelas coisas e certamente não daria mais tanto trabalho para a senhoria como no dia anterior. Ele fez uma reverência, pronto para ir embora. Mas a senhoria olhou para ele com um olhar como se estivesse sonhando. Esse olhar manteve K. ali por mais tempo do que ele desejava. Então, ela também sorriu um pouco, e despertou apenas com a expressão pasma de K. Era como se ela esperasse por uma reação ao seu sorriso, mas, então, quando não houve nada, ela acordou.

– Você teve o descaramento de fazer um comentário sobre meu vestido ontem. – K. não se lembrava disso. – Você não se lembra? Então não é apenas descarado, é covarde também.

K. explicou que era tudo por causa de seu cansaço do dia anterior; era possível, ele disse, que houvesse falado sobre uma coisa ou outra, mas não conseguia se lembrar naquele momento. O que poderia ter dito sobre os belos vestidos da senhoria? Que eram mais bonitos do que qualquer vestido que ele já havia visto? Ou pelo menos que nunca havia visto uma senhoria realizar o seu trabalho tão bem vestida?

– Não se preocupe em fazer comentários pessoais – ela disse rapidamente. – Não quero ouvir mais nada sobre meus vestidos. Meus vestidos não são da sua conta. Eu o proíbo de falar sobre eles, e é isso.

K. fez outra reverência e seguiu em direção à porta.

– O que você quer dizer, afinal? – perguntou a senhoria. – O que você quer dizer ao falar que nunca viu uma senhoria realizar seu trabalho tão bem vestida? Por que diz coisas tão sem sentido? O que poderia ser mais sem sentido? O que você quer dizer com isso?

K. virou-se e disse para a senhoria não se aborrecer. É claro que seus comentários eram sem sentido, ele disse. Ele realmente não sabia nada sobre vestidos. Em sua situação, qualquer vestido limpo que não precisava ser remendado parecia muito bom. Ele apenas havia ficado surpreso por ver a senhoria lá no corredor à noite, em um vestido tão bonito entre todos aqueles homens malvestidos, só isso.

– Bem – disse a senhoria –, pelo menos parece que você se lembra do que disse ontem! E deixa sua imprudência cada vez mais sem sentido. É verdade que não sabe nada sobre vestidos. Então me deixe explicar a você, desista de fazer comentários sobre vestidos bonitos ou como eles são, ou vestidos inadequados, ou qualquer coisa do tipo. E de qualquer forma – e ela pareceu sentir um arrepio –, você não deve prestar atenção em meus vestidos, ouviu?

E quando K. estava prestes a virar-se novamente, baixinho, ela perguntou:

– E onde aprendeu sobre vestidos, afinal?

K. deu de ombros, para demonstrar que não sabia.

– Bem, você não sabe nada sobre o assunto – disse a senhoria.

– Então não finja saber. Venha até o escritório e eu irei mostrar-lhe algo, e então espero que abandone sua imprudência de uma vez.

Ela já havia passado pela porta; Pepi correu para K. com a desculpa de que ela queria que K. pagasse o que devia, e logo entraram em um acordo; era muito simples, já que K. conhecia o jardim com o portão que levava à rua lateral. Havia um pequeno portão ao lado do portão grande, e Pepi estaria esperando do outro lado dentro de uma hora, e abriria quando ele batesse três vezes.

O escritório particular da pousada ficava no lado oposto ao bar, era necessário apenas cruzar o hall de entrada. A senhoria já estava sentada no escritório iluminado, olhando de forma impaciente para K. Mas havia uma distração. Gerstäcker estava esperando no hall e queria falar com K. Não foi fácil dispensá-lo. A senhoria juntou-se a eles, mostrando para Gerstäcker que ele estava atrapalhando.

– Onde espero, então? Onde espero? – Era possível ouvir Gerstäcker através da porta fechada, e suas palavras se misturavam com suspiros e tosse, de forma pouco atraente.

O escritório era uma sala pequena e superaquecida. Havia um apoio para livros em uma das paredes menores, e um cofre de ferro também, e um armário e um sofá otomano nas paredes maiores. O armário ocupava a maior parte do espaço; ele não apenas se estendia por toda a parede, mas sua profundidade tornava a sala muito abarrotada, e eram necessárias três portas de correr para abri-lo completamente. A senhoria apontou o sofá, indicando que K. deveria sentar-se, e ela sentou-se na cadeira giratória próxima ao atril.

– Você já foi treinado como um alfaiate e costureiro? – perguntou a senhoria.

– Não, nunca – disse K.

– Qual é sua profissão, então?

– Sou agrimensor.

– O que é isso?

K. explicou, mas a explicação a fez bocejar.

– Você não está me dizendo a verdade. Por que não diz a verdade?

– Você também não está dizendo a verdade.

– Eu? Lá vai você novamente com seu descaramento. Supondo que eu não esteja, preciso justificar-me a você? De qualquer forma, em que aspecto não estou falando a verdade?

– Você não é apenas uma senhoria, como demonstra.

– Você é muito perspicaz, tenho certeza. Então o que mais eu sou? Sua impertinência vai longe!

– Não sei o que mais você é. Apenas vejo que aparenta ser uma senhoria, mas usa vestidos que não são de uma senhoria e, até onde eu sei, ninguém aqui no vilarejo veste algo assim.

– Ah, então agora estamos chegando ao ponto. Você não pode negar. Talvez não seja descarado, talvez seja apenas como uma criança que sabe uma piada tola e não consegue ficar quieta. Então, vamos, fale. O que há de especial nesses vestidos?

– Você ficará nervosa se eu disser.

– Não, com certeza vou dar risada, porque será uma infantilidade sem sentido. Então, como são meus vestidos?

– Bem, você que perguntou. Eles são feitos com um bom tecido, material caro, mas são antiquados, muito enfeitados e, normalmente, elaborados demais. Estão desgastados, e não são adequados nem para a sua idade, nem para o seu posto. Reparei neles assim que a vi pela primeira vez, há cerca de uma semana, no hall de entrada.

– Então, pronto. Eles são antiquados, muito enfeitados, e o que mais? E por que você acha que sabe tudo isso?

– Eu vejo. Ninguém precisa de treinamento para saber essas coisas.

– Você vê, só isso. Não precisa ir perguntar em lugar nenhum, sabe logo o que a moda exige. Você será inestimável para mim, porque realmente tenho uma fraqueza por belos vestidos. E o que dirá quando eu lhe mostrar que esse armário está repleto deles?

Ela empurrou as portas de correr, e era possível ver vestidos e mais vestidos pendurados um ao lado do outro em toda a extensão do guarda-roupa, a maioria vestidos escuros, cinzas, marrons e pretos, todos pendurados com cuidado, com seus saiotes esticados.

– Esses são os meus vestidos, todos antiquados e enfeitados demais em sua opinião. Mas esses são os únicos vestidos que não têm lugar em meu quarto. Tenho mais dois guarda-roupas cheios deles lá em cima, dois guarda-roupas, quase do tamanho deste. Está maravilhado?

– Não, eu já esperava algo do tipo. Como eu disse, você é mais do que apenas uma senhoria, tem um objetivo mais alto.

– Meu objetivo é apenas me vestir bem, e você é um homem tolo, ou uma criança, ou um homem mau e perigoso. Então vá embora, rápido! Vá embora!

K. saiu para o hall e Gerstäcker já estava ao lado dele, enquanto a senhoria dizia:

– Vou receber um novo vestido amanhã. Talvez eu permita que vá buscá-lo.

Gerstäcker acenou com sua mão, bravo, como se para silenciar a senhoria de longe, pois ela o incomodava, pediu que K. o acompanhasse. No início, ele não queria explicar por que, e não deu muita atenção aos protestos de K. dizendo que ele deveria ir para a escola. Apenas quando K. resistiu ao ser arrastado por ele que Gerstäcker lhe disse para não se preocupar, que ele teria tudo o que precisava em sua nova casa, que poderia abrir mão do posto de zelador, e se ele poderia, por favor, segui-lo. Ele estava esperando por K. o dia todo, Gerstäcker disse, sua mãe não sabia onde ele estava. Cedendo ao seu pedido aos poucos, K. perguntou como ele planejava conseguir comida e hospedagem para ele. Gerstäcker respondeu brevemente, dizendo que precisava que K. o ajudasse com os cavalos, ele mesmo já tinha seu próprio negócio agora, e desejava que K. não fosse arrastado daquela forma, dificultando as coisas para ele, sem necessidade. Se K. quisesse um pagamento, então ele, Gerstäcker, lhe pagaria um salário. Mas com tudo isso, K. parou. Ele não sabia nada sobre cavalos, ele disse. Isso não importava, disse Gerstäcker, impaciente. E, em seu estado de irritação, ele uniu suas mãos, implorando para que K. fosse com ele.

– Não sei por que quer que eu vá com você – disse K., enfim. Não importava para Gerstäcker o que K. sabia. – É porque acha que posso ter influência em colocar você em contato com Erlanger?

– Isso mesmo – disse Gerstäcker. – Por que mais acha que eu estaria interessado em você?

K. riu, pegou o braço de Gerstäcker, e permitiu que ele o guiasse pela escuridão.

A sala de estar na casa de Gerstäcker estava pouco iluminada, apenas pelo fogo na base da lareira e um pedaço de vela. Pela luz da vela, era possível ver alguém curvado em um vão sob uma viga inclinada que se destacava ali, lendo um livro. Era a mãe de Gerstäcker. Ela esticou sua mão trêmula para K. e o fez sentar-se ao seu lado. Ela falava com dificuldade, era difícil compreender o que ela dizia.

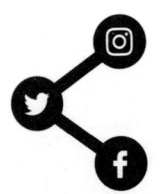

fonte
quadraat

@novoseculo
nas redes sociais

gruponovoseculo.com.br